SOPHIE KINS

Cocktails für drei

GOLDMANN
Lesen erleben

Buch

Alle drei arbeiten sie bei demselben Londoner Magazin und sind trotz ihrer Unterschiedlichkeit seit Jahren unzertrennliche Freundinnen: die mondäne Roxanne, die einen verheirateten Liebhaber hat, die solide verheiratete Powerfrau Maggie und die ehrliche, stets an das Gute glaubende Candice. Es hat schon Tradition, dass sie sich einmal im Monat zu einem gemütlichen Drink in immer derselben Bar treffen, wo Candice eines Abends in der neuen Bedienung eine ehemalige Schulfreundin, Heather, erkennt. Es ist offensichtlich, dass Heather im Leben weniger Glück als sie selbst hatte, und Candice entschließt sich, ihr zu helfen. Nicht ganz uneigennützig, denn es gibt zwischen ihnen ein gemeinsames Band – ein unausgesprochenes Kindheitsgeheimnis, an dem Candice schwer trägt. Aber je mehr Erfolg die undurchsichtige Heather mit Hilfe ihrer neuen Freundin hat, desto erschreckendere Katastrophen treffen Candice. Hilflos muss sie mit ansehen, wie ihr Leben Stück für Stück in die Brüche geht. Doch in dieser schier ausweglosen Situation erweist es sich, wie belastbar wahre Freundschaft ist – und dass sie sich nicht im Cocktailtrinken erschöpft …

Weitere Informationen zu Sophie Kinsella
sowie zu lieferbaren Titeln der Autorin
finden Sie am Ende des Buches.

Sophie Kinsella

Cocktails für drei

Roman

Aus dem Englischen
von Jörn Ingwersen

GOLDMANN

Die Originalausgabe erschien 2000 unter dem Titel
»Cocktails for three« bei Black Swan Books,
Transworld Publishers Ltd., London.

Dieser Roman erschien 2001 erstmals auf Deutsch unter
dem Autorennamen Madeleine Wickham.
»Sophie Kinsella« ist das Pseudonym der Autorin.

Dieses Buch ist auch als E-Book erhältlich.

Verlagsgruppe Random House FSC® N001967
Das FSC®-zertifizierte Papier *München Super* für dieses Buch
liefert Arctic Paper Mochenwangen GmbH.

1. Auflage
Neuveröffentlichung September 2013
Copyright © der Originalausgabe 2000
by Madeleine Wickham
Copyright © der deutschsprachigen Ausgabe 2001, 2013
by Wilhelm Goldmann Verlag, München,
in der Verlagsgruppe Random House GmbH
Umschlaggestaltung: UNO Werbeagentur, München
Umschlagfoto: FinePic®, München
AB · Herstellung: Str.
Satz: omnisatz GmbH, Berlin
Druck und Bindung: GGP Media GmbH, Pößneck
Printed in Germany
ISBN: 978-3-442-47685-5
www.goldmann-verlag.de

Besuchen Sie den Goldmann Verlag im Netz:

*Ich danke meiner Agentin Araminta Whitley sowie
Linda Evans und Sally Gaminara und allen bei Transworld
für ihre unermüdliche Begeisterung und Ermutigung während
der Arbeit an diesem Buch. Außerdem danke ich meinen
Eltern und Schwestern für ihren steten, heiteren Beistand
und meinen Freunden Ana-Maria und George Mosley dafür,
dass sie immer einen Cocktailshaker bereithalten.*

*Und schließlich ein dickes Dankeschön an meinen Mann
Henry, ohne den es dieses Buch nicht geben würde und dem es
gewidmet ist.*

Kapitel Eins

Candice Brewin stieß die schwere Glastür der Manhattan Bar auf und spürte, wie sie von der vertrauten Woge aus Wärme, Lärm, Licht und Gläserklirren umfangen wurde. Es war sechs Uhr an einem Mittwochabend, und die Bar war schon fast voll. Kellner mit dunkelgrünen Fliegen schwebten über den polierten Boden und trugen Cocktails an die Tische. Junge Frauen in luftig leichten Kleidchen standen am Tresen und blickten aufgeweckt und hoffnungsfroh in die Runde. In der Ecke klimperte ein Pianist Gershwin-Songs, was im allgemeinen Geplapper beinah unterging.

Langsam wird es mir hier zu voll, dachte Candice, während sie ihren Mantel abstreifte. Als sie den Laden gemeinsam mit Roxanne und Maggie entdeckt hatte, war er ein stiller, fast verschwiegener Treffpunkt gewesen. Eher zufällig waren sie hineingestolpert, weil sie nach einem stressigen Tag in der Redaktion ganz schnell einen Drink brauchten. Damals war es noch eine düstere, altmodische Bar gewesen mit abgewetzten Hockern und einem abblätternden Wandgemälde der New Yorker Skyline. Die wenigen Gäste – überwiegend ältere Herren mit erheblich jüngerer, weiblicher Begleitung – unterhielten sich leise. Candice, Roxanne und Maggie hatten sofort eine Runde Cocktails bestellt und dann noch einige mehr, und als der Abend zu Ende ging, hatten sie kichernd und gackernd beschlossen, dass der Laden einen gewissen Charme besaß und man ihm dringend einen weiteren Besuch abstatten sollte. Und damit war der monatliche Cocktail-Club geboren.

Inzwischen hatte sich die Manhattan Bar, nachdem sie ausgebaut, neu eröffnet und in sämtlichen Hochglanzmagazinen gepriesen worden war, total verändert. Jetzt trafen sich dort täglich die Jungen und Schönen nach der Arbeit. Auch Prominente waren schon am Tresen gesichtet worden. Selbst die Kellner sahen aus wie Models. Wir sollten uns wirklich etwas anderes suchen, dachte Candice, als sie ihren Mantel der Garderobenfrau gab und dafür einen silbernen Art-déco-Knopf bekam. Irgendwas, wo weniger los war, was weniger angesagt war.

Gleichzeitig wusste sie, dass sie es niemals tun würden. Dafür kamen sie schon viel zu lange hierher, hatten sich schon viel zu viele Geheimnisse mit Martinis in der Hand anvertraut. Eine andere Bar wäre irgendwie nicht richtig. Am Ersten jeden Monats musste es einfach die Manhattan Bar sein.

An der Wand gegenüber hing ein Spiegel, und sie warf einen kurzen Blick hinein, um sicherzugehen, dass ihr kurzes Haar ordentlich aussah und ihr Make-up – das wenige, das sie benutzte – nicht verschmiert war. Sie trug einen schlichten, schwarzen Hosenanzug über einem hellgrünen T-Shirt – nicht gerade der letzte Schrei, aber gut genug.

Eilig suchte sie die Gesichter an den Tischen ab, konnte jedoch weder Roxanne noch Maggie finden. Obwohl sie alle drei für dieselbe Zeitschrift arbeiteten – den *Londoner* –, kam es nur selten vor, dass sie nach der Arbeit gemeinsam etwas unternahmen. Roxanne zum Beispiel war freie Mitarbeiterin und kam nur gelegentlich ins Büro, um ihre Auslandsreisen zu organisieren. Und Maggie musste als Chefredakteurin oft noch länger als die anderen für Besprechungen dortbleiben.

Heute aber nicht, dachte Candice bei einem Blick auf ihre Armbanduhr. Heute hatte Maggie allen Grund, so früh Schluss zu machen, wie sie wollte.

Sie strich ihren Hosenanzug glatt und steuerte auf die Tische zu, und als sie ein Pärchen entdeckte, das gerade gehen wollte, machte sie sich eilig auf den Weg dorthin. Der junge Mann war kaum aufgestanden, als sie sich schon auf seinen Stuhl gleiten ließ und dankbar zu ihm auflächelte. Wenn man in der Manhattan Bar einen Tisch ergattern wollte, durfte man nicht zögern. Und die drei saßen immer an einem Tisch. Das war Tradition.

Maggie Phillips blieb draußen vor dem Eingang der Manhattan Bar stehen, stellte ihre pralle Tragetasche mit den bunten Stofftieren ab und zupfte ungeniert an ihrer Schwangerschaftsstrumpfhose herum, die um die Beine Falten schlug. Noch drei Wochen, dachte sie mit einem letzten Ruck. Drei Wochen noch in diesen verdammten Dingern. Sie holte tief Luft, griff nach ihrer Tragetasche und stieß die Tür auf.

Sobald sie drinnen war, wurde ihr vom Lärm und der Wärme ganz schwindlig. Sie stützte sich an der Wand ab und stand ganz still, um nicht umzukippen, während sie die Punkte vor ihren Augen wegblinzelte.

»Alles in Ordnung, Liebes?«, erkundigte sich eine Stimme links von ihr. Maggie drehte den Kopf und sah das freundliche Gesicht der Garderobenfrau.

»Alles okay«, sagte sie und lächelte etwas bemüht.

»Sind Sie sicher? Möchten Sie vielleicht ein Glas Wasser?«

»Nein, wirklich, es geht schon.« Wie zum Beweis begann sie, sich aus ihrem Mantel zu schälen, und bemerkte den bewundernden Blick, den die Frau auf ihre Figur warf. Die schwarze Lycra-Hose mit dem Umhang war so vorteilhaft, wie Schwangerschaftskleidung nur sein konnte. Und doch war es da, direkt vor ihr, wohin sie auch ging. Eine Beule von der Größe eines Heißluftballons. Maggie reichte der Frau ihren Mantel und sah ihr offen in die Augen.

Wenn sie mich fragt, wann es so weit ist, dachte sie, bringe ich sie um.

»Wann ist es denn so weit?«

»Am 25. April«, sagte Maggie munter. »Drei Wochen noch.«

»Tasche schon gepackt?« Die Frau zwinkerte ihr zu. »Damit sollte man nicht bis zur letzten Minute warten, oder?«

Maggies Haut fing an zu kribbeln. Was ging es irgendwen an, ob sie ihre Tasche gepackt hatte oder nicht? Wieso redeten eigentlich alle davon? In der Mittagspause war ein wildfremder Mann im Pub auf sie zugekommen, hatte auf ihr Weinglas gezeigt und gesagt: »Wie kann man nur!« Fast hätte sie es ihm ins Gesicht geschüttet.

»Es ist Ihr erstes Kind, nicht wahr?«, fügte die Garderobenfrau hinzu, ohne es allzu sehr nach einem Verhör klingen zu lassen.

So offensichtlich ist es also, dachte Maggie. Dem Rest der Welt ist klar, dass ich, Maggie Phillips – oder Mrs Drakeford, wie man mich in der Klinik kennt – so gut wie noch nie ein Baby im Arm hatte. Geschweige denn, dass ich eins zur Welt gebracht hätte.

»Ja, es ist mein erstes«, sagte sie und hielt der Frau die Hand hin, um den silbernen Garderobenknopf entgegenzunehmen und endlich dort wegzukommen. Doch die Frau betrachtete nach wie vor liebevoll Maggies prallen Bauch.

»Ich habe selbst vier«, sagte sie. »Drei Mädchen und einen Jungen. Und jedes Mal waren die ersten paar Wochen etwas ganz Besonderes. Genießen Sie die Zeit, Liebes. Sie geht viel zu schnell vorbei.«

»Ich weiß«, hörte sich Maggie sagen, mit aufgesetztem Lächeln.

Ich weiß überhaupt nichts!, wollte sie schreien. Ich verstehe nichts davon. Ich verstehe was von Seitenlayout und Umfangsanalysen und Verlagsbudgets. Oh Gott. Was mache ich nur?

»Maggie!« Eine Stimme unterbrach sie, und sie fuhr herum. Candice lächelte sie mit ihrem runden, fröhlichen Gesicht an. »Dachte ich mir doch, dass du es bist! Ich habe uns einen Tisch organisiert.«

»Sehr gut!« Maggie folgte Candice durch die Menge, war sich der Schneise durchaus bewusst, die sie mit ihrem dicken Bauch schlug, und auch der neugierigen Blicke, die ihr folgten. Niemand sonst in dieser Bar war schwanger. Es war noch nicht mal jemand dick. Wohin sie auch blickte, sah sie nur Frauen mit flachen Bäuchen und schlanken Beinen und kecken kleinen Brüsten.

»Okay?« Candice war am Tisch angekommen und schob ihr vorsichtig einen Stuhl hin. Maggie verkniff sich die Bemerkung, dass sie nicht krank sei, und setzte sich.

»Wollen wir uns schon was bestellen?«, fragte Candice. »Oder auf Roxanne warten?«

»Ach, ich weiß nicht.« Maggie zuckte mürrisch mit den Schultern. »Vielleicht warten wir lieber.«

»Bist du okay?«, fragte Candice ehrlich interessiert. Maggie seufzte.

»Es geht mir gut. Ich habe es nur satt, schwanger zu sein. Betatscht und getätschelt und wie ein Mutant behandelt zu werden.«

»Ein Mutant?«, fragte Candice ungläubig. »Maggie, du siehst fantastisch aus!«

»Fantastisch für eine fette Frau.«

»Fantastisch. Punkt«, sagte Candice mit fester Stimme. »Hör mal, Maggie – bei mir gegenüber wohnt eine Frau, die ebenfalls schwanger ist. Und ich sage dir, wenn die sehen könnte, wie du aussiehst, würde sie vor Neid platzen.«

Maggie lachte. »Candice, du bist ein Schatz. Du sagst immer genau das Richtige.«

»Aber es stimmt!« Candice nahm die Cocktail-Karte – groß, mit grünem Leder und silbernen Troddeln. »Jetzt komm, wir werfen schon mal einen Blick darauf. Roxanne kommt bestimmt bald.«

Roxanne Miller stand in der Damentoilette der Manhattan Bar, beugte sich vor und zeichnete ihre Lippen mit einem zimtfarbenen Stift nach. Sie kniff den Mund zusammen, dann trat sie zurück und unterzog ihr Spiegelbild einer kritischen Betrachtung, angefangen – wie immer – mit ihren Vorzügen. Hübsche Wangenknochen. Die Wangenknochen konnte einem niemand nehmen. Blaue Augen, etwas gerötet, die Haut nach drei Wochen in der Karibik braun gebrannt. Die Nase nach wie vor lang, nach wie vor krumm. Wallendes, dunkelblondes Haar, das von einem perlenbesetzten Kamm gehalten wurde. Vielleicht wallte es etwas zu wild. Roxanne suchte in ihrer Tasche nach einer Bürste und fing an, es zu bändigen. Sie trug – wie so oft – ein weißes T-Shirt. Ihrer Meinung nach gab es nichts auf der Welt, was Sonnenbräune besser hervorhob als ein schlichtes weißes Shirt. Sie steckte die Bürste weg und lächelte, da sie unwillkürlich von ihrem eigenen Spiegelbild beeindruckt war.

Dann rauschte hinter ihr eine Toilettenspülung, und eine

Kabinentür ging auf. Ein etwa neunzehnjähriges Mädchen trat heraus und stellte sich neben Roxanne, um sich die Hände zu waschen. Sie hatte helle, glatte Haut und dunkle, träumerische Augen, das Haar fiel glatt auf ihre Schultern, wie die Fransen eines Lampenschirms. Ein Mund wie eine Pflaume. Nicht das geringste Make-up. Das Mädchen fing Roxannes Blick auf und lächelte, dann ging es hinaus.

Als sich die Schwingtür geschlossen hatte, stand Roxanne noch immer da und starrte sich im Spiegel an. Plötzlich kam sie sich vor wie eine aufgetakelte Fregatte. Eine dreiunddreißigjährige Frau, die sich viel zu sehr mit ihrem Äußeren beschäftigte. Im selben Augenblick wich alles Leben aus ihrem Gesicht. Ihre Mundwinkel sanken herab, und das Leuchten verschwand aus ihren Augen. Leidenschaftslos fiel ihr Blick auf die kleinen roten Äderchen, die sich über ihre Wangen zogen. Sonnenschaden nannte man so was. Schadhafte Ware.

Da hörte sie die Tür, und ihr Kopf fuhr herum.

»Roxanne!« Maggie kam auf sie zu, mit sonnigem Lächeln im Gesicht. Ihr nussbrauner Bob schimmerte im Licht.

»Süße!« Roxanne strahlte sie an und warf ihr Make-up-Täschchen in eine größere Prada-Tasche. »Ich war gerade dabei, mich aufzuhübschen.«

»Völlig überflüssig!«, sagte Maggie. »Sieh dir an, wie braun du bist!«

»Kommt von der karibischen Sonne«, sagte Roxanne fröhlich.

»Behalt's für dich«, sagte Maggie und hielt sich die Ohren zu. »Das will ich alles gar nicht wissen. Es ist einfach total unfair. Wieso habe ich als Redakteurin eigentlich nie auch nur einen einzigen Reiseartikel geschrieben? Wie konnte ich nur so blöd sein!« Sie deutete mit dem Kopf zur Tür. »Geh und leiste Candice Gesellschaft. Ich komm gleich nach.«

Als sie die Bar betrat, sah Roxanne, dass Candice dort allein saß und die Cocktail-Karte studierte. Unwillkürlich musste sie lächeln. Candice sah immer gleich aus, wo sie auch war, was sie auch trug. Ihre Haut wirkte immer frisch geschrubbt und leuchtend, ihre Haare waren immer ordentlich kurz geschnitten, und wenn sie lächelte, hatte sie immer Grübchen an denselben Stellen. Und immer blickte sie mit denselben großen, vertrauensvollen Augen auf. Kein Wunder, dass sie so gut Leute interviewen konnte, dachte Roxanne. Man taumelte geradezu in diesen freundlichen Blick hinein.

»Candice!«, rief sie und wartete darauf, dass ihre Freundin den Kopf heben, sie erkennen und lächeln würde.

Es war schon merkwürdig, dachte Roxanne. Sie konnte ganz und gar unberührt an jedem noch so süßen Baby vorbeispazieren, ohne dass jemals ihr Mutterinstinkt geweckt wurde. Aber manchmal, wenn sie Candice ansah, versetzte es ihrem Herzen einen Stich. Dann überkam sie ein obskurer Drang, dieses Mädchen mit dem runden Gesicht und der kindlichen Stirn zu beschützen. Aber wovor? Vor der Welt? Vor finsteren, übelwollenden Fremden? Im Grunde war es lächerlich. Wie groß war denn der Altersunterschied zwischen ihnen? Doch höchstens vier oder fünf Jahre. Die meiste Zeit schien er gar nicht zu existieren, trotzdem kam sich Roxanne manchmal eine ganze Generation älter vor.

Sie trat an den Tisch und gab Candice ein Küsschen rechts und links auf die Wange.

»Hast du schon bestellt?«

»Ich guck noch«, sagte Candice und deutete auf die Karte. »Ich kann mich nicht entscheiden zwischen Summer Sunset und Urban Myth.«

»Nimm einen Urban Myth«, sagte Roxanne. »Summer Sunset ist knallrosa und kommt mit einem Schirmchen.«

»Wirklich?« Candice runzelte die Stirn. »Ist das schlimm? Was nimmst du denn?«

»Margarita«, sagte Roxanne. »Wie immer. Auf Antigua habe ich mich von Margaritas ernährt.« Sie langte nach ihren Zigaretten, dann dachte sie an Maggie und ließ es sein. »Margaritas und Sonnenschein. Mehr braucht man nicht.«

»Und … wie war's denn so?«, fragte Candice. Mit blitzenden Augen beugte sie sich vor. »Irgendwelche jungen Kavaliere …?«

»Ich kann nicht klagen«, sagte Roxanne und grinste sie verschlagen an. »Unter anderem ein Wiederholungstäter.«

»Du bist unmöglich!«, sagte Candice.

»Ganz im Gegenteil«, sagte Roxanne. »Ich bin richtig gut. Deshalb mögen sie mich. Deshalb kommen sie wieder, weil sie mehr wollen.«

»Was macht dein …?«, Candice stockte betreten.

»Was macht mein Mister Verheiratet mit Kindern?«, fragte Roxanne unbeschwert.

»Ja«, sagte Candice leicht errötend. »Macht es ihm denn nichts, wenn du …?«

»Mister Verheiratet mit Kindern darf nichts dagegen haben«, sagte Roxanne. »Mr Verheiratet mit Kindern hat schließlich seine Frau. Da ist es doch nur fair, wenn ich auch ein bisschen Spaß habe, findest du nicht?« Sie funkelte Candice an, als wollte sie weitere Fragen im Keim ersticken, und Candice kniff den Mund zusammen. Roxanne wollte nie über ihren Freund sprechen. Sie war schon mit ihm zusammen, seit Candice sie kannte, hatte sich aber stets strikt geweigert, seine Identität und irgendwelche Details über ihn preiszugeben. Candice und Maggie hatten im Scherz gemutmaßt, es müsse wohl jemand sein, der berühmt war – vielleicht sogar ein Politiker – und wohlhabend, einflussreich und sexy noch dazu. Roxanne würde sich nie im Leben einem mittelmäßigen Mann an den Hals werfen. Nicht ganz so sicher waren sie in der Frage, ob sie ihn wirklich liebte. Sie klang immer so leichtfertig, fast lieblos, was diese Affäre anging, als benutzte sie ihn und nicht er sie.

»Hör zu, es tut mir leid«, sagte Roxanne und nahm ihre Zigaretten. »Fötus hin oder her. Ich brauche eine Zigarette.«

»Ach, rauch nur«, sagte Maggie, die hinter ihr an den Tisch trat. »Das kann auch nicht mehr schaden als die Umweltverschmutzung.« Als sie sich setzte, winkte sie einer Kellnerin. »Hi. Ja, wir können jetzt bestellen.«

Zielstrebig kam das blonde Mädchen mit der grünen Weste zu ihnen herüber. Candice musterte sie aufmerksam. Irgendwie kam sie ihr bekannt vor – die gewellten Haare, die Stupsnase, die grauen Augen mit den müden Schatten. Selbst die Art und Weise, wie sie ihre Haare von den Schultern strich, kam ihr bekannt vor. Wo um alles in der Welt hatte sie diese Frau schon mal gesehen?

»Stimmt was nicht?«, fragte die Kellnerin.

»Nein. Ich meine … Äh …« Candice lief rot an, schlug eilig die Cocktail-Karte wieder auf und ließ ihren Blick über die Liste schweifen, ohne eigentlich hinzusehen. In der Manhattan Bar konnte man über hundert verschiedene Cocktails bekommen. Manchmal war ihr die Auswahl fast zu groß. »Einen Mexican Swing, bitte.«

»Für mich eine Margarita«, sagte Roxanne.

»Oh, Gott, ich weiß nicht, was ich nehmen soll«, sagte Maggie. »Ich hatte heute Mittag schon Wein …«

»Eine Virgin Mary?«, schlug Candice vor.

»Bestimmt nicht.« Maggie verzog das Gesicht. »Ach, scheiß drauf. Einen Shooting Star.«

16

»Gute Wahl«, sagte Roxanne. »Soll sich das Kind gleich mal an den Alkohol im Blut gewöhnen. Und jetzt …« Sie griff in ihre Tasche. »Zeit für die Geschenke!«

»Für wen?«, fragte Maggie und blickte überrascht auf. »Nicht für mich. Ich habe heute schon *Berge* von Geschenken bekommen. Viel zu viele. Und außerdem etwa fünftausend Mothercare-Gutscheine …«

»Mothercare-Gutscheine?«, sagte Roxanne verächtlich. »Das ist doch kein Geschenk!« Sie holte eine kleine, türkisblaue Schachtel hervor und legte sie auf den Tisch. »Das hier ist ein richtiges Geschenk.«

»Tiffany?«, fragte Maggie ungläubig. »Ehrlich? Tiffany?« Ungeschickt öffnete sie mit ihren geschwollenen Händen die Schachtel und holte etwas Silbernes aus dem kleinen Beutel. »Ich fass es nicht! Eine Rassel!« Sie schüttelte sie, und alle grinsten mit kindlicher Begeisterung.

»Lass mich mal probieren!«, sagte Candice.

»Es wird das mondänste Baby weit und breit sein«, sagte Roxanne mit zufriedener Miene. »Wenn es ein Junge wird, besorg ich ihm noch die passenden Manschettenknöpfe.«

»Die ist wundervoll …«, sagte Candice und starrte die Rassel bewundernd an. »Daneben wirkt mein Geschenk eher … na ja, egal.« Sie legte die Rassel weg und fing an, in ihrer Tasche herumzuwühlen. »Ich habe es hier irgendwo …«

»Candice Brewin!«, sagte Roxanne vorwurfsvoll. »Was hast du da in deiner Tasche?«

»Wie?«, fragte Candice und blickt schuldbewusst auf.

»Noch mehr Geschirrtücher! Und einen Schwamm.« Roxanne zog den Stein des Anstoßes aus der Tasche und hielt ihn hoch. Es waren zwei blaue Tücher und ein gelber Schwamm, in Plastikfolie, mit der Aufschrift *Young People's*

Cooperative. »Wie viel hast du für die Dinger bezahlt?«, wollte Roxanne wissen.

»Nicht viel«, sagte Candice sofort. »Fast nichts. Ungefähr … fünf Pfund.«

»Also zehn«, sagte Maggie und warf Roxanne einen ungeduldigen Blick zu. »Was sollen wir bloß mit ihr machen? Candice, du hast mittlerweile doch bestimmt schon deren gesamten Vorrat aufgekauft!«

»Na ja, die kann man doch immer brauchen, oder? Geschirrtücher?«, sagte Candice und wurde rot. »Und ich kann einfach so schlecht Nein sagen.«

»Genau«, sagte Maggie. »Du tust es nicht, weil du es für eine gute Sache hältst. Du tust es, weil du dich sonst ganz mies fühlen würdest.«

»Ist das nicht dasselbe?«, erwiderte Candice.

»Nein«, sagte Maggie. »Das eine ist positiv, und das andere ist negativ. Oder … was weiß ich.« Sie verzog das Gesicht. »Oh Gott, ich bin schon ganz durcheinander. Ich brauche dringend einen Cocktail.«

»Ist doch egal«, sagte Roxanne. »Entscheidend ist nur: keine Geschirrtücher mehr!«

»Okay, okay«, sagte Candice und stopfte die Päckchen wieder in ihre Tasche. »Keine Geschirrtücher mehr. Und hier ist mein Geschenk!« Sie holte einen Umschlag hervor und reichte ihn Maggie. »Du kannst es machen, wann du willst.«

Alle schwiegen, während Maggie den Umschlag öffnete und eine rosarote Karte hervorholte.

»Eine Aromatherapie-Massage«, las sie ungläubig vor. »Du schenkst mir eine Massage.«

»Ich dachte, so was könnte dir gefallen«, sagte Candice. »Bevor du das Baby bekommst oder danach … Die kom-

men zu dir nach Hause, du musst nicht mal vor die Tür …«
Maggie blickte auf, und ihre Augen glänzten ein wenig.

»Das ist das einzige Geschenk, das ich bekommen habe. *Ich* – nicht das Baby.« Sie beugte sich über den Tisch und schloss Candice in die Arme. »Danke, meine Süße.«

»Du wirst uns wirklich fehlen«, sagte Candice. »Bleib nicht zu lange weg.«

»Na, ihr müsst mich besuchen kommen!«, sagte Maggie. »Und das Baby.«

»Auf deinem Landgut«, sagte Roxanne sarkastisch. »Dem Palast der Mrs Drakeford.« Sie grinste Candice an, die sich ihr Lachen verkneifen musste.

Als Maggie vor einem Jahr verkündet hatte, sie würde mit ihrem Mann Giles ein Cottage auf dem Land beziehen, hatte Candice sich ein schrulliges Häuschen mit schiefen Fenstern und einem ummauerten Garten vorgestellt, irgendwo mitten in einem Dorf.

Die Wahrheit sah ganz anders aus. Wie sich herausstellte, lag Maggies neues Haus – *The Pines* – am Ende einer langen, von Bäumen gesäumten Auffahrt. Es hatte acht Schlafzimmer, einen Billardsalon und einen Swimmingpool. Denn – was keiner ahnte – Maggie hatte heimlich einen Millionär geheiratet.

»Das hast du uns nie erzählt!«, hatte Candice vorwurfsvoll gesagt, als sie in der riesigen Küche saßen und Tee tranken. »Du hast uns nie erzählt, dass ihr im Geld schwimmt!«

»Wir schwimmen nicht darin!«, hatte Maggie sich verteidigt und ihren Emma-Bridgewater-Becher umklammert. »Es ist nur … auf dem Land sieht alles irgendwie größer aus.« Diese Bemerkung sollte sie nie mehr vergessen.

»Auf dem Land …«, setzte Roxanne gerade an, schnaubend vor Lachen. »Sieht alles irgendwie größer aus …«

»Ach, lass mich doch in Ruhe«, sagte Maggie gutmütig. »Guck mal, da kommen unsere Cocktails.«

Die blonde Kellnerin kam auf sie zu, trug ihr Silbertablett mit der flachen Hand. Drei Gläser balancierten darauf. Ein Margarita-Glas mit Salzrand, ein Highball-Glas, verziert mit einer aufgeschnittenen Limettenscheibe, und eine Champagnerflöte, die mit einer Erdbeere geschmückt war.

»Sehr stilvoll«, murmelte Roxanne. »Keine Kirsche weit und breit.«

Die junge Frau stellte die Gläser geschickt auf Papieruntersetzer, fügte ein Silberschälchen mit gesalzenen Mandeln hinzu und legte die Rechnung diskret – versteckt in einem grünen Ledermäppchen – an den Rand des Tisches. Als sie sich aufrichtete, sah Candice ihr noch einmal ins Gesicht und versuchte, sich zu erinnern. Irgendwoher kannte sie diese Frau. Da war sie ganz sicher. Aber woher?

»Vielen Dank«, sagte Maggie.

»Gern geschehen«, sagte die Kellnerin und lächelte, und als sie das tat, wusste Candice augenblicklich, wer sie war.

»Heather Trelawney«, stieß sie hervor, ehe sie es verhindern konnte. Und dann, als sich die Frau ihr langsam zuwandte, wünschte sie von ganzem Herzen, sie hätte es nicht getan.

Kapitel Zwei

»Tut mir leid«, sagte die Kellnerin. »Kennen wir …?« Sie stutzte, kam einen Schritt näher und sah sich Candice genauer an. Plötzlich leuchteten ihre Augen. »Natürlich!«, sagte sie. »Candice, oder? Candice …« Sie runzelte die Stirn. »Entschuldige, ich habe deinen Nachnamen vergessen.«

»Brewin«, sagte Candice tonlos, brachte die beiden Silben kaum heraus. Ihr Name schien in der Luft zu hängen wie eine Zielscheibe. *Brewin.* Als sie sah, wie Heather nachdenklich die Stirn runzelte, wartete Candice auf das Erkennen, den Zorn und die Beschuldigungen. Wieso hatte sie nicht einfach den Mund gehalten? Würde die Frau ihr hier eine Szene machen?

Doch als Heathers Miene sich entspannte, wurde deutlich, dass sie in Candice nur die alte Mitschülerin sah. Wusste sie es nicht?, dachte Candice ungläubig. *Wusste sie es denn nicht?*

»Candice Brewin!«, sagte Heather. »Stimmt! Ich hätte dich eigentlich gleich erkennen sollen!«

»Das ist ja lustig!«, sagte Maggie. »Woher kennt ihr zwei euch?«

»Wir sind auf dieselbe Schule gegangen«, meinte Heather fröhlich. »Es muss *Jahre* her sein, dass wir uns zuletzt gesehen haben.« Sie sah Candice noch einmal neugierig an. »Irgendwie bist du mir bekannt vorgekommen, als ich die Bestellung aufgenommen habe, aber … ich weiß nicht. Du siehst irgendwie anders aus. Aber seit damals haben wir uns wahrscheinlich alle verändert.«

21

»Wahrscheinlich«, sagte Candice. Sie nahm ihr Glas und nippte daran, um ihr rasendes Herz zu beruhigen.

»Ich weiß, es klingt schrecklich«, flüsterte Heather, »aber wenn man eine Weile gekellnert hat, sieht man sich die Gesichter der Gäste nicht mehr an. Ist das nicht furchtbar?«

»Das kann man wohl niemandem vorwerfen«, sagte Maggie. »Ich möchte unsere Gesichter auch nicht sehen.«

»Deins vielleicht nicht«, erwiderte Roxanne sofort und grinste Maggie an.

»Einmal habe ich eine Bestellung von Simon Le Bon aufgenommen«, sagte Heather. »Nicht hier, in meinem alten Laden. Und nicht mal gemerkt, wer er war. Als ich in die Küche kam, meinten alle: ›Wie ist er denn so?‹, und ich wusste gar nicht, wen sie meinten.«

»Recht so«, sagte Roxanne. »Es tut diesen Leuten ganz gut, wenn sie mal nicht erkannt werden.«

Maggie warf einen Blick zu Candice hinüber. Wie erstarrt glotzte diese Heather an. Was hatte sie bloß?

»Und …«, sagte Candice, »arbeitest du schon lange hier?«

»Seit zwei Wochen«, sagte Heather. »Ist ein hübscher Laden, oder? Aber viel zu tun.« Sie sah zum Tresen hinüber. »Apropos, ich sollte lieber weitermachen. Schön, dich zu sehen, Candice.«

Sie wollte schon gehen, als Candice spürte, dass Panik in ihr aufstieg.

»Warte!«, sagte sie. »Wir haben uns doch noch gar nicht richtig unterhalten.« Sie schluckte. »Willst du dich … nicht einen Moment zu uns setzen?«

»Na okay«, sagte Heather nach kurzer Überlegung. Wieder sah sie zum Tresen hinüber. »Aber ich kann nicht lange bleiben. Wir müssen so tun, als würde ich euch bei den Cocktails beraten oder so.«

»Wir brauchen keinen Rat«, sagte Roxanne. »Wir sind die Cocktail-Queens.« Heather lachte leise.

»Mal sehen, ob ich einen Stuhl auftreiben kann«, sagte sie. »Bin gleich wieder da.«

Sobald sie weg war, wandte sich Maggie Candice zu.

»Was ist denn los?«, zischte sie. »Wer ist diese Frau? Du starrst sie an, als hättest du ein Gespenst gesehen!«

»Ist das so offensichtlich?«, sagte Candice betrübt.

»Süße, du siehst aus wie Hamlet, nachdem ihm der Geist seines Vaters erschienen ist«, sagte Roxanne trocken.

»Oh Gott«, seufzte Candice. »Und ich dachte, ich halte mich ganz gut.« Mit zitternder Hand hob sie ihren Cocktail an und nahm einen Schluck. »Prost, ihr Lieben!«

»Vergiss die Prosterei!«, sagte Maggie. »Wer ist sie?«

»Sie ist …« Candice rieb an ihrer Stirn herum. »Es ist Jahre her. Wir waren auf derselben Schule. Sie … sie war ein paar Jahre unter mir.«

»Und?«, hakte Maggie ungeduldig nach.

»Hi!«, ging Heathers fröhliche Stimme dazwischen, und alle blickten schuldbewusst auf. »Endlich habe ich einen Stuhl auftreiben können.« Sie schob ihn an den Tisch und setzte sich. »Sind die Cocktails gut?«

»Wunderbar!«, sagte Maggie und nippte an ihrem Shooting Star. »Genau das, was die Hebamme empfiehlt.«

»Und … was treibst du so?«, fragte Heather Candice.

»Ich bin Journalistin«, sagte Candice.

»Wirklich?« Wehmütig sah Heather sie an. »So was würde ich auch gern machen. Schreibst du für eine Zeitung?«

»Eine Zeitschrift. Den *Londoner*.«

»Die kenne ich!«, sagte Heather. »Wahrscheinlich habe ich schon Artikel von dir gelesen.« Sie sah sich am Tisch um. »Seid ihr alle Journalistinnen?«

»Ja«, sagte Maggie. »Wir arbeiten zusammen.«

»Mein Gott, das macht bestimmt Spaß.«

»Manchmal ja«, sagte Maggie und grinste Roxanne an. »Manchmal nein.«

Es folgte kurzes Schweigen, dann sagte Candice mit leichtem Beben in der Stimme: »Und du, Heather? Was hast du seit der Schule so getrieben?« Sie nahm noch einen großen Schluck von ihrem Cocktail.

»Ach, na ja …« Heather lächelte kurz. »Es war alles nicht so toll. Ich weiß ja nicht, ob du es weißt, aber ich musste Oxdowne damals verlassen, weil mein Vater unser ganzes Geld verloren hat.«

»Wie schrecklich!«, sagte Maggie. »Wie denn? Über Nacht?«

»Mehr oder weniger«, sagte Heather. Ihre grauen Augen wurden etwas dunkler. »Irgendein Investment ging schief. Irgendwas am Aktienmarkt. Mein Dad hat nie genau gesagt, woran es lag. Aber das war es dann. Wir konnten die Schulgebühren nicht mehr bezahlen. Und auch das Haus nicht. Es war alles ziemlich finster. Mein Dad war schrecklich deprimiert, und meine Mum gab ihm die Schuld für alles …« Sie schwieg betreten. »Na ja, wie dem auch sei.« Sie nahm einen Untersetzer und fing an, damit herumzuspielen. »Am Ende haben sie sich getrennt.«

Maggie betrachtete Candice, um zu sehen, wie sie reagierte, doch diese hatte sich abgewandt. Sie hielt einen Cocktailquirl in der Hand und rührte überschüssige Kohlensäure aus ihrem Drink.

»Und was wurde aus dir?«, erkundigte sich Maggie vorsichtig bei Heather.

»Ich habe mehr oder weniger auch alles verloren.« Heather lächelte. »Eben ging ich noch mit all meinen Freunden auf eine elitäre Privatschule. Im nächsten Moment zogen wir in eine Stadt, in der ich keinen kannte, und meine Eltern stritten sich die ganze Zeit, und ich kam auf eine Schule, in der sie mir das Leben schwermachten, weil ich mich so vornehm ausdrückte.« Sie seufzte und ließ den Untersetzer los.

»Ich meine, rückblickend war diese Gesamtschule eigentlich ganz gut. Ich hätte durchhalten und auf die Uni gehen sollen … hab ich aber nicht. Sobald ich sechzehn war, bin ich abgegangen.« Sie strich ihr dickes, gewelltes Haar zurück. »Mein Dad wohnte inzwischen in London, also bin ich zu ihm gezogen und habe einen Job in einem Weinlokal gefunden. Und das war es eigentlich schon. Ich habe keinen Abschluss oder irgendwas.«

»Wie schade«, sagte Maggie. »Was hättest du denn machen wollen, wenn du durchgehalten hättest?«

»Ach, ich weiß nicht«, sagte Heather. Sie lachte bedrückt. »Das, was ihr macht, vielleicht. Journalistin werden oder so. Ich habe mal einen Creative-Writing-Kurs am Goldsmiths College belegt, musste ihn aber aufgeben.« Sie sah sich in der Bar um und zuckte mit den Schultern. »Ich meine, ich arbeite gern hier. Aber es ist nicht wirklich … na ja.« Sie stand auf und zupfte an ihrer grünen Weste herum. »Ich sollte mich lieber wieder an die Arbeit machen, sonst bringt André mich um. Bis später!«

Als sie ging, saßen die drei schweigend da und sahen ihr hinterher. Dann wandte sich Maggie zu Candice um und sagte vorsichtig: »Sie scheint ganz nett zu sein.«

Candice antwortete nicht. Maggie sah Roxanne fragend an, die aber auch nur die Augenbrauen hochzog.

»Candice, was ist los?«, fragte Maggie. »War irgendwas zwischen dir und Heather?«

»Süße, sprich mit uns«, sagte Roxanne.

Candice reagierte nicht, rührte nur immer weiter in ihrem Cocktail herum, schneller und immer schneller, bis er über den Glasrand zu schwappen drohte. Dann sah sie ihre Freundinnen an.

»Es war nicht der Aktienmarkt«, sagte sie mit hoher Stimme. »Nicht der Aktienmarkt hat Frank Trelawney in den Ruin getrieben, sondern mein Vater.«

Heather Trelawney stand am Ende des Tresens und betrachtete Candice Brewins Gesicht durch die Menge. Sie war wie gebannt. Gordon Brewins Tochter, die in voller Lebensgröße dort mit ihren Freundinnen am Tisch saß. Mit ihrer schicken Frisur und ihrem guten Job und Geld für Cocktails jeden Abend. Ahnte offensichtlich nichts davon, wie viel Leid ihr Vater über andere gebracht hatte. Ahnte rein gar nichts, nahm nur sich selbst wahr.

Denn für sie war es ja gut gelaufen, oder? Natürlich war es das. »Good-Time Gordon« hatte es schlau angestellt. Er hatte nie sein eigenes Geld benutzt, nie sein eigenes Leben aufs Spiel gesetzt. Nur das anderer Leute. Anderer gutgläubiger Trottel, die zu gierig waren, um Nein zu sagen. Wie ihr armer, unbesonnener, dummer Dad. Bei diesem Gedanken biss Heather die Zähne zusammen, und ihre Hände krallten sich um das silberne Tablett.

»Heather!« Es war André, der Oberkellner, der sie vom Tresen her rief. »Was stehst du da rum? Die Gäste warten!«

»Komme schon!«, rief Heather zurück. Sie stellte das Tablett ab, schüttelte ihre Haare aus und band sie mit einem Gummi zusammen. Dann nahm sie ihr silbernes Tablett und ging entschlossen zum anderen Ende des Tresens, ohne ihren Blick auch nur einen Moment von Candice Brewin abzuwenden.

»Alle nannten ihn nur ›Good-Time Gordon‹«, sagte Candice mit bebender Stimme. »Er war immer da, wo es was zu feiern gab. Der Mittelpunkt jeder Party.« Sie nahm noch einen Schluck von ihrem Cocktail. »Bei jeder Schulveranstaltung, jedem Sportereignis. Ich dachte immer, es läge daran, dass er … na ja, dass er stolz auf mich war. Aber eigentlich wollte er nur Geschäftskontakte knüpfen. Frank Trelawney war nicht der Einzige. Er hat alle unsere Freunde geködert, alle unsere Nachbarn …« Ihre Hand krampfte sich um das Glas. »Sie tauchten alle nach der Beerdigung auf. Einige hatten bei ihm investiert, andere hatten ihm Geld geliehen …« Sie nahm einen großen Schluck von ihrem Cocktail. »Es war das Grauen. Diese Leute waren unsere Freunde. Und meine Mutter und ich haben von alldem keine Ahnung gehabt.«

Roxanne und Maggie sahen sich an.

»Woher weißt du, dass Heathers Vater darin verwickelt war?«, fragte Maggie.

»Ich habe es herausgefunden, als ich die Unterlagen durchging«, sagte Candice mit leerem Blick. »Meine Mutter und ich mussten das Chaos in seinem Arbeitszimmer sortieren. Es war einfach … niederschmetternd.«

»Wie hat deine Mum es aufgenommen?«, fragte Maggie interessiert.

»Es war schlimm«, sagte Candice. »Das könnt ihr euch ja vorstellen. Manchen Leuten hatte er ernstlich weisgemacht, sie sei Alkoholikerin und er müsse sich Geld leihen, um sie auf eine Entziehungskur zu schicken.«

Roxanne prustete vor Lachen, dann sagte sie: »Entschuldige.«

»Man kann mit ihr immer noch nicht darüber sprechen«, sagte Candice. »Ich glaube, sie hat sich mehr oder weniger eingeredet, dass es gar nicht passiert ist. Sobald ich davon anfange, wird sie gleich hysterisch …« Sie hob die Hand und massierte ihre Stirn.

»Ich hatte ja keine Ahnung«, sagte Maggie. »Davon hast du nie was erzählt.«

»Na ja«, sagte Candice knapp. »Ich bin nicht wirklich stolz darauf. Mein Vater hat großen Schaden angerichtet.«

Sie schloss die Augen, als unerwünschte Erinnerungen an die schreckliche Zeit nach seinem Tod wach wurden. Bei der Beerdigung hatte sie zum ersten Mal gemerkt, dass irgendwas nicht stimmte. Freunde und Verwandte standen in Grüppchen beieinander und hörten auf zu reden, sobald sie näher kam. Ihre Stimmen klangen gepresst und eindringlich. Alle schienen in ein großes Geheimnis eingeweiht zu sein. Als sie an einer Gruppe vorbeikam, hörte sie die Worte: »Wie viel?«

Dann trafen die Besucher ein, angeblich um Candice und ihrer Mutter ihr Beileid auszusprechen. Aber früher oder später drehten sich alle Gespräche um Geld. Um die fünf- oder zehntausend Pfund, die Gordon sich geliehen hatte. Um die Investitionen, die er getätigt hatte. Natürlich dränge es nicht – sie sahen wohl ein, dass die Lage schwierig war –, aber selbst Mrs Stephens, ihre Putzfrau, erkundigte sich nach den hundert Pfund, die sie ihm vor Monaten geliehen und nie zurückbekommen hatte.

Bei dem Gedanken an die betretene Miene der Frau krampfte sich Candice noch heute der Magen zusammen, vor Schmach, vor brennendem, pubertärem Schuldgefühl. Noch heute fühlte es sich an, als hätte sie das alles irgendwie zu verantworten. Obwohl sie nichts davon gewusst hatte, obwohl sie gar nichts dagegen hätte tun können.

»Und was war mit Frank Trelawney?«, fragte Maggie.

Benommen schlug Candice die Augen auf und nahm den Cocktailquirl wieder in die Hand.

»Er stand auf einer Namensliste im Arbeitszimmer«, sagte sie. »Er hatte zweihunderttausend Pfund in irgendein Risikokapitalprojekt gesteckt, das nach wenigen Monaten den Bach runterging.« Sie strich mit dem Quirl am Rand ihres Glases entlang. »Erst wusste ich gar nicht, wer Frank Trelawney war. Es war nur ein Name unter vielen. Irgendwie kam er mir allerdings bekannt vor … Und plötzlich fiel mir ein, dass Heather Trelawney Hals über Kopf von der Schule abgegangen war. Da wurde mir alles klar.« Sie kaute auf ihrer Lippe. »Ich glaube, das war der schlimmste Moment von allen. Die Erkenntnis, dass Heather wegen meines Vaters die Schule verlassen musste.«

»Du darfst deinem Vater nicht die ganze Schuld geben«, sagte Maggie sanft. »Dieser Mr Trelawney muss gewusst haben, was er tat. Er muss gewusst haben, dass er ein gewisses Risiko einging.«

»Ich habe mich immer gefragt, was wohl aus Heather geworden ist«, sagte Candice, als hätte sie den Einwurf gar nicht gehört. »Und jetzt weiß ich es. Noch ein zerstörtes Leben.«

»Candice, mach dich nicht fertig«, sagte Maggie. »Es ist nicht deine Schuld. Du hast nichts getan!«

»Ich weiß«, sagte Candice. »Logisch betrachtet hast du recht. Aber so einfach ist das nicht.«

»Trink noch was«, riet ihr Roxanne. »Das hebt die Laune.«

»Gute Idee«, sagte Maggie und trank aus. Sie hob eine Hand, und am anderen Ende der Bar nickte Heather.

Candice starrte Heather an, die sich bückte, um ein paar leere Gläser von einem Tisch zu nehmen und ihn abzuwischen. Sie merkte nicht, dass sie beobachtet wurde. Als Heather sich wieder aufrichtete, gähnte sie, wischte müde über ihr Gesicht, und Candice spürte, wie sich ihr das Herz zusammenkrampfte. Sie musste irgendetwas tun. Wenigstens diese eine Untat ihres Vaters musste sie wiedergutmachen.

»Sagt mal …«, sagte sie eilig, als Heather sich ihrem Tisch näherte. »Wir haben doch noch keine neue Redaktionsassistentin beim *Londoner*, oder?«

»Soweit ich weiß, nicht«, sagte Maggie überrascht. »Wieso?«

»Na, wie wäre es denn mit Heather?«, fragte Candice. »Die wäre doch ideal. Oder?«

»Ach ja?« Maggie legte die Stirn in Falten.

»Sie möchte Journalistin werden, sie hat schon einen Schreibkurs belegt … sie wäre doch perfekt! Ach, komm schon, Maggie!« Candice hob den Kopf und sah Heather näher kommen. »Heather, hör mal …!«

»Möchtet ihr noch was trinken?«, fragte Heather.

»Ja«, sagte Candice. »Aber … aber nicht nur das.« Flehentlich sah sie Maggie an. Maggie warf ihr einen gespielt bösen Blick zu, dann grinste sie.

»Wir haben uns gerade etwas überlegt, Heather«, sagte sie. »Hättest du Interesse an einem Job beim *Londoner*? Als Redaktionsassistentin. Das ist ziemlich weit unten in der Hackordnung, und es gibt auch nicht wahnsinnig viel Geld, aber es wäre ein Einstieg in den Journalismus.«

»Im Ernst?«, sagte Heather und blickte von einer zu anderen. »Das wäre ja wunderbar!«

»Gut«, sagte Maggie und zupfte eine Karte aus ihrer Handtasche. »Das hier ist die Adresse, aber ich werde nicht da sein, um deine Bewerbung zu bearbeiten. Wende dich an

Justin Vellis.« Sie schrieb den Namen auf die Karte und gab diese Heather. »Schreib einen Brief. Erzähl was von dir und leg einen Lebenslauf bei. Okay?«

Bestürzt glotzte Candice sie an.

»Super!«, sagte Heather. »Und … danke.«

»Und jetzt suchen wir uns noch ein paar Cocktails aus«, sagte Maggie fröhlich. »Das Leben ist schwer genug.«

Als Heather mit der Bestellung gegangen war, grinste Maggie Candice an und lehnte sich auf ihrem Stuhl zurück.

»So viel dazu«, sagte sie. »Geht es dir jetzt besser?« Verwundert starrte sie sie an. »Candice, ist alles okay?«

»Ehrlich gesagt, nein!«, sagte Candice und versuchte, ruhig zu bleiben. »Kein bisschen! Mehr willst du nicht für sie tun? Du gibst ihr nur die Adresse?«

»Was meinst du?«, fragte Maggie überrascht. »Candice, was ist denn?«

»Ich dachte, du gibst ihr den Job!«

»Einfach so?«, sagte Maggie und musste lachen. »Candice, das soll wohl ein Witz sein.«

»Oder vermittelst ihr ein Vorstellungsgespräch … oder wenigstens eine persönliche Empfehlung«, sagte Candice, die vor lauter Aufregung rot anlief. »Wenn sie nur ihren Lebenslauf schickt wie alle anderen auch, gibt Justin ihr *nie im Leben* einen Job! Er wird irgendeinen bescheuerten Oxford-Absolventen einstellen.«

»Wie er selbst einer ist«, warf Roxanne grinsend ein. »Irgend so einen schleimigen, intellektuellen Arschkriecher.«

»Genau! Maggie, du weißt, dass Heather nur eine Chance hat, wenn du sie empfiehlst. Besonders wenn er erfährt, dass sie etwas mit mir zu tun hat!« Candice bekam ganz rote Wangen, als sie die Worte aussprach. Es war gerade erst ein paar Wochen her, dass sie sich von Justin, dem Kultur-

31

redakteur, getrennt hatte, der Maggie als kommissarischer Chefredakteur vertreten sollte. Es fühlte sich immer noch seltsam an, über ihn zu sprechen.

»Aber Candice, ich kann sie nicht empfehlen«, sagte Maggie. »Ich weiß doch gar nichts über sie. Und – mal ehrlich – du auch nicht. Ich meine, du hast sie seit Jahren nicht gesehen, oder? Sie könnte kriminell sein oder sonst was.«

Trübsinnig starrte Candice in ihren Drink, und Maggie seufzte.

»Candice, ich gut kann verstehen, wie dir zumute ist, wirklich«, sagte sie. »Aber du kannst nicht einfach irgendeiner Frau, die du kaum kennst, einen Job besorgen, nur weil sie dir leidtut.«

»Das stimmt«, sagte Roxanne entschlossen. »Als Nächstes kriegt das Mädchen, das die Gläser abtrocknet, deine persönliche Empfehlung.«

»Und warum nicht?«, sagte Candice plötzlich ungestüm. »Wieso sollte man Leuten nicht hin und wieder einen kleinen Schubs geben, wenn sie ihn verdienen? Wir drei haben es sehr einfach, verglichen mit dem Rest der Welt.« Sie deutete in die Runde am Tisch. »Wir haben gute Jobs und ein glückliches Leben und nicht den leisesten Schimmer, wie es ist, nichts zu haben.«

»Heather hat nicht nichts«, sagte Maggie ganz ruhig. »Sie sieht gut aus, sie hat Verstand, sie hat einen Job, und sie kann jederzeit wieder die Schulbank drücken, wenn sie will. Es ist nicht deine Aufgabe, ihr Leben zu ordnen. Okay?«

»Okay«, sagte Candice nach einer kurzen Pause.

»Gut«, sagte Maggie. »Ende der Standpauke.«

Eine Stunde später traf Maggies Mann Giles in der Manhattan Bar ein. Er stand am Rand der Menge und spähte zwischen den Leuten hindurch, bis er Maggies Gesicht entdeckt hatte. Sie hielt einen Cocktail in der Hand, ihre Wangen waren rosig, und sie warf lachend ihren Kopf in den Nacken. Dieser Anblick brachte Giles zum Lächeln, und er steuerte auf den Tisch zu.

»Achtung, Mann!«, sagte er freundlich, als er an den Tisch trat. »Seid so gut, etwaige Witze über männliche Genitalien einzustellen.«

»Giles!«, rief Maggie und blickte bestürzt auf. »Müssen wir schon los?«

»Wir müssen nicht«, sagte Giles. »Auf ein, zwei Drinks könnte ich ruhig bleiben.«

»Nein«, sagte Maggie nach kurzer Überlegung. »Ist schon okay. Lass uns gehen.«

Es funktionierte nie so recht, wenn sich Giles dazugesellte. Nicht, weil die anderen beiden ihn nicht mochten – und auch nicht, weil er sich nicht bemühen würde. Er war stets liebenswürdig und höflich, und das Gespräch lief immer gut. Aber es war nur einfach nicht dasselbe. Er war nicht einer von ihnen. Wie sollte er auch?, dachte Maggie. Er war keine Frau.

»Ich muss sowieso gleich los«, sagte Roxanne, trank aus und nahm ihre Zigaretten. »Ich treffe mich noch mit jemandem.«

»Sollte es sich dabei unter Umständen um einen *gewissen* Jemand handeln?«, fragte Maggie.

»Möglich.« Roxanne lächelte sie an.

»Ich kann nicht fassen, dass es das jetzt gewesen sein soll!«, sagte Candice zu Maggie. »Wenn wir uns das nächste Mal sehen, hast du ein Baby.«

»Erinnere mich bloß nicht daran!«, sagte Maggie mit strahlendem Lächeln.

Sie schob ihren Stuhl zurück und nahm dankbar die

Hand, die Giles ihr reichte. Gemeinsam drängten sie sich langsam durch die Menge zur Garderobe und gaben ihre Silberknöpfe ab.

»Und glaub nicht, du könntest den Cocktail-Club schwänzen«, sagte Roxanne zu Maggie. »Nächsten Monat sitzen wir an deinem Bett und stoßen auf das Baby an.«

»Abgemacht«, sagte Maggie und spürte plötzlich, wie ihr die Tränen kamen. »Oh, Gott, ich werde euch vermissen.«

»Bis bald«, sagte Roxanne und drückte sie an sich. »Viel Glück, Süße.«

»Okay«, sagte Maggie und versuchte zu lächeln. Plötzlich kam es ihr vor, als würde sie ihre Freundinnen nie wiedersehen, als beträte sie eine neue Welt, in die sie ihr nicht folgen konnten.

»Maggie braucht kein Glück!«, sagte Candice. »Die hat das Baby in null Komma nichts trockengelegt!«

»Hey, Baby!«, sagte Roxanne und wandte sich direkt an Maggies Bauch. »Bist du dir darüber im Klaren, dass deine Mutter die bestorganisierte Frau der westlichen Hemisphäre ist?« Sie tat, als lauschte sie dem Bauch. »Er sagt, er möchte jemand anderen. Da hast du Pech, Kleiner.«

»Hör zu, Candice …«, sagte Maggie in wohlmeinendem Ton. »Lass dich nicht von Justin rumkommandieren, nur weil er ein paar Monate das Sagen hat. Ich weiß, dass die Situation nicht ganz einfach ist …«

»Keine Sorge«, sagte Candice eilig. »Mit dem werde ich schon fertig.«

»Justin, das nervige Wunderkind«, sagte Roxanne abschätzig. »Weißt du, ich bin froh, dass wir jetzt über ihn herziehen können.«

»Du hast immer schon über ihn hergezogen«, erklärte Candice. »Auch als ich noch mit ihm zusammen war.«

»Das hat er auch verdient«, sagte Roxanne unbeeindruckt. »Wer in eine Cocktail-Bar geht und eine Flasche Rotwein bestellt, verschwendet doch nur einen Sitzplatz.«

»Candice, anscheinend hat man Probleme, deinen Mantel zu finden«, sagte Giles, der plötzlich hinter Maggies Schulter auftauchte. »Aber hier ist deiner, Roxanne – und deiner, mein Schatz. Ich glaube, wir sollten bald mal losfahren, sonst ist es Mitternacht, bis wir zu Hause sind.«

»Okay, na gut«, sagte Maggie mit einem Zittern in der Stimme. »Jetzt ist es so weit.«

Sie sah Candice an, und beide lächelten und blinzelten gleichzeitig die Tränen aus ihren Augen.

»Wir sehen uns schon bald wieder«, sagte Candice. »Ich komm dich besuchen.«

»Und ich komme nach London.«

»Du könntest einen kleinen Tagesausflug mit dem Baby machen«, sagte Candice. »Angeblich sind Babys der letzte Schrei, was Accessoires angeht.«

»Ich weiß«, sagte Maggie und lachte. Sie beugte sich vor und nahm Candice in die Arme. »Pass auf dich auf.«

»Und du auf dich«, sagte Candice. »Viel Glück mit … allem. Bye, Giles«, fügte sie hinzu. »Schön, dich zu sehen.«

Giles öffnete die gläserne Tür der Bar, und nach einem letzten Blick zurück trat Maggie hinaus in die kalte Nacht. Schweigend betrachteten Roxanne und Candice durch die Scheibe, wie Giles Maggie beim Arm nahm und die beiden die dunkle Straße hinuntergingen.

»Wenn ich mir das vorstelle«, sagte Candice. »Bald sind die beiden kein Paar mehr, sondern eine Familie.«

»So wird es sein«, sagte Roxanne mit fester Stimme. »Eine glückliche kleine Familie, gemeinsam in ihrem riesengroßen, scheißglücklichen Heim.« Candice sah sie an.

»Alles okay?«

»Natürlich ist alles okay!«, sagte Roxanne. »Ich bin nur froh, dass ich nicht an ihrer Stelle bin! Der bloße Gedanke an Schwangerschaftsstreifen …« Sie schüttelte sich und grinste. »Ich fürchte, ich muss los. Hast du was dagegen?«

»Natürlich nicht«, sagte Candice. »Ich wünsch dir viel Spaß.«

»Den habe ich immer«, sagte Roxanne, »selbst wenn es keinen Spaß macht. Wir sehen uns, sobald ich von Zypern wieder da bin.« Sie küsste Candice kurz auf beide Wangen und verschwand durch die Tür. Candice sah noch, wie sie ein Taxi heranwinkte und hineinsprang. Sekunden später raste das Taxi die Straße entlang.

Candice wartete, bis es verschwunden war, zählte bis fünf, dann wandte sie sich wieder der überfüllten Bar zu. Sie fühlte sich wie ein unartiges Kind. Ihr Magen verkrampfte sich vor Sorge. Ihr Herz schlug laut und schnell.

»Ich habe Ihren Mantel gefunden!«, hörte sie die Stimme der Garderobenfrau. »Er war vom Bügel gefallen.«

»Danke«, sagte Candice. »Aber ich müsste mal eben …« Sie schluckte. »Bin gleich wieder da.«

Eilig schob sie sich durch die Menschen, zielstrebig und entschlossen. Noch nie war sie sich einer Sache so sicher gewesen. Maggie und Roxanne meinten es gut, aber sie täuschten sich. Diesmal täuschten sie sich. Sie begriffen nicht – wie sollten sie auch? Sie konnten nicht wissen, dass es die Gelegenheit war, auf die sie unbewusst schon seit dem Tod ihres Vaters gewartet hatte. Es war ihre Chance, etwas wiedergutzumachen. Es war wie ein … Geschenk.

Erst konnte sie Heather nicht finden und dachte schon, sie käme zu spät. Doch als Candice sich dann noch einmal umsah, entdeckte sie Heather. Sie stand hinterm Tresen, polierte ein Glas und lachte mit einem der Kellner. Candice kämpfte sich durch die Menge zum Tresen hinüber und wartete, weil sie die beiden nicht unterbrechen wollte.

Schließlich blickte Heather auf und sah sie – und zu Candice' Überraschung schien es, als blitzte in Heathers Augen etwas Feindseliges auf. Doch es verflog sofort wieder, und ein freundliches Lächeln machte sich breit.

»Was kann ich dir bringen?«, sagte sie. »Noch einen Cocktail?«

»Nein, ich wollte nur kurz mit dir reden«, rief Candice über den Lärm der Menge hinweg. »Wegen dieses Jobs.«

»Ach ja?«

»Wenn du möchtest, könnte ich dich Ralph Allsopp, dem Verleger, vorstellen«, sagte Candice. »Es ist keine Garantie, würde aber deine Chancen vielleicht verbessern. Komm morgen so gegen zehn ins Büro.«

»Wirklich?« Heather strahlte. »Das wäre ja wunderbar!« Sie stellte das Glas ab, das sie gerade polierte, beugte sich vor und nahm Candice' Hände. »Candice, das ist wirklich nett von dir. Ich weiß gar nicht, wie ich dir danken soll.«

»Na ja, du weißt schon …«, sagte Candice unbeholfen. »Alte Schulfreunde und so …«

»Ja«, sagte Heather und lächelte Candice freundlich an. »Alte Schulfreunde.«

Kapitel Drei

Als sie auf die Schnellstraße kamen, fing es an zu regnen. Giles stellte einen Klassiksender an, und ein glorreicher Sopran erfüllte den Wagen. Nach wenigen Tönen erkannte Maggie »Dove Sono« aus der *Hochzeit des Figaro* – für sie die schönste, ergreifendste Arie, die je geschrieben wurde. Maggie ließ sich von der Musik mitreißen, starrte in den Regen hinaus und spürte, wir ihr die Tränen kamen, aus Mitleid mit der fiktiven Gräfin. Eine brave, schöne Frau, die sich – ungeliebt von ihrem treulosen Ehemann – traurig an die zärtlichen Momente erinnert …

Maggie blinzelte einige Male und holte tief Luft. Es war lächerlich. In letzter Zeit kamen ihr ständig die Tränen. Neulich erst hatte sie bei einer Fernsehwerbung weinen müssen, weil ein Junge seinen kleinen Schwestern etwas kochte. Sie hatte im Wohnzimmer auf dem Fußboden gesessen, und die Tränen waren ihr nur so übers Gesicht gelaufen. Als Giles hereinkam, musste sie sich abwenden und so tun, als sei sie in eine Zeitschrift vertieft.

»Hattest du eine schöne Abschiedsfeier?«, fragte Giles und wechselte die Spur.

»Ja, sehr nett«, sagte Maggie. »Haufenweise Geschenke. Alle waren sehr großzügig.«

»Und wie bist du mit Ralph verblieben?«

»Ich habe ihm gesagt, ich rufe ihn in ein paar Monaten an. Das habe ich allen so gesagt.«

»Ich finde immer noch, du hättest ehrlich mit ihnen sein

sollen«, sagte Giles. »Ich meine, wir wissen doch beide, dass du nicht die Absicht hast, wieder arbeiten zu gehen.«

Maggie schwieg. Sie hatte mit Giles ausgiebig darüber diskutiert, ob sie wieder arbeiten sollte, wenn das Baby da war. Einerseits mochte sie ihren Job und auch ihre Mitarbeiter, wurde gut bezahlt und hatte das Gefühl, als gäbe es da immer noch einiges, was sie in ihrer Karriere erreichen wollte. Andererseits war ihr die Vorstellung zuwider, tagtäglich ihr Baby allein zu lassen und nach London zu pendeln. Denn was hatte es schließlich für einen Sinn, in einem großen Haus auf dem Lande zu leben, wenn man es nie zu sehen bekam?

Den Umstand, dass sie nie wirklich aufs Land hatte ziehen wollen, hatte Maggie mehr oder weniger erfolgreich verdrängt. Schon bevor sie schwanger wurde, war es Giles ungemein wichtig gewesen, dass sich seine zukünftigen Kinder ebenso an der frischen Luft austoben konnten wie er damals. »London ist für Kinder ungesund«, hatte er verkündet. Und obwohl Maggie immer wieder darauf hingewiesen hatte, dass die Londoner Straßen voll kerngesunder Kinder waren, dass man in den Parks sicherer Rad fahren konnte als auf einer Landstraße, dass es auch in den Städten Natur gab, war Giles nicht umzustimmen.

Als sie sich dann Details von Landhäusern kommen ließen, von prächtigen alten Pfarrhäusern mit getäfelten Esszimmern, hektarweise Land und Tennisplätzen, merkte sie, dass ihr Widerstand nachließ. Sie fragte sich, ob es egoistisch von ihr war, dass sie in London bleiben wollte. An einem wunderschönen Sonnentag im Juni hatten sie sich *The Pines* angesehen. Die Auffahrt knirschte unter den Rädern ihres Autos, der Swimmingpool glitzerte in der Sonne, der Rasen war zu hell- und dunkelgrünen Streifen gemäht. Nachdem die Besitzer sie herumgeführt hatten, schenkte man ihnen einen Pimm's ein und forderte sie auf, unter der Trauerweide Platz zu nehmen, dann zog man sich taktvoll zurück. Giles hatte Maggie angesehen und gesagt: »Das alles könnte uns gehören, Liebling. Das könnte unser Leben sein.«

Und jetzt war es ihr Leben. Nur war es nicht so sehr ein Leben wie vor allem ein großes Haus, das Maggie nach wie vor nicht sonderlich vertraut war. Während der Woche war sie kaum dort. Und an den Wochenenden machten sie oft Ausflüge oder fuhren nach London, um Freunde zu besuchen. Noch war nichts so renoviert, wie sie es sich vorgenommen hatte. Es fühlte sich noch nicht so an, als gehörte das Haus ihr.

Aber sie sagte sich, wenn erst das Baby da wäre, würde alles anders werden. Dann wäre das Haus endlich ein Zuhause. Maggie legte die Hände auf ihren prallen Bauch und fühlte das Zappeln unter ihrer Haut. Eine kleine Beule wanderte darüber hinweg und verrann wie eine Welle im Meer. Dann trat ihr plötzlich und ohne Vorwarnung etwas in die Rippen. Eine Ferse vielleicht, oder ein Knie. Immer wieder trat es zu, als wollte es ausbrechen. Maggie schloss die Augen. In ihrem Schwangerschaftshandbuch stand, es konnte jetzt jederzeit so weit sein. Das Baby war voll entwickelt. Jeden Moment konnten die Wehen einsetzen.

Bei diesem Gedanken raste ihr Herz vor lauter Panik, und sie redete sich schnell ein, dass alles gut werden würde. Natürlich war sie auf das Baby vorbereitet. Sie hatte ein Kinderzimmer voller Windeln und Watte, voller Deckchen und Hemdchen. Der Babykorb war schon auf seinem Ständer, und auch das Kinderbett, das sie im Kaufhaus bestellt hatten. Alles war bereit.

Aber irgendwie – trotz allem – war sie noch immer nicht

so recht bereit, Mutter zu werden. Fast fühlte sie sich noch nicht *alt* genug. Was albern war, wie sie sich sagte, angesichts der Tatsache, dass sie schon zweiunddreißig war und neun volle Monate Zeit gehabt hatte, sich an den Gedanken zu gewöhnen.

»Ich kann immer noch nicht glauben, dass es wirklich bald so weit ist«, sagte sie. »Nur noch drei Wochen. Das ist gar nichts! Und ich war noch nicht mal in einem Babypflegekurs oder so …«

»Das brauchst du auch nicht!«, sagte Giles. »Du schaffst das auch so! Du wirst die beste Mutter sein, die sich ein Baby wünschen kann.«

»Wirklich?« Maggie biss sich auf die Lippe. »Ich weiß nicht. Ich fühle mich ein bisschen … unvorbereitet.«

»Was gibt es da vorzubereiten?«

»Na ja, du weißt schon. Die Wehen und das alles.«

»Nur ein Wort«, sagte Giles mit fester Stimme. »Drogen.«

Maggie kicherte. »Und hinterher. Darauf aufzupassen. Ich hatte in meinem ganzen Leben noch nie ein Baby auf dem Arm.«

»Du bist bestimmt fantastisch!«, sagte Giles sofort. »Maggie, wenn irgendjemand für ein Baby sorgen kann, dann du. Komm schon.« Er sah sie an und lächelte. »Wer wurde zur Redakteurin des Jahres gewählt?«

»Ich«, sagte sie und musste vor Stolz unwillkürlich lächeln.

»Genau. Und du wirst auch Mutter des Jahres werden.« Er nahm ihre Hand und drückte sie, und Maggie erwiderte den Druck dankbar. Giles' Optimismus heiterte sie noch immer auf.

»Mum meinte, sie will morgen mal reinschauen«, sagte Giles. »Um dir Gesellschaft zu leisten.«

»Oh, gut«, sagte Maggie. Sie dachte an Giles' Mutter Paddy, eine dünne, dunkelhaarige Frau, die unerklärlicherweise drei große, muntere Söhne mit dicken, blonden Haaren zur Welt gebracht hatte. Giles und seine beiden Brüder beteten ihre Mutter an, und es war bestimmt kein Zufall, dass sein Elternhaus im Nachbardorf stand. Anfangs hatte die Nähe ihrer Schwiegereltern Maggie ein wenig verunsichert, aber schließlich wohnten ihre eigenen Eltern weit weg in Derbyshire, und Giles wies sie darauf hin, dass es sinnvoll sei, wenigstens ein Paar Großeltern in der Nähe zu haben.

»Sie meint, du musst unbedingt die vielen anderen jungen Mütter im Dorf kennenlernen«, sagte Giles.

»Sind es denn viele?«

»Ich glaube schon. Bestimmt trefft ihr euch jeden Morgen woanders zum Kaffeeklatsch.«

»Oh, wie schön!«, flachste Maggie. »Während du also in der City rackerst, kann ich mit meinen Mädels Cappuccino schlürfen.«

»So ungefähr.«

»Klingt besser als Pendeln«, sagte Maggie und lehnte sich bequem zurück. »Das hätte ich schon vor Jahren machen sollen.« Sie schloss die Augen und stellte sich vor, wie sie in der Küche für ihre neuen, interessanten Freundinnen mit den süßen Designerkleider-Babys Kaffee kochte. Im Sommer würden sie auf dem Rasen ein Picknick veranstalten. Roxanne und Candice würden aus London kommen, und alle würden Pimm's trinken, während das Baby selig auf seiner Decke lag und vor sich hin brabbelte. Sie würden aussehen wie in einem Lifestyle-Magazin. Vielleicht brachte sogar der *Londoner* eine Story über sie. *Exredakteurin Maggie Phillips und ihre neue Einstellung zu ländlichem Glück.* Es würde ein ganz neues Leben werden, dachte sie selig. Ein ganz neues, wunderschönes Leben.

Der hell erleuchtete Zug ruckelte und rasselte die Schienen entlang, dann kam er in einem Tunnel abrupt zum Stehen. Das Licht flackerte, ging aus, dann ging es wieder an. Ein paar trinkfreudige Gestalten, die nicht weit von Candice saßen, fingen an, »Why are we waiting« zu singen, und die Frau ihr gegenüber versuchte, ihren Blick aufzufangen, und schnalzte missbilligend mit der Zunge. Doch Candice sah sie nicht. Blindlings starrte sie ihr dunkles Spiegelbild in der Scheibe gegenüber an, während schmerzliche Erinnerungen an ihren Vater wach wurden, die sie schon vor Jahren begraben hatte.

Good-Time Gordon, groß und gutaussehend, immer im makellosen blauen Blazer mit goldenen Knöpfen. Immer freigiebig, immer mit jedermann gut Freund. Er war ein Charmeur gewesen, mit leuchtend blauen Augen und festem Händedruck. Jeder bewunderte ihn. Ihre Freunde fanden, sie hätte Glück, so einen Vater zu haben – einen Dad, der sie in den Pub gehen ließ, der ihr schicke Sachen kaufte, der Reiseprospekte auf den Tisch warf und sagte: »Du entscheidest«, und es auch so meinte. Sie hatten das Leben in vollen Zügen genossen. Partys, Urlaube, Ausflüge, und immer stand ihr Vater im Mittelpunkt des Vergnügens.

Dann war er gestorben, und der Horror begann. Inzwischen konnte Candice nicht mehr an ihn denken, ohne dass sie sich schlecht fühlte, erniedrigt, fiebrig vor Scham. Er hatte alle hintergangen. Hatte die Welt zum Narren gehalten. Jedes Wort, das er je von sich gegeben hatte, klang mittlerweile falsch. Hatte er sie wirklich geliebt? Hatte er ihre Mutter wirklich geliebt? Sein ganzes Leben war eine Scharade gewesen – warum also nicht auch seine Gefühle?

Heiße Tränen traten in ihre Augen, und sie holte tief Luft. Normalerweise verdrängte sie jeden Gedanken an ihren Vater. Für sie war er tot und begraben, nicht mehr Teil ihres Lebens. Mitten in jenen schrecklichen Tagen des Schmerzes und der Fassungslosigkeit war sie in einen Friseursalon spaziert und hatte sich ihre langen Haare abschneiden lassen. Als die Büschel auf den Boden fielen, schien es ihr, als kappte sie damit in gewisser Weise die Verbindung zu ihrem Vater.

Doch so einfach war es natürlich nicht. Sie war noch immer ihres Vaters Tochter. Sie trug noch immer seinen Namen. Und sie war noch immer die Nutznießerin seiner dunklen Machenschaften. Mit dem Geld anderer Leute hatte er für ihre Kleider, ihre Reisen in den Wintersport und das kleine Auto bezahlt, das sie zum siebzehnten Geburtstag bekommen hatte. Das teure Jahr vor der Universität – Kunstgeschichte in Florenz, gefolgt von einer Wandertour in Nepal. Er hatte das hart verdiente Geld anderer Leute verschleudert, damit sie sich vergnügen konnte. Bei dem Gedanken daran wurde ihr ganz schlecht vor Wut, vor Selbstverachtung. Aber woher hätte sie es wissen sollen? Sie war noch ein Kind gewesen. Und ihr Vater hatte alle Welt getäuscht. Bis zu seinem Autounfall, mitten in ihrem ersten Jahr an der Uni. Seinem plötzlichen, schrecklichen, unerwarteten Tod.

Candice spürte, wie ihr Gesicht ganz heiß wurde, und sie krallte sich ans Plastik ihrer Armlehne, als der Zug ruckend wieder anfuhr. Trotz allem trauerte sie um ihren Vater. Doch trauerte sie nicht nur um ihn, sondern auch um ihre Unschuld, ihre Kindheit. Sie trauerte um die Zeit, als das Leben noch einen Sinn gehabt, als sie nur Liebe und Stolz für ihren Vater empfunden hatte. Die Zeit, als sie hoch erhobenen Hauptes durch die Welt gelaufen war, stolz auf ihren Namen und ihre Familie. Bevor sich alles abrupt verfinstert hatte und in Unaufrichtigkeit versunken war.

Nach seinem Tod war nicht annähernd genug Geld da, um alle auszuzahlen. Die meisten Leute hatten es irgendwann aufgegeben. Einige wenige zogen gegen ihre Mutter vor Gericht. Es hatte Jahre gedauert, bis endlich alles geklärt war und niemand mehr Forderungen erhob. Doch der Schmerz wollte nicht nachlassen. Der Schaden ließ sich nicht wirklich reparieren. Die Konsequenzen, die er für das Leben der Leute hatte, waren nicht so leicht aus der Welt zu schaffen.

Candice' Mutter Diana war nach Devon gezogen, wo noch nie jemand von Gordon Brewin gehört hatte. Heute lebte sie in einem Zustand trotziger Leugnung. Wenn man sie fragte, war sie mit einem liebevollen Ehrenmann verheiratet gewesen, der nach seinem Tod durch bösartige Gerüchte verleumdet worden war – und das war es dann. Sie gestattete sich keine ehrlichen Erinnerungen an die Vergangenheit, fühlte sich nicht schuldig, empfand keinen Schmerz.

Wenn Candice versuchte, das Thema auf ihren Vater zu lenken, weigerte sich Diana, ihr zuzuhören oder auch nur darüber zu reden. Einige Jahre nach ihrem Umzug nach Devon lernte sie einen sanftmütigen, älteren Mann namens Kenneth kennen, und der stellte nun einen schützenden Puffer dar. Er war immer da, wenn Candice zu Besuch kam, um sicherzustellen, dass das Gespräch nie über Höflichkeiten und Belanglosigkeiten hinausging. Irgendwann hatte Candice den Versuch aufgegeben, ihre Mutter mit der Vergangenheit zu konfrontieren. Sie kam zu dem Schluss, dass es keinen Sinn hatte. Wenigstens war Diana in ihrem Leben noch etwas Glück beschieden. Aber sie besuchte ihre Mutter kaum noch. Wenn sie daran dachte, wie verlogen ihr Verhältnis war, wurde Candice ganz übel.

Das alles brachte mit sich, dass sie die gesamte Last der Erinnerungen allein zu schultern hatte. Den einfachen Weg ihrer Mutter gestand sie sich nicht zu. Sie wollte weder etwas vergessen noch etwas abstreiten. Und so blieb ihr nichts anderes übrig, als mit ihrer Schuld zu leben, ihrer ständigen, zornigen Scham. Seit jenen ersten, alptraumhaften Jahren war es inzwischen etwas besser geworden. Candice hatte gelernt, Schuld und Scham in eine dunkle Ecke ihres Hinterkopfes zu verbannen und ihr Leben zu leben. Doch war sie die Schuldgefühle nie ganz losgeworden.

Heute Abend jedoch hatte sie das Gefühl, als hätte sie die Kurve gekriegt. Vielleicht ließ sich ja ungeschehen machen, was ihr Vater angerichtet hatte. Zwar konnte sie nicht allen Leuten deren Geld zurückgeben, aber sie konnte Heather Trelawney etwas zurückzahlen – wenn nicht mit Geld, dann mit Hilfe und Freundschaft. Heather mit ganzer Kraft zu helfen sollte ihre ganz persönliche Buße werden.

Als sie in Highbury & Islington aus der U-Bahn stieg, fühlte sie sich beschwingt und hoffnungsfroh. Zügig ging sie die paar Straßen bis zu dem viktorianischen Haus, in dem sie seit zwei Jahren wohnte, schloss die Tür auf und stieg die Treppe in den ersten Stock zu ihrer Wohnung hinauf.

»Hey, Candice«, hörte sie eine Stimme hinter sich, als sie gerade nach ihrem Schlüssel griff. Sie drehte sich um. Es war Ed Armitage von gegenüber. Er stand in der Tür zu seiner Wohnung, in alten Jeans, mit einem Big Mac in der Hand. »Ich hab das Klebeband da, wenn du es wiederhaben willst.«

»Oh«, sagte Candice. »Danke.«

»Einen Moment.« Er verschwand in seiner Wohnung, und Candice lehnte sich an ihre Tür und wartete. Sie wollte nicht aufmachen, damit er sich nicht auf einen Drink bei ihr einlud. Heute Abend war sie nicht in der Stimmung für Ed.

Ed hatte schon dort gewohnt, als Candice einzog. Er war Anwalt bei einer großen Firma in der City, verdiente unanständig viel Geld und arbeitete unanständig viel. Oft genug stand um sechs Uhr morgens schon ein Taxi vor der Tür und brachte ihn erst nach Mitternacht wieder nach Hause. Manchmal kam er gar nicht nach Hause, sondern schlief nur ein paar Stunden auf einer Pritsche im Büro und machte dann gleich weiter. Bei dem bloßen Gedanken daran kam Candice die Galle hoch. Es war die reine Gier, die ihn dazu trieb, so hart zu arbeiten, dachte sie. Die reine Gier.

»Hier ist es«, sagte Ed, als er wieder auftauchte. Er reichte ihr die Rolle mit dem Band und biss von seinem Big Mac ab. »Möchtest du?«

»Nein danke«, sagte Candice höflich.

»Nicht gesund genug?«, sagte Ed und lehnte sich ans Geländer. Seine dunklen Augen blitzten sie an, als amüsierte er sich über seinen eigenen Scherz. »Was isst du denn? Quiche?« Er nahm noch einen Bissen von seinem Hamburger. »Isst du Quiche, Candice?«

»Ja«, sagte Candice ungeduldig. »Quiche würde ich wohl essen.« Wieso konnte Ed nicht höflichen Smalltalk treiben wie alle anderen auch?, dachte sie. Wieso musste er sie immer mit diesen blitzenden Augen ansehen, die eine Antwort erwarteten, als würde sie gleich etwas Faszinierendes enthüllen? Es war unmöglich, entspannt zu bleiben, wenn man mit ihm sprach. Nicht die geringste Bemerkung blieb unkommentiert.

»Quiche ist ein echter Cholesterinbomber. Dann lieber so was hier.« Er deutete auf seinen Burger, und ein schleimiges

Salatblatt fiel auf den Boden. Zu Candice' Entsetzen bückte er sich, hob es auf und steckte es in den Mund.

»Siehst du?«, sagte er, als er aufstand. »Salat.«

Candice rollte mit den Augen. Ed tat ihr im Grunde leid. Außerhalb des Büros hatte er gar kein Leben. Keine Freunde, keine Freundin, nicht mal Möbel. Aus Gründen der Nachbarschaftspflege war sie einmal auf einen Drink in seiner Wohnung gewesen und hatte festgestellt, dass Ed nur einen uralten Ledersessel, einen Breitwandfernseher und einen Stapel leerer Pizza-Kartons besaß.

»Haben sie dich gefeuert, oder was?«, fragte sie sarkastisch. »Es ist doch erst zehn. Solltest du nicht irgendwo einen Deal aushecken?«

»Wenn du schon so fragst: Ab der nächsten Woche bin ich freigestellt«, sagte Ed.

»Bitte?« Candice sah ihn verständnislos an.

»Neuer Job«, sagte Ed. »Bis dahin kann ich drei Monate lang tun und lassen, was ich will. Steht so in meinem Vertrag.«

»Drei Monate?« Candice runzelte die Stirn. »Aber wieso?«

»Was meinst du wohl?« Ed grinste selbstgefällig und knackte eine Dose Cola auf. »Weil ich unverzichtbar bin, deshalb. Ich kenne zu viele kleine Geheimnisse.«

»Im Ernst?« Candice starrte ihn an. »Dann verdienst du drei Monate lang kein Geld?« Eds Gesicht verknitterte sich zu einem Lachen.

»Selbstverständlich werde ich dafür bezahlt! Die Typen lieben mich! Ich kriege mehr fürs Nichtstun, als wenn ich mir den Arsch aufreiße.«

»Aber das ist … das ist nicht fair!«, sagte Candice. »Denk doch mal an die vielen Leute auf der Welt, die dringend einen Job brauchen. Und du wirst dafür bezahlt, dass du rumsitzt.«

»So ist die Welt«, sagte Ed. »Nimm es hin oder häng dich auf.«

»Oder versuch, etwas zu ändern«, sagte Candice.

»Hübsch gesprochen«, sagte Ed und schlürfte an seiner Coke. »Aber schließlich können wir nicht alle so heilig sein wie du, oder?«

Wütend starrte Candice ihn an. Wie schaffte Ed es nur immer, sie dermaßen auf die Palme zu bringen?

»Ich muss los«, sagte sie abrupt.

»Übrigens ist dein Kerl da drinnen«, sagte Ed. »Dein Ex-kerl. Was weiß ich.«

»Justin?« Candice glotzte ihn an, und plötzlich flammten ihre Wangen auf. »Justin ist in meiner Wohnung?«

»Ich hab ihn vorhin reingehen sehen«, sagte Ed und zog die Augenbrauen hoch. »Seid ihr zwei wieder zusammen?«

»Nein!«, sagte Candice.

»Schade«, sagte Ed. »Er war wirklich ein lustiger Typ.« Candice sah ihn scharf an. Bei den wenigen Begegnungen zwischen Ed und Justin war klar gewesen, dass die beiden rein gar nichts gemein hatten.

»Wie dem auch sei«, sagte sie scharf. »Wir sehen uns.«

»Klar«, sagte Ed schulterzuckend und verschwand in seiner Wohnung.

Candice holte tief Luft, dann machte sie ihre Tür auf. In ihrem Kopf rotierte es. Was machte Justin hier? Es war schon einen Monat her, dass sie sich getrennt hatten. Und woher zum Teufel hatte er einen Schlüssel zu ihrer Wohnung?

»Hi?«, rief sie. »Justin?«

»Candice.« Justin erschien am Ende vom Flur. Wie immer trug er einen smarten, fast trendigen Anzug und hielt einen Drink in der Hand. Sein dunkles, lockiges Haar war sorgsam glattgegelt, und die dunklen Augen leuchteten im Lampenschein. Für Candice sah er aus wie ein Schauspieler in der Rolle eines mürrischen Intellektuellen. Irgendjemand hatte ihn mal bewundernd als »jungen Daniel Barenboim« bezeichnet, woraufhin ihr auffiel, dass er mehrere Abende lässig vor dem Klavier saß und sich manchmal sogar an den Tasten zu schaffen machte, obwohl er keinen Ton spielen konnte.

»Entschuldige, dass ich unangemeldet hereinschaue«, sagte er.

»Ich freue mich zu sehen, dass du es dir bequem gemacht hast«, sagte Candice.

»Ich hatte dich früher zurückerwartet«, sagte Justin etwas übellaunig. »Es wird nicht lange dauern. Ich dachte nur, wir sollten uns mal kurz unterhalten.«

»Worüber?«

Justin sagte nichts, sondern führte sie feierlich den Flur entlang ins Wohnzimmer. Candice hätte vor Wut schreien können. Justin besaß das einzigartige Talent, so zu tun, als sei er immer im Recht und alle anderen lägen falsch. Zu Beginn ihrer Beziehung war er dermaßen überzeugend gewesen, dass sie selbst schon glaubte, er hätte immer recht. Sechs Monate und eine Reihe zunehmend frustrierender Streits waren nötig gewesen, bis ihr klar wurde, dass er nur ein eingebildeter, aufgeblasener Fatzke war.

Als sie sich kennenlernten, hatte er sie schwer beeindruckt. Er kam zum *Londoner* nach einem Jahr bei der *New York Times*, und ihm eilte der Ruf voraus, er sei überdurchschnittlich intelligent und verfüge über eindrucksvolle Beziehungen. Als er mit ihr ausgehen wollte, fühlte sie sich geschmeichelt. Sie hatte reichlich Wein getrunken, tief in seine dunklen Augen geblickt und bewundernd seinen Ansichten gelauscht, halbwegs überzeugt von allem, was er sagte, obwohl sie normalerweise anderer Meinung gewesen wäre. Nach einigen Wochen hatte er immer öfter in ihrer Wohnung übernachtet, und behutsam planten sie einen gemeinsamen Urlaub. Dann gab es Probleme mit seinem Mitbewohner in Pimlico, und er zog bei ihr ein.

Das war im Grunde der Moment, in dem es schiefging, dachte Candice. Ihre umnebelte Bewunderung verflog, als sie ihn aus der Nähe betrachtete – er brauchte morgens dreimal so lange wie sie, verkündete stolz, dass er nicht kochen konnte, wollte es aber auch nicht lernen, und er erwartete ein sauberes Badezimmer, ohne es jemals selbst zu putzen. Da war ihr das ganze Ausmaß seiner Eitelkeit bewusst geworden, seine unglaubliche Arroganz und schließlich – erschreckend – der Umstand, dass er sie nicht für intellektuell ebenbürtig hielt. Wenn sie klug argumentierte, wurde er herablassend, bis er ihren Argumenten nichts mehr entgegenzusetzen hatte. Dann wurde er böse und war beleidigt. Kein einziges Mal konnte er eine Niederlage eingestehen – sein Selbstbild ließ es einfach nicht zu. In seiner Vorstellung war Justin für Großes geschaffen. Sein Ehrgeiz war beängstigend. Er trieb ihn an wie eine Dampfwalze und machte alles andere in seinem Leben platt.

Noch heute wusste Candice nicht so recht, was stärker gelitten hatte, als sie mit ihm Schluss machte – seine Gefühle oder sein Stolz. Es schien, als täte es ihm für sie leid, als hätte sie einen dummen Fehler begangen, von dem er überzeugt war, dass sie ihn bald bereuen würde.

Bisher jedoch – einen Monat lang – hatte sie ihre Entscheidung noch keinen Moment bereut.

»Also«, sagte sie, als sie sich setzten. »Was willst du?«

Justin lächelte sie kurz an.

»Ich wollte dich besuchen«, sagte er, »um sicherzugehen, dass du dir keine Sorgen wegen morgen machst.«

»Morgen?«, sagte Candice verwundert. Wieder lächelte Justin sie an.

»Morgen ist, wie du weißt, der Tag, an dem ich den Posten als kommissarischer Chefredakteur beim *Londoner* übernehme. Damit bin ich sozusagen dein Chef.« Er schüttelte seine Ärmel aus, prüfte die Manschetten, dann blickte er auf. »Ich möchte nicht, dass es zwischen uns … Probleme gibt.« Candice starrte ihn an.

»Probleme?«

»Ich könnte mir vorstellen, dass es für dich nicht ganz einfach sein dürfte«, sagte Justin sanft. »Der Umstand, dass meine Beförderung mit dem Ende unserer Beziehung zusammenfällt. Ich möchte nicht, dass du darunter leidest.«

»Leiden?«, fragte Candice erstaunt. »Justin, ich war diejenige, die Schluss gemacht hat! Ich habe kein Problem damit.«

»Wenn du es so sehen möchtest«, sagte Justin freundlich. »Solange es nur kein böses Blut gibt.«

»Dafür kann ich nicht garantieren«, murmelte Candice.

Justin schwenkte seinen Whisky im Glas, sodass die Eiswürfel klimperten. Er sah aus, als probte er für einen Werbespot. Oder eine Fernsehreportage: »Justin Vellis: das Genie privat.« Ein Kichern stieg in ihr auf, und sie kniff die Lippen zusammen.

»Nun, ich will dich nicht weiter aufhalten«, sagte Justin schließlich und stand auf. »Wir sehen uns morgen.«

»Ich kann es kaum erwarten«, sagte Candice und zog hinter seinem Rücken eine Grimasse. Als sie zur Wohnungstür kamen, blieb sie stehen, mit der Hand auf dem Riegel. »Übrigens«, sagte sie beiläufig, »weißt du, ob sie schon eine neue Redaktionsassistentin benannt haben?«

»Nein, haben sie nicht«, sagte Justin stirnrunzelnd. »Offen gesagt bin ich deshalb etwas genervt. Maggie hat sich überhaupt nicht darum gekümmert. Sie taucht einfach in ihr trautes Heim ab und lässt mir zweihundert beschissene Lebensläufe da.«

»Ach, du Ärmster«, sagte Candice unschuldig. »Na ja. Ich bin mir sicher, dass da noch jemand Passendes auftaucht.«

Roxanne nahm noch einen Schluck von ihrem Drink und blätterte in Ruhe die Seite ihres Taschenbuchs um. Halb zehn, hatte er gesagt. Inzwischen war es zehn nach zehn. Seit vierzig Minuten saß sie in dieser Hotelbar, bestellte Bloody Marys und trank sie langsam aus. Und jedes Mal, wenn jemand die Bar betrat, tat ihr Herz einen kleinen Hüpfer. Um sie herum saßen Paare und Grüppchen, die leise über ihren Drinks plauderten. In der Ecke sang ein älterer Herr im Smoking »Someone to Watch Over Me«. Es hätte irgendeine Bar in irgendeinem Hotel in irgendeinem Land sein können. Frauen wie sie gab es überall auf der Welt, dachte Roxanne. Frauen, die in Bars herumsaßen, sich Mühe gaben, interessant zu wirken, und auf Männer warteten, die sich nicht blicken ließen.

Ein Kellner kam diskret an ihren Tisch, nahm ihren Aschenbecher und ersetzte ihn durch einen sauberen. Als er ging, war ihr, als sähe sie etwas in seiner Miene – Mitleid vielleicht. Oder Verachtung. An beides war sie gewöhnt. So wie die vielen Jahre in der prallen Sonne ihre Haut verhärtet hatten, so hatten die Jahre des Wartens, der Enttäuschung und Erniedrigung ihren inneren Panzer gestärkt.

Wie viele Stunden ihres Lebens hatte sie schon so verbracht? Wie viele Stunden hatte sie auf einen Mann gewartet, der sich oft verspätete und die Hälfte der Zeit überhaupt nicht kam? Natürlich gab es immer eine Entschuldigung. Eine Krise bei der Arbeit. Eine unvorhergesehene Begegnung mit einem Familienmitglied. Einmal hatte sie in einem Londoner Restaurant gesessen und auf ein gemeinsames Mittagessen zur Feier ihres dritten Jahrestages gewartet, als sie ihn plötzlich mit seiner Frau hereinkommen sah. Entsetzt und hilflos hatte er einen Blick zu ihr herübergeworfen, und sie hatte mit ansehen müssen, wie man ihn und seine Frau an einen Tisch führte. Es war ein Schmerz wie Säure in ihrem Herzen, als sie sah, wie seine Frau ihn düster und gelangweilt betrachtete.

Später hatte er ihr erklärt, Cynthia sei ihm zufällig über den Weg gelaufen und habe darauf bestanden, ihn zum Mittagessen zu begleiten. Er hatte Roxanne erklärt, wie elend ihm zumute gewesen sei und dass er keinen Bissen herunterbekommen habe, unfähig, Konversation zu betreiben. Um es wiedergutzumachen, hatte er am nächsten Wochenende alles andere abgesagt und war mit Roxanne nach Venedig geflogen.

Roxanne schloss die Augen. An diesem Wochenende war sie trunken vor Glück gewesen. Sie hatte eine reine, unschuldige Freude empfunden wie noch nie, eine Freude, die sie noch immer so sehnsüchtig suchte wie ein Drogensüchtiger den nächsten Schuss. Hand in Hand waren sie über staubige alte Plätze spaziert, an Kanälen entlang, die im Sonnenschein glitzerten, über baufällige Brücken. Sie hatten Prosecco auf der Piazza San Marco getrunken und Strauß-Walzer gehört. Sie hatten sich auf dem altmodischen Holzbett in ihrem Hotel geliebt, auf dem Balkon gesessen, sich die Gondeln angesehen, die dort vorüberzogen, und den Klängen der Stadt gelauscht, die übers Wasser zu ihnen kamen.

Kein einziges Mal hatten sie seine Frau oder die Familie erwähnt. An diesem Wochenende hatten vier menschliche Wesen einfach nicht existiert. Als hätten sie sich in Luft aufgelöst.

Roxanne schlug die Augen auf. Sie verbot sich, an seine Familie zu denken. Sie schwelgte nicht mehr in bösen Fantasien über Autounfälle und Lawinen. Das führte am Ende nur zu mehr Schmerz, Selbstverachtung, Unentschlossenheit. Ihr war klar, dass sie ihn niemals für sich allein haben würde. Dass es keinen Autounfall geben würde. Dass sie die besten Jahre ihres Lebens an einen Mann vergeudete, der einer anderen Frau gehörte, einer treuen, braven Frau, der er geschworen hatte, sie sein Leben lang zu lieben und zu ehren. Die Mutter seiner Kinder.

Die Mutter seiner Scheißkinder.

Ein vertrauter Schmerz brannte in Roxannes Herz, und sie trank ihre Bloody Mary aus, legte einen Zwanziger in das Ledermäppchen mit ihrer Rechnung und stand in aller Ruhe auf, mit gleichgültiger Miene.

Als sie sich auf den Weg zum Ausgang der Bar machte, stieß sie beinah mit einer jungen Frau in einem schwarzen Lurexkleid zusammen. Sie war stark geschminkt und fiel mit den rot gefärbten Haaren und goldglänzendem Schmuck unweigerlich auf. Roxanne wusste sofort Bescheid. Solche Frauen gab es überall in London. Von irgendeiner großen Firma als Abendbegleitung dafür engagiert, zu lachen und zu flirten und – für ein gewisses Honorar – noch manches mehr. Einige Stufen über den Nutten in Euston und einige Stufen unter den Vorzeigefrauen im Restaurant.

Früher hätte sie eine solche Person verachtet. Jetzt jedoch, als sie der Frau in die Augen sah, schien es ihr, als gäbe es da so etwas wie gegenseitiges Verständnis. Beide waren sie vorübergehend vom Pfad der Tugend abgekommen. Beide waren in Situationen gelandet, über die sie früher ungläubig gelacht hätten. Denn wer plante schon, als Hostess zu enden? Wer plante schon, sechs Jahre lang die Geliebte eines verheirateten Mannes zu sein?

Die Erkenntnis schnürte Roxanne fast die Kehle zu, und eilig marschierte sie an der Frau vorbei, aus der Bar hinaus und durch die Hotelhalle.

»Taxi, Madam?«, fragte der Portier, als sie in die kalte Nachtluft trat.

»Danke«, sagte Roxanne und zwang sich zu lächeln, den Kopf hoch zu halten. Man hatte sie also versetzt, sagte sie sich. Das war nichts Neues. Es war schon mal passiert, und es würde wieder passieren. Das war der Preis, wenn die Liebe deines Lebens verheiratet war.

Kapitel Vier

Candice saß im Büro von Ralph Allsopp, dem Verleger des *Londoner*, kaute an den Fingernägeln und fragte sich, wo er wohl blieb. Zögernd hatte sie an diesem Morgen an seine Tür geklopft und gebetet, dass er da war, dass er nicht zu beschäftigt war, sie zu empfangen. Als er die Tür aufgemacht hatte, mit einem Telefon am Ohr, und sie hereinwinkte, war sie richtig erleichtert gewesen. Die erste Hürde war genommen. Jetzt musste sie ihn nur noch dazu bringen, dass er sich Heather ansah.

Bevor sie jedoch ihre kleine Ansprache halten konnte, hatte er den Hörer aufgelegt und gesagt: »Warten Sie hier«, und war verschwunden. Das war jetzt etwa zehn Minuten her. Inzwischen fragte sich Candice, ob sie vielleicht hätte aufstehen und ihm folgen sollen. Oder vielleicht hätte sie einfach sagen sollen: »Wohin wollen Sie denn? Kann ich mitkommen?« Derartiger Pragmatismus gefiel Ralph Allsopp bei seinen Mitarbeitern. Er war bekannt dafür, Leute einzustellen, die Eigeninitiative zeigten, ungeachtet ihrer Qualifikation. Er hatte ein Faible für Leute, die sich nicht fürchteten, ihre Unwissenheit zuzugeben, und er schätzte und pflegte Talente. Er bewunderte dynamische, energiegeladene Menschen, die bereit waren, hart zu arbeiten und etwas zu riskieren. Das schlimmste Verbrechen, dessen sich einer seiner Mitarbeiter schuldig machen konnte, war Halbherzigkeit.

»Halbherzig!«, hörte man ihn dann aus dem oberen Stock

57

brüllen. »Halbherziger Mist!« Und überall im Gebäude schoben die Leute ihre Stühle näher an den Schreibtisch, hörten auf, übers Wochenende zu plaudern, und tippten los.

Diejenigen jedoch, die nach seinem Geschmack waren, behandelte Ralph mit allergrößtem Respekt, was zur Folge hatte, dass sich die Mitarbeiter von Allsopp Publications allesamt wohlfühlten. Selbst Leute, die kündigten, um frei zu arbeiten oder sich beruflich umzuorientieren, hielten Kontakt und schauten hin und wieder auf einen Drink herein, um dem begeisterungsfähigen Ralph ihre neuesten Ideen zu unterbreiten. Es war eine ungezwungene, entspannte Arbeitsatmosphäre. Candice arbeitete schon seit fünf Jahren dort und hatte noch nie daran gedacht, woanders anzufangen.

Nun lehnte sie sich auf dem Stuhl zurück und sah sich Ralphs Schreibtisch an, dessen Unordnung legendär war. Zwei hölzerne Posteingangskörbe quollen über vor Briefen und Memos. Zeitschriften stapelten sich neben Druckfahnen, die mit roter Tinte vollgeschrieben waren. Auf einem Bücherstapel stand ein Telefon. Während sie es betrachtete, fing der Apparat an zu klingeln. Sie zögerte kurz, überlegte, ob sie den Anruf entgegennehmen sollte. Dann stellte sie sich Ralphs Reaktion vor, wenn er hereinkam und sah, dass sie dasaß und es einfach klingeln ließ. »Was ist los mit Ihnen?«, würde er brüllen. »Das Ding beißt nicht!«

Augenblicklich nahm sie den Hörer ab.

»Hallo«, sagte sie mit geschäftsmäßiger Stimme. »Ralph Allsopps Büro.«

»Ist Mr Allsopp da?«, erkundigte sich eine weibliche Stimme.

»Leider nicht«, sagte Candice. »Kann ich ihm etwas ausrichten?«

»Spreche ich mit seiner persönlichen Assistentin?« Candice warf einen Blick durch die Scheibe hinaus auf den Schreibtisch von Janet, Ralphs Sekretärin. Sie war nicht da.

»Ich … vertrete sie gerade«, sagte Candice. Es folgte eine Pause, dann sagte die Stimme: »Hier ist Mary, Dr. Davies' Assistentin. Ich rufe aus dem Charing Cross Hospital an. Seien Sie bitte so freundlich, Mr Allsopp auszurichten, dass Dr. Davies den Termin um vierzehn Uhr leider nicht schaffen wird. Er lässt deshalb fragen, ob es wohl auch um fünfzehn Uhr passen würde.«

»Gut«, sagte Candice und notierte die Nachricht. »Okay. Ich sage es ihm.«

Sie legte auf und betrachtete die Nachricht interessiert.

»So, meine Liebe!« Ralphs unbekümmerte Stimme unterbrach sie in ihren Gedanken, sodass sie vor Schreck zusammenzuckte. »Was kann ich für Sie tun? Wollen Sie sich jetzt schon über Ihren neuen Chefredakteur beschweren? Oder geht es um was anderes?«

Candice lachte.

»Um was anderes.«

Sie sah, wie er hinter den Schreibtisch trat, und dachte nicht zum ersten Mal, was für ein attraktiver Mann er in jüngeren Jahren gewesen sein musste. Er war groß – mindestens eins fünfundachtzig – mit zerzausten, angegrauten Haaren und klugen, leuchtenden Augen. Er war bestimmt schon über fünfzig, dachte sie, strahlte aber immer noch eine geradezu beängstigende Energie aus.

»Da kam eben diese Nachricht«, sagte sie etwas unwillig und reichte ihm den Zettel.

»Ach«, sagte Ralph und warf einen leeren Blick darauf. »Danke.« Er faltete den Zettel zusammen und steckte ihn in seine Hosentasche.

Candice machte den Mund auf, um zu fragen, ob alles okay sei, dann klappte sie ihn wieder zu. Der Gesundheitszustand ihres Chefs ging sie nichts an. Sie hatte einen privaten Anruf abgefangen. Das ging sie nichts an. Außerdem fiel ihr ein, dass es sich möglicherweise um etwas Peinliches handeln mochte, von dem sie gar nichts wissen wollte.

»Ich wollte Sie gern sprechen«, sagte sie stattdessen, »weil der *Londoner* immer noch eine Redaktionsassistentin sucht.«

»Ach ja?«, sagte Ralph und lehnte sich auf seinem Stuhl zurück.

»Ja«, sagte Candice und nahm ihren ganzen Mut zusammen. »Ich kenne nämlich jemanden, der gut passen würde.«

»Wirklich?«, sagte Ralph. »Nun, dann bitten Sie ihn, sich zu bewerben.«

»Es ist eine Frau«, sagte Candice. »Ich fürchte nur, ihr Lebenslauf ist nicht besonders aufregend. Aber ich weiß, dass sie Talent hat. Ich weiß, dass sie schreiben kann. Und sie ist intelligent und begeisterungsfähig ...«

»Freut mich zu hören«, sagte Ralph freundlich. »Aber ich denke, darüber sollten Sie mit Justin sprechen.«

»Ich weiß«, sagte Candice. »Aber ...« Sie schwieg, und Ralphs Augen wurden schmal.

»Hören Sie ...«, sagte er und beugte sich vor. »Sagen Sie es mir ehrlich. Wird es da Schwierigkeiten geben? Ich bin mir der Situation zwischen Ihnen beiden wohl bewusst, und wenn sich daraus Probleme ergeben ...«

»Das ist es nicht!«, sagte Candice eilig. »Es ist nur ... Justin hat viel zu tun. Es ist sein erster Tag, und ich will ihn nicht damit belasten. Er hat genug um die Ohren. Außerdem ...« Sie merkte, wie sich ihre Finger auf dem Schoß verknoteten. »Außerdem hat er sich gestern darüber beklagt, dass er die ganzen Bewerbungen lesen muss. Und außerdem ist er nur kommissarischer Chefredakteur … Also dachte ich, vielleicht …«

»Was?«

»Ich dachte, vielleicht könnten Sie das Bewerbungsgespräch mit der Frau selbst führen.« Flehend sah Candice Ralph an. »Sie wartet unten am Empfang.«

»Sie wartet *wo*?«

»Am Empfang«, stammelte Candice. »Sie wartet … für den Fall, dass Sie Ja sagen.«

Ralph starrte sie an, mit ungläubiger Miene, und einen schrecklichen Augenblick lang dachte Candice, gleich würde er sie anbrüllen. Plötzlich jedoch fing er an zu lachen. »Schicken Sie sie rauf«, sagte er. »Wenn Sie sie schon hergeschleift haben, sollten wir der armen Frau auch eine Chance geben.«

»Danke«, sagte Candice. »Ehrlich, ich bin mir sicher, dass sie …« Ralph hob eine Hand, um sie zu bremsen.

»Schicken Sie sie rauf!«, sagte er. »Dann sehen wir weiter.«

Maggie Phillips saß allein in ihrer geschmackvollen Smallbone-Küche, trank Kaffee, starrte den Tisch an und überlegte, was sie als Nächstes tun sollte. Am Morgen war sie wie immer früh aufgewacht und hatte mit angesehen, wie Giles sich anzog und für die Fahrt in die Stadt bereitmachte.

»Lass es ruhig angehen«, hatte er gesagt und hektisch seine Krawatte geknotet. »Ich versuche, so gegen sieben zurück zu sein.«

»Okay«, hatte Maggie geantwortet und ihn angelächelt. »Bestell dem Smog schöne Grüße.«

»So ist es recht, reib es mir ruhig unter die Nase«, erwiderte er verschmitzt. »Ihr verdammten Müßiggängerinnen.«

Als sie die Haustür ins Schloss fallen hörte, breitete sich ein köstliches Gefühl von Freiheit in ihrem ganzen Körper aus. Keine Arbeit, dachte sie bei sich. Keine Arbeit! Sie konnte tun und lassen, was sie wollte. Zuerst hatte sie versucht weiterzuschlafen, hatte die Augen wieder zugemacht und sich in ihre Bettdecke gekuschelt. Aber das Liegen war unbequem. Ihr Bauch war zu dick und zu schwer, um eine komfortable Lage zu finden. Nachdem sie ihr Kopfkissen mehrmals zurechtgeschüttelt hatte, gab sie es auf.

Sie war nach unten gegangen, hatte sich Frühstück gemacht, dann die Zeitung gelesen und den Garten draußen vor dem Fenster bewundert. Das hatte bis halb neun gedauert. Anschließend war sie wieder nach oben gegangen, hatte sich ein Bad eingelassen und – wie es ihr schien – mindestens eine Stunde darin gelegen. Als sie herauskam, stellte sie fest, dass es nur zwanzig Minuten gewesen waren.

Jetzt war es halb zehn. Der Tag hatte noch nicht einmal begonnen, und doch kam sie sich vor, als säße sie schon seit einer Ewigkeit am Küchentisch. Wie konnte es sein, dass die Zeit, die in London derart rar und kostbar war, hier so langsam zu vergehen schien? Wie Honig in einem Stundenglas.

Maggie schloss die Augen, nahm noch einen Schluck Kaffee und überlegte, was sie normalerweise um diese Uhrzeit trieb. Alles Mögliche. Sich in der U-Bahn durchschütteln lassen, Zeitung lesen. Zum Büro spazieren. Einen Cappuccino im Coffee Shop an der Ecke kaufen. Tausend E-Mails beantworten. In einer Morgenbesprechung sitzen. Lachen, reden, umgeben von Leuten.

Und gestresst sein, wie sie sich in Erinnerung rufen musste, bevor es allzu positiv klang. Von Pendlern angerempelt, von Taxiabgasen erstickt, vom Lärm betäubt, von Abgabeterminen bedrängt. Hier hingegen kam das einzige

Geräusch von einem Vogel draußen vor dem Fenster, und die Luft war frisch und sauber wie Quellwasser. Und sie hatte keinen Druck, keine Meetings, keine Deadlines.

Abgesehen natürlich von der einen großen Deadline, aber auf die hatte sie keinerlei Einfluss. Fast fand sie es amüsant, dass ausgerechnet sie, die so sehr daran gewöhnt war, Chefin zu sein, den Laden zu schmeißen, in diesem Fall rein gar nichts tun konnte. Sie griff nach ihrem Schwangerschaftshandbuch und klappte es irgendwo in der Mitte auf. »An diesem Punkt werden die Schmerzen zunehmen«, las sie. »Versuchen Sie, nicht in Panik zu geraten. Ihr Partner wird Sie stützen und aufmuntern.« Eilig klappte sie das Buch zu und nahm noch einen Schluck Kaffee. Bloß nicht dran denken.

Irgendwo in ihrem Hinterkopf wusste Maggie, dass sie dem Rat der Hebammen hätte folgen und wenigstens einen Geburtsvorbereitungskurs besuchen sollen. Mehrere freundliche, wohlmeinende Hebammen hatten ihr diverse Broschüren und Telefonnummern angedient und sie ermahnt, sich darum zu kümmern. Wussten diese Frauen denn nicht, wie viel sie zu tun hatte? Waren sie sich denn nicht darüber im Klaren, dass es schon schwierig genug war, sich für die nötigen Untersuchungen von der Arbeit freizunehmen? Am Ende eines stressigen Tages war Giles und ihr ganz sicher nicht danach zumute, bei wildfremden Leuten auf Sitzsäcken zu hocken und sich über – offen gesagt – eher private Dinge zu unterhalten. Sie hatte ein Buch gekauft und ein Video halb angesehen. Wenn was Gruseliges kam, hatte sie weitergespult. Das musste reichen.

Entschlossen klemmte sie das Buch hinter den Brotkasten, wo es nicht zu sehen war, und schenkte sich noch eine Tasse Kaffee ein. In diesem Moment klingelte es an der Tür.

Überrascht runzelte Maggie die Stirn, hievte sich von ihrem Stuhl hoch und schlurfte durch die Diele zur Haustür. Draußen auf der Stufe stand ihre Schwiegermutter in einer wattierten Jacke mit gestreifter Bluse und einem blauen Cordrock, der ihr bis zu den Knien reichte.

»Hallo, Maggie!«, sagte sie. »Ich bin doch nicht zu früh dran, oder?«

»Nein!«, sagte Maggie halb lachend. »Ganz und gar nicht. Giles sagte schon, dass du vielleicht vorbeikommen wolltest.« Sie beugte sich vor und gab Paddy unbeholfen einen Kuss auf die Wange, wobei sie auf der Stufe fast ins Wanken kam.

Obwohl sie schon seit vier Jahren mit Giles verheiratet war, hatte sie doch immer noch nicht das Gefühl, ihre Schwiegermutter besonders gut zu kennen. Kein einziges Mal hatten sie sich bisher mal hingesetzt und geplaudert – vor allem weil Paddy sich nie hinzusetzen schien. Sie war drahtig, tatkräftig und ständig auf dem Sprung. Wenn sie nicht gerade kochte oder im Garten herumwerkelte, kutschierte sie jemanden zum Bahnhof oder stellte eine Ausstellung zusammen. Fünfundzwanzig Jahre lang hatte sie die örtliche Gruppe der Pfadfinderinnen geleitet; sie sang im Kirchenchor und hatte alle Kleider für Maggies Brautjungfern genäht. Jetzt lächelte sie und reichte Maggie eine Keksdose.

»Ein paar Scones«, sagte sie. »Die einen mit Rosinen, die anderen mit Käse.«

»Ach Paddy!«, sagte Maggie gerührt. »Das wäre doch nicht nötig gewesen.«

»So was ist doch schnell gemacht«, sagte Paddy. »Ich gebe dir das Rezept, wenn du willst. Die sind in null Komma nichts gezaubert. Giles mochte sie immer gern.«

»Stimmt«, sagte Maggie und erinnerte sich an ihren katastrophalen Versuch, Giles einen Geburtstagskuchen zu backen. »Gute Idee!«

»Und ich habe dir jemanden mitgebracht«, sagte Paddy. »Ich dachte, du würdest vielleicht gern eine andere junge Mutter aus dem Dorf kennenlernen.«

»Oh!«, sagte Maggie überrascht. »Wie schön!«

Paddy winkte ein Mädchen in Jeans und pinkem Pulli heran, mit einem Baby im Arm und einem Kind an der Hand.

»Darf ich vorstellen?«, sagte sie stolz. »Maggie, das ist Wendy.«

Als Candice die Treppe zum Empfang hinuntertrippelte, war sie ganz benommen von ihrem Erfolg. Sie fühlte sich direkt einflussreich. Wieder einmal zeigte sich, was man mit ein wenig Initiative, ein wenig Mühe alles erreichen konnte. Sie kam ins Foyer und lief eilig zu den Sesseln, wo Heather wartete. Sie trug ein schickes, schwarzes Kostüm.

»Er hat Ja gesagt!«, rief sie und konnte ihren Triumph nicht verbergen. »Er will dich sehen!«

»Wirklich?« Heathers Augen leuchteten. »Wann, jetzt?«

»Jetzt gleich! Ich sag doch, er ist immer bereit, Leuten eine Chance zu geben.« Candice grinste begeistert. »Du musst nur an das denken, was ich dir gesagt habe. Enthusiasmus. Tatkraft. Wenn dir auf eine Frage keine Antwort einfällt, erzähl stattdessen einen Witz.«

»Okay.« Nervös zupfte Heather an ihrem Rock herum. »Kann ich so gehen?«

»Du siehst toll aus«, sagte Candice. »Und eins noch: Ralph wird sicher fragen, ob du eine Probe deiner Schreibkünste dabeihast.«

»Was?«, sagte Heather erschrocken. »Aber ich …«

»Gib ihm das hier«, sagte Candice, verkniff sich ein Lachen und reichte Heather ein Blatt Papier.

»Was?« Heather betrachtete es ungläubig. »Was ist das?«

»Ein kleiner Artikel, den ich vor Monaten geschrieben habe«, sagte Candice. »Darüber, wie fürchterlich der Londoner Nahverkehr im Sommer ist. Er ist nie erschienen, und Maggie ist die Einzige, die ihn außer mir gelesen hat.« Einige Besucher betraten das Foyer, sodass sie leiser fortfuhr: »Jetzt gehört er dir. Hier – ich habe deinen Namen darübergesetzt.«

»London – glühend heiß«, las Heather langsam. »Von Heather Trelawney‹.« Sie blickte auf und wusste gar nicht, wohin sie sehen sollte. »Ich fasse es nicht! Das ist ja wunderbar!«

»Du solltest den Text lieber kurz mal überfliegen, bevor du reingehst«, sagte Candice. »Es könnte sein, dass er dich danach fragt.«

»Candice … das ist so nett von dir«, sagte Heather. »Ich weiß gar nicht, wie ich es jemals wiedergutmachen kann.«

»Sei nicht albern«, sagte Candice schnell. »Das mach ich doch gerne.«

»Aber du bist so gut zu mir. Warum tust du das alles für mich?« Heathers graue Augen musterten Candice plötzlich derart eindringlich, dass Candice spürte, wie ihr Magen vor schlechtem Gewissen eine Rolle rückwärts machte. Sie starrte Heather an, während ihre Wangen immer heißer wurden, und überlegte einen Moment, ob sie ihr alles erzählen sollte. Ob sie ihren familiären Hintergrund, die ständige Schuld, ihren Drang, etwas wiedergutzumachen, beichten sollte.

Doch dann, als sie fast schon den Mund aufmachte,

merkte sie, dass es ein Fehler wäre. In welch peinliche Lage sie Heather – und auch sich selbst – versetzen würde, wenn sie etwas sagte. Sie mochte sich danach vielleicht besser fühlen, es mochte vielleicht eine Art Läuterung sein, aber es wäre auch selbstsüchtig, sich die Last von den Schultern zu nehmen. Heather durfte nie erfahren, dass hinter ihren Motiven etwas anderes als aufrichtige Freundschaft stand.

»Vergiss es«, sagte sie eilig. »Du solltest jetzt lieber raufgehen. Ralph wartet schon.«

Paddy hatte darauf bestanden, den Kaffee zu machen, und ließ Maggie mit Wendy allein. Da sie plötzlich etwas nervös wurde, führte sie Wendy ins Wohnzimmer und deutete auf das Sofa. Es war die erste junge Mutter, die ihr hier begegnete. Und dann auch noch eine Nachbarin. Vielleicht würde dieses Mädchen ihre Busenfreundin werden, dachte sie. Vielleicht würden die Kinder Freunde fürs Leben.

»Setz dich doch«, sagte sie. »Hast du … wohnst du schon lange hier im Dorf?«

»Ein paar Jahre«, sagte Wendy, ließ ihre riesige Tasche auf den Boden fallen und setzte sich auf Maggies cremefarbenes Sofa.

»Und … gefällt es dir hier?«

»Schon okay. Jake, lass die Finger davon!«

Maggie blickte auf und sah entsetzt, dass Wendys Kind nach der blauen Kugel aus venezianischem Glas griff, die Roxanne ihr zur Hochzeit geschenkt hatte.

»Ach du je«, sagte sie und kam so schnell auf die Beine, wie ihr dicker Bauch es zuließ. »Ich werde … ich werde das hier lieber mal wegnehmen, oder?« Sie erreichte die Glaskugel genau in dem Moment, als Jakes klebrige Fingerchen sich darum schlossen. »Danke«, sagte sie höflich zu dem kleinen Jungen. »Äh … hättest du was dagegen …« Seine Finger hielten daran fest. »Es ist nur, weil …«

»Jake!«, bellte Wendy, und Maggie zuckte vor Schreck zusammen. »Es reicht!« Jake verzog das Gesicht, ließ jedoch gehorsam los. Eilig löste Maggie die Kugel aus seinem Griff und legte sie oben auf die hohe Kommode.

»In diesem Alter sind sie Monster«, sagte Wendy. Ihr Blick strich über Maggies Bauch. »Wann ist es so weit?«

»Noch drei Wochen«, sagte Maggie und setzte sich wieder hin. »Nicht mehr lange!«

»Vielleicht lässt es sich Zeit«, sagte Wendy.

»Ja«, sagte Maggie nach einer Pause. »Auch möglich.« Wendy zeigte auf das Baby auf ihrem Schoß.

»Bei ihm hier war ich zwei Wochen überfällig. Am Ende mussten sie die Geburt einleiten.«

»Oh«, sagte Maggie. »Aber …«

»Und dann hat er sich verklemmt«, sagte Wendy. »Sein Herzschlag wurde schwächer, und sie mussten ihn mit der Zange rausholen.« Sie blickte auf und sah Maggie tief in die Augen. »Neunundzwanzig Stiche.«

»Ach, du liebes bisschen«, sagte Maggie. »Du machst Witze.« Plötzlich war ihr, als müsste sie gleich in Ohnmacht fallen. Sie holte tief Luft, klammerte sich an ihren Stuhl und zwang sich, Wendy anzulächeln. Sie musste das Thema wechseln, weg von der Geburt, dachte sie. Egal wohin. »Und … hast du … arbeitest du denn?«

»Nein«, sagte Wendy und glotzte sie verständnislos an. »Jake! Komm da runter!« Maggie fuhr herum und sah, dass Jake riskant auf dem Klavierhocker balancierte. Er warf seiner Mutter einen mörderischen Blick zu und fing an, auf die Klaviertasten einzuhämmern.

»Da bin ich wieder!« Paddy kam herein und trug ein Ta-

blett vor sich her. »Ich habe diese leckeren Mandelkekse aufgemacht, Maggie. Ist das in Ordnung?«

»Absolut«, sagte Maggie.

»Ich weiß ja, wie es ist, wenn man seine Mahlzeiten geplant hat, und dann kommt jemand und plündert deine Vorratskammer.« Sie schnaubte ein kleines Lachen hervor, und
Maggie lächelte etwas flau. Die Vermutung lag nahe, dass
Paddys Vorstellung von einer Vorratskammer sich von der
ihren ziemlich unterschied.

»Irgendwo hab ich noch Saft für Jake«, sagte Wendy. Plötzlich wurde ihre Stimme lauter: »Jake, lass das sein, oder du
kriegst nichts zu trinken!« Sie legte das Baby auf den Boden
und griff nach ihrer Tasche.

»Ach, wie süß!«, sagte Paddy mit Blick auf das Baby, das
dort lag und zappelte. »Maggie, nimm du den Kleinen doch
mal einen Moment.« Maggie erstarrte vor Entsetzen.

»Ich glaube nicht, dass …«

»Hier!«, sagte Paddy, hob das Baby auf und legte es Maggie in die Arme. »Ist er nicht zum Knutschen?«

Maggie starrte das Kind in ihren Armen an, spürte, dass
die beiden anderen sie dabei beobachteten, und wurde ganz
unsicher. Was war los mit ihr? Sie empfand nur Abscheu für
dieses Baby. Es war hässlich, es roch nach saurer Milch und
steckte in einem grauenvollen, pastellfarbenen Strampler.
Das Baby schlug die blauen Augen auf und sah sie an, und
sie betrachtete es, versuchte, so etwas Ähnliches wie Zuneigung aufzubringen, sich wie eine Mutter zu verhalten.
Der Kleine wand sich und ächzte. Voll Sorge blickte sie auf.

»Könnte sein, dass er rülpsen muss«, sagte Wendy. »Halt
ihn aufrecht.«

»Okay«, sagte Maggie. Mit steifen, unbeholfenen Händen
nahm sie das Baby und hob es an. Der Kleine verkniff das

69

Gesicht, und einen schrecklichen Augenblick lang dachte sie, er würde losschreien. Da machte er den Mund auf, und ein Schwall warmer erbrochener Milch schwappte über ihren Pulli.

»Oh, mein Gott!«, rief Maggie entsetzt. »Er hat mich vollgekotzt!«

»Ach«, sagte Wendy ungerührt. »Tut mir leid. Komm, gib ihn mir.«

»Nicht so schlimm«, sagte Paddy forsch und reichte Maggie ein Tuch. »Daran wirst du dich gewöhnen müssen, Maggie. Stimmt's nicht, Wendy?«

»Oh, ja«, sagte Wendy. »Wart's ab!«

Maggie wischte an ihrem Pulli herum, hob den Kopf und sah, dass Paddy und Wendy sie selbstgefällig, fast triumphierend betrachteten. *Mitgefangen, mitgehangen,* schienen ihre Augen zu sagen. Innerlich fing sie an zu beben.

»Muss mal Kacka«, verkündete Jake und ging zu Wendy herüber.

»Braver Junge«, sagte sie und stellte ihren Becher ab. »Lass mich nur eben dein Töpfchen rausholen.«

»Um Himmels willen!«, schrie Maggie und sprang auf. »Ich meine … ich koch uns noch einen Kaffee, oder?«

In der Küche stellte sie den Wasserkocher an und sank auf einen Stuhl, zitternd, ihr Pulli feucht von der Milch. Sie wusste nicht, ob sie lachen oder weinen sollte. War es wirklich so, wenn man Mutter wurde? Und wenn ja – was hatte sie getan? Sie schloss die Augen und dachte schmerzlich an ihr Büro beim *Londoner*. Ihr organisiertes, zivilisiertes Büro voller Erwachsener, voller Witz und Verve, und weit und breit kein Baby in Sicht.

Sie zögerte, warf einen Blick zur Tür, dann nahm sie das Telefon und wählte eilig eine Nummer.

»Hallo?« Als sie Candice hörte, atmete Maggie erleichtert aus. Schon war sie viel entspannter.

»Hi, Candice! Hier ist Maggie.«

»Maggie!«, rief Candice überrascht. »Wie geht es dir? Ist alles okay?«

»Ach, mir geht es gut«, sagte Maggie. »Du weißt ja: mein Leben im Müßiggang ...«

»Du liegst doch bestimmt noch im Bett, du Glückspilz.«

»Im Gegenteil«, sagte Maggie heiter. »Ich halte gerade einen morgendlichen Kaffeeklatsch. Da sitzt eine echte Gebärmaschine in meinem Wohnzimmer.« Candice lachte, und Maggie spürte, dass ein warmes, freudiges Gefühl von ihr Besitz ergriff. Dem Himmel sei Dank für Freunde, dachte sie. Plötzlich schien ihr die ganze Situation eher lustig. Eine unterhaltsame Anekdote. »Du wirst nicht *glauben*, was gerade eben passiert ist«, fügte sie leise hinzu. »Ich sitze auf dem Sofa, halte dieses potthässliche Baby im Arm, da fängt es an zu zappeln. Und im nächsten Augenblick ...«

»Ehrlich gesagt, Maggie ...«, fiel Candice ihr ins Wort. »Tut mir leid, aber ich kann gerade nicht plaudern. Justin hat irgendein dummes Meeting angesetzt, und da müssen wir alle hin.«

»Oh«, sagte Maggie und spürte einen Stich der Enttäuschung. »Na gut ... okay.«

»Aber wir telefonieren später. Versprochen.«

»Schön!«, sagte Maggie fröhlich. »Macht ja nichts. Ich wollte es nur mal kurz versuchen. Viel Spaß beim Meeting.«

»Das dürfte schwierig werden. Oh, aber hör mal: Bevor ich gehe, muss ich dir noch was erzählen!« Candice sprach leiser. »Du erinnerst dich an diese Heather, die wir gestern Abend getroffen haben? Die Kellnerin?«

»Ja«, sagte Maggie und lenkte ihre Gedanken zum gestrigen Abend. »Natürlich.« Hatten sie wirklich erst gestern alle zusammen in der Manhattan Bar gesessen? Es schien ihr eine Ewigkeit her zu sein.

»Also, ich weiß ja, dass du meintest, ich sollte es nicht tun, aber ich habe sie Ralph vorgestellt«, sagte Candice. »Und er war so beeindruckt, dass er ihr den Job auf der Stelle angeboten hat. Nächste Woche fängt sie als Redaktionsassistentin an!«

»Wirklich?«, sagte Maggie erstaunt. »Das ist ja ein Ding!«

»Ja«, sagte Candice und räusperte sich. »Nun, es stellte sich heraus, dass sie … dass sie sehr gut schreiben kann. Ralph war von ihrer Arbeit total beeindruckt. Deshalb hat er beschlossen, ihr eine Chance zu geben.«

»Typisch Ralph«, sagte Maggie. »Das ist super!«

»Ist es nicht fantastisch?« Candice sprach noch leiser. »Mags, ich kann dir gar nicht sagen, wie viel es mir bedeutet. Es ist, als könnte ich endlich wiedergutmachen, was mein Vater angerichtet hat. Endlich tue ich etwas … Positives.«

»Dann freue ich mich ehrlich für dich«, sagte Maggie warmherzig. »Ich hoffe, es geht gut aus.«

»Oh, das wird es«, sagte Candice. »Heather ist wirklich nett. Heute Mittag gehen wir zusammen essen, zur Feier des Tages.«

»Schön«, sagte Maggie wehmütig. »Na, viel Spaß.«

»Wir stoßen auf dich an. Hör mal, Mags, ich muss los. Bis bald.« Und die Leitung war tot.

Einen Moment lang starrte Maggie den Hörer an, dann legte sie ihn langsam auf und versuchte, sich nicht ausgeschlossen zu fühlen. Sie war noch keine vierundzwanzig Stunden weg, da ging das Büroleben schon ohne sie weiter. Aber natürlich. Was hatte sie denn erwartet? Sie seufzte, und da sah sie, dass Paddy in der Tür stand und sie mit seltsamer Miene betrachtete.

»Oh«, sagte Maggie schuldbewusst. »Ich habe nur eben mit einer alten Kollegin über eine … eine Angelegenheit bei der Arbeit gesprochen. Ist bei Wendy alles in Ordnung?«

»Sie ist oben und wechselt dem Baby die Windel«, sagte Paddy. »Da dachte ich, ich gehe dir vielleicht beim Kaffeekochen zur Hand.«

Paddy trat an die Spüle, stellte das heiße Wasser an, dann drehte sie sich um und lächelte freundlich.

»Weißt du, du darfst dich nicht so sehr an dein altes Leben klammern, Maggie.«

»Was?«, sagte Maggie ungläubig. »Tu ich doch gar nicht!«

»Du wirst hier schon bald Wurzeln schlagen. Ihr werdet andere junge Familien kennenlernen. Aber man muss sich schon ein wenig bemühen.« Paddy spritzte Spülmittel in die Schüssel. »Das ist hier ein anderes Leben.«

»So viel anders nun auch wieder nicht«, sagte Maggie leichthin. »Die Leute hier haben doch auch ihren Spaß, oder?« Paddy schenkte ihr ein verkniffenes kleines Lächeln.

»Nach einer Weile wirst du feststellen, dass dich mit einigen deiner Londoner Freunde immer weniger verbindet.«

Und mit Wendy dafür umso mehr?, dachte Maggie. Wohl kaum.

»Möglich«, sagte sie und erwiderte Paddys Lächeln. »Aber ich werde alles versuchen, den Kontakt zu meinen alten Freundinnen zu halten. Wir haben da ein Trio, das sich hin und wieder auf ein paar Cocktails trifft. Mit denen bleibe ich bestimmt in Verbindung.«

»Cocktails«, sagte Paddy und schnaubte vor Lachen. »Wie ausgesprochen glamourös.«

Maggie starrte sie an und empfand einen gewissen Widerwillen. Was ging es Paddy an, mit wem sie befreundet war? Was ging es Paddy an, was für ein Leben sie führte?

»Ja, Cocktails«, sagte sie freundlich lächelnd. »Am liebsten mag ich ›Sex on the Beach‹. Erinnere mich daran, dir bei Gelegenheit das Rezept zu geben.«

Kapitel Fünf

Es läutete an der Tür, und Candice zuckte unweigerlich auf dem Sofa zusammen, obwohl sie mit Heathers Besuch schon seit zwanzig Minuten rechnete. Noch einmal sah sie sich im Wohnzimmer um, ob auch alles sauber und ordentlich war, dann ging sie zur Tür. Sie machte auf und schnappte vor Überraschung nach Luft, dann lachte sie. Sie sah nur einen riesengroßen Blumenstrauß. Gelbe Rosen, Nelken und Freesien mit dunklem Grünzeug, gewickelt in goldgeprägtes Zellophan und gekrönt von einer großen Schleife.

»Die sind für dich«, hörte sie Heathers Stimme hinter dem Strauß. »Entschuldige die schreckliche Schleife. Die haben sie drumgebunden, bevor ich es verhindern konnte.«

»Das ist aber nett von dir!«, sagte Candice, nahm den raschelnden Strauß entgegen und umarmte Heather. »Aber das wäre doch nicht nötig gewesen.«

»Doch, unbedingt sogar!«, sagte Heather. »Und noch viel mehr.« Ernst sah sie Candice an. »Überleg mal, was du alles für mich tust. Ein Job, eine Wohnung …«

»Na ja …«, sagte Candice verlegen. »Schließlich habe ich zwei Schlafzimmer. Und wenn deine Wohnung so düster ist …«

Zufällig hatte Heather während ihres gemeinsamen Mittagessens von der Wohnung erzählt, in der sie untergekommen war. Und während sie das Grauen eindringlich beschrieben hatte, war Candice plötzlich die Idee gekommen,

Heather zu fragen, ob sie nicht bei ihr einziehen wollte, und Heather hatte auf der Stelle zugesagt. Eins fügte sich zum anderen.

»Es war ein Loch«, sagte Heather. »Zu sechst in einem Zimmer. Total verdreckt. Aber das hier …« Sie stellte ihre Koffer ab und trat in die Wohnung, sah sich ungläubig um. »Hast du das alles für dich allein?«

»Ja«, sagte Candice. »Als ich einzog, hatte ich eine Mitbewohnerin, aber die ist irgendwann ausgezogen, und ich bin einfach noch nicht dazu gekommen, mir …«

»Was für ein Palast!«, fiel Heather ihr ins Wort und blickte in die Runde. »Candice, es ist traumhaft!«

»Danke«, sagte Candice und wurde ganz rot vor Freude. »Ich … na ja … mir gefällt's.«

Insgeheim war sie stolz auf ihre Einrichtung. Im letzten Sommer hatte sie viel Zeit darauf verwendet, die braun gemusterte Tapete abzukratzen, die der Vormieter ihr hinterlassen hatte, und die Wände hellgelb zu streichen. Das Ganze hatte länger gedauert als gedacht, und am Ende taten ihr die Arme weh, aber es war den Aufwand wert gewesen.

»Sieh nur … die Blumen, die ich mitgebracht habe, passen perfekt zu deinen Wänden«, sagte Heather. »Offensichtlich haben wir denselben Geschmack, du und ich. Das ist bestimmt ein gutes Omen, meinst du nicht?«

»Absolut!«, sagte Candice. »Okay, holen wir dein Gepäck rein, dann kannst du dir dein …« Sie schluckte. »Dann kannst du dir dein Zimmer ansehen.«

Sie hob einen von Heathers Koffern an, schleppte ihn den Flur entlang und öffnete mit zitternder Hand die Tür zum ersten Schlafzimmer.

»Wow«, hauchte Heather hinter ihr. Es war ein großes Zimmer mit lavendelblauen Wänden und dicken, cremefarbenen Vorhängen. In der Ecke stand ein riesiger, leerer Kleiderschrank aus Eichenholz. Auf dem Nachtschränkchen neben dem Doppelbett lagen ein paar Hochglanzmagazine.

»Das ist ja der Wahnsinn!«, sagte Heather. »Diese Wohnung ist unglaublich.« Sie blickte sich um. »Und wie sieht dein Zimmer aus? Ist das die Tür?«

»Es ist … okay«, sagte Candice. »Ehrlich …«

Aber Heather war zu schnell für sie. Schon hatte sie die Tür aufgemacht und sah in ein erheblich kleineres Zimmer mit einem Einzelbett und einem billigen Kiefernholzschrank.

»Das ist deins?«, sagte sie verwundert, dann drehte sie sich langsam zu dem lavendelfarbenen Zimmer um. »Eigentlich ist das da deins, oder?«, fragte sie überrascht. »Du überlässt mir dein eigenes Zimmer!«

Sie schien verwundert – fast amüsiert –, und Candice spürte, dass sie vor Verlegenheit rot anlief. Sie war stolz auf ihre kleine Geste gewesen, hatte am Abend fröhlich vor sich hin gesummt, während sie die Kleider aus ihrem Schlafzimmer räumte, um Platz für Heather zu machen. Als sie nun Heathers Miene sah, merkte sie, dass es ein Fehler gewesen war. Selbstverständlich würde Heather darauf bestehen, dass sie zurücktauschten. Der ganze Vorfall würde ihr Arrangement nur belasten.

»Ich dachte einfach, du hättest es gern hübsch«, sagte sie und kam sich dumm vor. »Ich weiß, wie es ist, wenn man bei jemand anderem einzieht. Deshalb dachte ich mir, ich gebe dir das größere Zimmer.«

»Verstehe«, sagte Heather und warf nochmals einen Blick auf das lavendelfarbene Zimmer. »Na, wenn du meinst.« Sie strahlte Candice an und schob einen ihrer Koffer ins Zimmer. »Das ist wirklich nett von dir. Ich ziehe gern hier ein.«

»Oh«, sagte Candice halb erleichtert, halb enttäuscht. »Okay. Gut … dann lass ich dich mal auspacken.«

»Sei nicht albern!«, sagte Heather. »Ich pack später aus. Trinken wir erst mal was.« Sie langte in ihre Tasche. »Ich hab uns Champagner mitgebracht.«

»Blumen *und* Champagner!« Candice lachte. »Heather, das geht zu weit.«

»Bei besonderen Gelegenheiten trinke ich immer Champagner«, sagte Heather, und ihre Augen funkelten Candice an. »Und diesen Tag sollten wir nun wirklich feiern. Findest du nicht auch?«

Als Candice in der Küche den Champagner aufmachte, hörte sie die Holzdielen im Wohnzimmer knarren, wo Heather sich umsah. Sie schenkte zwei Champagnerflöten voll, die noch von einem Empfang stammten, den seinerzeit Bollinger gesponsert hatte, dann nahm sie Gläser und Flasche mit nach nebenan. Heather stand am Kaminsims – die blonden Haare im Lampenlicht wie ein Heiligenschein – und betrachtete ein gerahmtes Foto. Als Candice das sah, fing ihr Herz an zu rasen. Wieso hatte sie dieses Foto nicht weggeräumt? Wie hatte sie so dumm sein können?

»Hier«, sagte sie, reichte Heather ein Glas Champagner und versuchte, sie vom Kaminsims wegzulocken. »Auf uns.«

»Auf uns«, wiederholte Heather und nahm einen Schluck. Dann wandte sie sich wieder dem Kamin zu, nahm das Foto und betrachtete es ausgiebig. Candice nahm noch einen Schluck Champagner und gab sich alle Mühe, nicht in Panik auszubrechen. Sie sagte sich, wenn sie normal blieb, würde Heather keinen Verdacht schöpfen.

»Das bist du doch, oder?«, fragte Heather und blickte auf. »Süß siehst du aus! Wie alt bist du da?«

»Elf ungefähr«, sagte Candice und rang sich ein Lächeln ab.

»Und das sind deine Eltern?«

»Ja«, sagte Candice so normal wie möglich. »Das ist meine Mutter und …«, sie schluckte, »… das ist mein Vater. Er … er ist schon eine Weile tot.«

»Oh, das tut mir leid«, sagte Heather. »Er sah echt gut aus, nicht?« Sie betrachtete das Bild etwas genauer, dann hob sie den Kopf und lächelte. »Ich wette, er hat dich schrecklich verwöhnt, als du klein warst.«

»Ja«, sagte Candice und versuchte zu lachen. »Na, du weißt ja, wie Väter sind …«

»Allerdings«, sagte Heather. Sie warf einen letzten Blick auf das Foto, dann stellte sie es wieder auf den Kamin. »Ach, das wird lustig«, sagte sie plötzlich. »Meinst du nicht auch?« Sie kam herüber und legte Candice liebevoll ihren Arm um die Taille. »Wenn wir zwei beiden hier zusammenwohnen. Das wird bestimmt lustig!«

Gegen Mitternacht desselben Abends, nach einem Vier-Gänge-Menü und reichlich göttlichem Chablis, kam Roxanne in ihre Suite im Aphrodite Bay Hotel zurück, fand das Bett aufgeschlagen und das Licht gedimmt, und an ihrem Telefon blinkte eine Nachricht. Sie trat die Schuhe von den Füßen, setzte sich aufs Bett, drückte die Taste am Anrufbeantworter und wickelte das Pfefferminzblättchen aus, das auf ihrem Kopfkissen gelegen hatte.

»Hi, Roxanne? Hier ist Maggie. Ich hoffe, du hast deinen Spaß, du absoluter Glückspilz … ruf mich bei Gelegenheit mal an.« Schon wollte Roxanne den Hörer abnehmen, als die Maschine erneut piepte und eine zweite Nachricht ankündigte.

»Nein, Quatschkopf, das Baby ist noch nicht da«, hörte sie Maggies Stimme. »Es geht um was anderes. Ciao.« Roxanne grinste und schob sich die Minzschokolade in den Mund.

»Ende der Nachrichten«, verkündete eine blecherne Stimme. Roxanne schluckte die Schokolade herunter, griff sich das Telefon und drückte drei Tasten.

»Hallo, Nico?«, sagte sie, als jemand abnahm. »Ich komm gleich runter. Muss nur kurz telefonieren.« Sie streckte ihre Zehen, bewunderte den Kontrast zwischen ihrer Sonnenbräune und den pink bemalten Nägeln. »Ja, bestell mir einen Brandy Alexander. Bis gleich.« Sie legte auf, zögerte und wählte dann Maggies Nummer aus dem Gedächtnis.

»Hallo?«, hörte sie eine verschlafene Stimme.

»Giles!«, sagte Roxanne und sah erschrocken auf ihre Armbanduhr. »Oh Gott, es ist schon spät, oder? Entschuldige! Ich hab nicht nachgedacht. Hier ist Roxanne. Hast du schon geschlafen?«

»Roxanne«, nuschelte Giles schlaftrunken. »Hi. Wo bist du?«

»Gib sie mir!«, hörte Roxanne im Hintergrund Maggie sagen, dann etwas dumpfer: »Ja, ich weiß, wie spät es ist! Ich möchte sie sprechen.« Man hörte etwas rascheln, und Roxanne grinste, als sie sich vorstellte, wie Maggie ihrem Mann den Hörer entschlossen aus der Hand riss. Dann kam Maggie an den Apparat. »Roxanne! Was gibt's?«

»Hi, Mags«, sagte Roxanne. »Tut mir leid, dass ich Giles geweckt habe.«

»Ach, halb so wild«, sagte Maggie. »Der ist schon wieder eingeschlafen. Wie ist das Leben auf Zypern?«

»Erträglich«, sagte Roxanne. »Ein mediterranes Paradies aus sengender Sonne, blauen Fluten und Fünf-Sterne-Luxus. Nicht weiter erwähnenswert.«

»Ich weiß gar nicht, wie du das aushältst«, sagte Maggie. »An deiner Stelle würde ich mich beschweren.« Dann wurde ihre Stimme ernster. »Hör mal, Roxanne, weshalb ich dich angerufen habe ... Hast du in letzter Zeit mit Candice gesprochen?«

»Nicht mehr, seit ich hier bin. Wieso?«

»Na ja, ich habe sie heute Abend angerufen«, sagte Maggie, »nur so zum Plaudern ... und diese Frau war da.«

»Welche Frau?«, fragte Roxanne und lehnte sich gegen die gepolsterte Kopfstütze ihres Bettes. Durch die vorhanglosen Balkontüren sah sie am nächtlichen Himmel ein Feuerwerk wie bunte Sternschnuppen explodieren.

»Heather Trelawney. Die Kellnerin aus der Manhattan Bar. Du erinnerst dich?«

»Oh, ja«, sagte Roxanne und gähnte leicht. »Die Familie, die von Candice' Vater abgezockt wurde.«

»Genau«, sagte Maggie. »Du weißt, dass Candice ihr den Job als Redaktionsassistentin beim *Londoner* beschafft hat?«

»Tatsächlich?« Roxanne war überrascht. »Das ging ja schnell.«

»Offenbar war sie gleich am nächsten Morgen bei Ralph und hat gebettelt. Gott weiß, was sie ihm erzählt hat.«

»Na ja«, sagte Roxanne. »Offenbar liegt ihr viel daran.«

»Das muss es wohl«, sagte Maggie. »Denn inzwischen ist die Frau bei ihr eingezogen.«

Stirnrunzelnd setzte Roxanne sich auf: »Bei ihr eingezogen? Aber sie kennt sie doch kaum!«

»Ich weiß«, sagte Maggie. »Genau. Findest du nicht auch, es wirkt etwas ...«

»Mh ...«, machte Roxanne. »Übereilt.«

Es wurde still in der Leitung, bis auf ein Knistern und Giles' Husten im Hintergrund.

»Ich hab einfach kein gutes Gefühl dabei«, sagte Maggie schließlich. »Du weißt, wie Candice ist. Sie lässt sich von jedem ausnutzen.«

»Ja«, sagte Roxanne langsam. »Du hast recht.«

»Also dachte ich, ob du dieses Mädchen vielleicht im Auge behalten könntest. Ich kann von hier aus nicht viel machen …«

»Keine Sorge«, sagte Roxanne. »Sobald ich zurück bin, sehe ich mir das mal näher an.«

»Gut«, sagte Maggie und seufzte. »Wahrscheinlich langweile ich mich nur und mache mir unnötig Sorgen. Bestimmt stellt sich am Ende raus, dass gar nichts los ist. Aber …« Sie machte eine Pause. »Du weißt schon.«

»Ja, ich weiß«, sagte Roxanne. »Mach dir keinen Kopf. Ich bin an der Sache dran.«

Als Candice am nächsten Morgen aufwachte, hing ein süßer Duft in der Wohnung, bei dem ihr das Wasser im Mund zusammenlief. Verwundert rollte sie im Bett herum, schlug die Augen auf und sah eine ihr unbekannte, weiße Wand. Was war los?, fragte sie sich verschlafen. Was hatte das …?

Da fing ihr Gehirn an zu arbeiten. Natürlich. Sie war im Gästezimmer. Heather wohnte bei ihr. Und dem Duft nach zu urteilen, war sie schon auf den Beinen und brutzelte irgendwas. Candice schwang ihre Beine aus dem Bett und setzte sich stöhnend auf, weil sie einen ziemlich schweren Kopf hatte. Wenn sie Champagner trank, ging es ihr immer so. Sie stand auf, zog einen Morgenmantel über und schlurfte den Flur entlang zur Küche.

»Hi!«, sagte Heather lächelnd, als sie vom Herd aufblickte. »Ich mache Pancakes. Möchtest du?«

»Pancakes?«, sagte Candice. »Ich hab schon ewig keine Pancakes mehr …«

»Kann gleich losgehen!«, sagte Heather und klappte den Ofen auf. Staunend sah Candice einen Stapel goldbrauner Pancakes, die im Ofen warm gehalten wurden.

»Unglaublich«, sagte sie und musste direkt lachen. »Du kannst bleiben.«

»Pancakes gibt es aber nicht jeden Tag!«, sagte Heather mit gespielter Strenge. »Nur wenn du brav warst.«

Candice kicherte. »Ich koch uns Kaffee.«

Bald darauf setzten sie sich an den marmornen Bistrotisch, jeder mit einem Stapel Pancakes, Zucker, Zitronensaft und einem dampfenden Becher Kaffee.

»Eigentlich bräuchten wir Ahornsirup«, sagte Heather, als sie einen Bissen nahm. »Ich besorg uns welchen.«

»Lecker!«, sagte Candice mit vollem Mund. »Heather, du bist die Größte!«

»Es ist mir ein Vergnügen«, sagte Heather lächelnd.

Candice nahm noch einen Bissen von ihrem Pancake, schloss die Augen und genoss in vollen Zügen. Dass sie ernstlich im letzten Moment Bedenken gehabt hatte, Heather bei sich einziehen zu lassen. Dass sie sich überhaupt gefragt hatte, ob es ein Fehler war. Es ließ sich nicht übersehen, dass Heather eine wunderbare Mitbewohnerin sein würde – und eine wunderbare neue Freundin.

»Na, ich sollte mich wohl besser mal fertig machen.« Candice sah Heathers verlegenes Lächeln. »Ich bin direkt etwas aufgeregt wegen heute.«

»Musst du nicht«, sagte Candice sofort. »Die sind alle wirklich nett. Und außerdem bin ich ja da, um dir zu helfen.« Sie lächelte Heather an, von stürmischer Zuneigung erfüllt. »Alles wird gut, versprochen.«

Eine halbe Stunde später, als Candice sich die Zähne putzte, klopfte Heather an die Badezimmertür.

»Kann ich so gehen?«, fragte sie nervös, als Candice öffnete. Candice musterte sie beeindruckt und ein wenig erstaunt. Heather sah einfach unglaublich smart aus. Sie trug ein tolles, rotes Kostüm mit weißem Shirt und schwarzen Pumps.

»Fantastisch!«, sagte Candice. »Woher hast du das Teil?«

»Weiß ich nicht mehr«, sagte Heather vage. »Habe ich mir vor Jahren gekauft, als ich gerade mal Geld hatte.«

»Es sieht super aus!«, sagte Candice. »Gib mir noch einen Moment, dann können wir los.«

Einige Minuten später führte sie Heather aus der Wohnung und knallte die Tür hinter sich zu. Augenblicklich flog Eds Wohnungstür auf, und er trat auf den Treppenabsatz hinaus, in Jeans und T-Shirt, mit einer leeren Milchflasche in der Hand.

»Hallöchen!«, sagte er und tat überrascht. »Schön, dich zu sehen, Candice!«

»Was für ein Zufall …«, sagte Candice.

»Ich stell nur die Milchflasche raus«, sagte Ed wenig überzeugend. Sein Blick blieb an Heather hängen.

»Ed, wir haben gar keinen Milchmann«, sagte Candice und verschränkte die Arme.

»Noch nicht«, sagte Ed und winkte mit der Flasche nach Candice. »Aber wenn ich die hier als Köder rausstelle, können wir ihn vielleicht anlocken. Bei Igeln funktioniert es auch. Was meinst du?«

Er stellte die Milchflasche auf den Boden, betrachtete sie einen Moment lang nachdenklich, dann schob er sie etwas weiter zur Treppe. Candice rollte mit den Augen.

»Ed, das ist Heather, meine neue Mitbewohnerin. Vielleicht hast du sie gestern Abend kommen hören.«

»Ich?«, fragte Ed unschuldig. »Nein, ich habe nichts gehört.« Er trat vor, nahm Heathers Hand und küsste sie. »Ich bin entzückt, Ihre Bekanntschaft zu machen, Heather.«

»Gleichfalls«, sagte Heather.

»Und darf ich vielleicht hinzufügen, wie ausgesprochen bezaubernd Sie anzusehen sind?«

»Das dürfen Sie«, sagte Heather und zeigte ihm ihre Grübchen. Zufrieden sah sie an sich herab und wischte einen Staubfussel von ihrem makellosen roten Rock.

»Vielleicht solltest du dir von Heather mal ein paar Tipps geben lassen«, sagte Ed zu Candice. »Sogar ihre Schuhe passen zur Tasche. Sehr schick.«

»Vielen Dank, Ed«, sagte Candice. »Aber bevor ich von dir Kleidertipps annehme, verzichte ich lieber ganz auf Kleidung.«

»Tatsächlich?« Eds Augen leuchteten auf. »Und ist das ein Schritt, den du für die nähere Zukunft planst?«

Heather lachte leise.

»Was machen Sie so, Ed?«, fragte sie.

»Er macht rein gar nichts«, sagte Candice. »Und wird dafür auch noch bezahlt. Was treibst du heute, Ed? Im Park rumlungern? Tauben füttern?«

»Keineswegs«, sagte Ed. Er lehnte sich an den Türrahmen seiner Wohnung, und seine Augen blitzten amüsiert. »Wenn du schon so fragst: Ich gehe mir heute mein Haus ansehen.«

»Welches Haus?«, fragte Candice misstrauisch. »Ziehst du weg? Gott sei's gelobt.«

»Ich habe ein Haus geerbt«, sagte Ed. »Von meiner Tante.«

»Wie nicht anders zu erwarten!«, sagte Candice. »Wie sollte es auch anders sein? Manche Leute erben Schulden. Ed Armitage erbt ein Haus.«

»Ich habe keine Ahnung, was ich damit anstellen soll«, sagte Ed. »Es steht unten in Monkham. Viel zu weit weg.«

»Wo ist Monkham?«, fragte Candice und runzelte die Stirn.

»Wiltshire«, sagte Heather überraschend. »Ich kenne Monkham. Sehr hübsch.«

»Ich werde es wohl verkaufen«, sagte Ed. »Aber andererseits ist es mir ans Herz gewachsen. Als Kind habe ich dort viel Zeit verbracht ...«

»Verkaufen, behalten ... total egal«, sagte Candice. »Ach, wer braucht denn schon ein Dach überm Kopf? Als gäbe es nicht genug Leute, die hungernd auf der Straße sitzen ...«

»Oder ich mache eine Suppenküche daraus. Würde dir das gefallen, oh heilige Candice?« Er grinste, und Candice sah ihn finster an.

»Komm«, sagte sie zu Heather. »Wir sind spät dran.«

Das Redaktionsbüro des *Londoner* war ein langer, großer Raum mit Fenstern an beiden Enden. Es gab sieben Schreibtische – sechs für Redakteure und einen für Kelly, die Redaktionssekretärin. Manchmal konnte es dort laut werden, und kurz vor Redaktionsschluss regierte meist das Chaos.

Als Candice und Heather eintrafen, herrschte die übliche mittmonatliche Montagmorgen-Lethargie. Bis zur Elf-Uhr-Konferenz wurde kaum gearbeitet. Man öffnete seine Post, erzählte sich vom Wochenende, kochte Kaffee und pflegte seinen Kater. Um elf würden sich alle in den Konferenzraum drängeln und berichten, welche Fortschritte die Juni-Ausgabe machte. Um zwölf Uhr würden sie alle motiviert und energiegeladen herauskommen – und direkt zum Mittagessen gehen. Das lief jeden Montag so.

Candice stand in der Tür, grinste Heather ermutigend an und räusperte sich.

»Leute«, sagte sie, »das ist Heather Trelawney, unsere neue Redaktionsassistentin.«

Ein Gemurmel von verkaterten Grüßen wurde laut, und Candice lächelte Heather an.

»Eigentlich sind sie ganz nett«, sagte sie. »Nachher stelle ich dich ihnen richtig vor. Aber erst mal sollten wir Justin suchen …«

»Candice«, hörte sie eine Stimme hinter sich und zuckte zusammen. Sie wandte sich um und sah Justin im Flur stehen. Er trug einen dunklen, leicht auberginefarbenen Anzug, hielt einen Becher Kaffee in der Hand und wirkte gestresst.

»Hi!«, sagte sie. »Justin, ich möchte dir …«

»Candice, kann ich dich mal sprechen?«, unterbrach Justin sie barsch. »Unter vier Augen. Wenn ich bitten darf.«

»Oh«, sagte Candice. »Na gut … okay.«

Sie warf Heather einen entschuldigenden Blick zu, dann folgte sie Justin in die Ecke beim Fotokopierer. Es gab Zeiten, in denen er sie in die Ecke geführt hatte, um ihr etwas ins Ohr zu flüstern, was sie zum Lachen brachte. Als er sich jetzt jedoch umdrehte, wirkte er ausgesprochen unfreundlich. Candice verschränkte die Arme und sah ihn trotzig an.

»Ja?«, sagte sie und überlegte, ob ihr bei einem Artikel versehentlich irgendein schlimmer Fauxpas unterlaufen war. »Stimmt irgendwas nicht?«

»Wo warst du am Freitag?«

»Ich hatte mir den Tag freigenommen«, sagte Candice.

»Um mir auszuweichen.«

»Nein!«, sagte Candice und rollte mit den Augen. »Natürlich nicht! Justin, was ist denn los?«

»Was los ist?«, fragte Justin, als könnte er ihre Unverfrorenheit nicht fassen. »Okay, sag mir eins, Candice: Warst du oder warst du nicht letzte Woche hinter meinem Rücken bei Ralph und hast meine Autorität *bewusst* untergraben, um deiner kleinen Freundin einen Job zu sichern?« Ruckartig deutete er auf Heather.

»Oh«, sagte Candice verdutzt. »Na ja, aber nicht absichtlich. Es ist einfach … einfach so passiert.«

»Ach ja?« Justin lächelte verkniffen. »Das ist komisch. Denn so wie ich es gehört habe, bist du direkt nach unserem Gespräch neulich Abend zu Ralph Allsopp gegangen und hast ihm erklärt, ich sei viel zu beschäftigt, um mich mit den Bewerbungen für eine neue Redaktionsassistentin herumzuschlagen. Hast du das zu ihm gesagt, Candice?«

»Nein!«, sagte Candice und merkte, wie sie rot anlief. »Jedenfalls … wollte ich damit überhaupt nichts andeuten. Es war nur …«

Sie stutzte, fühlte sich ein wenig unbehaglich. Obwohl sie natürlich vor allem Heather hatte helfen wollen, konnte sie doch nicht bestreiten, dass es ihr ein gewisses Vergnügen bereitet hatte, Justin eins auszuwischen. Aber das war doch nicht der Hauptgrund gewesen, warum sie es getan hatte, dachte sie gekränkt. Und wenn Justin nicht so arrogant und anmaßend wäre, hätte sie es vielleicht gar nicht tun müssen.

»Was meinst du, wie ich jetzt dastehe?«, fauchte Justin wütend. »Was glaubst du, wie Ralph meine Managerqualitäten jetzt einschätzt?«

»Das ist doch keine große Sache!«, protestierte Candice. »Ich kannte zufällig jemanden, der für den Job geeignet war, und du hast gesagt, du hättest zu tun …«

»Und da hast du rein zufällig eine hübsche Möglichkeit

gesehen, meine neue Position schon am ersten Tag zu sabotieren«, höhnte Justin.

»Nein!«, sagte Candice entsetzt. »Gott im Himmel, meinst du, so bin ich? So was würde ich nie tun!«

»Natürlich nicht«, sagte Justin.

»*Würde* ich wirklich nicht!«, sagte Candice und funkelte ihn an. Dann seufzte sie. »Komm, ich stell dir Heather vor – dann siehst du es selbst. Sie wird eine ausgezeichnete Redaktionsassistentin sein. Ganz bestimmt.«

»Das will ich hoffen«, sagte Justin. »Wie du weißt, gab es zweihundert Bewerbungen für den Job. *Zweihundert.*«

»Ich weiß«, sagte Candice eilig. »Hör mal, Justin, Heather wird ihre Sache gut machen. Und ich wollte dich nicht hintergehen, ehrlich.«

Es folgte etwas angespanntes Schweigen, dann seufzte Justin.

»Okay. Na gut, vielleicht habe ich überreagiert. Aber ich hab heute schon genug Ärger am Hals.« Er nahm einen Schluck Kaffee und zog ein finsteres Gesicht. »Deine Freundin Roxanne macht mir das Leben auch nicht gerade leichter.«

»Ach so?«

»Sie hat in der letzten Ausgabe irgendein neues Hotel als ›vulgäre Monstrosität‹ bezeichnet. Jetzt habe ich die Eigentümer am Telefon, die nicht nur wollen, dass wir das zurücknehmen, sondern wir sollen denen auch noch kostenlos eine ganzseitige Anzeige zuschanzen. Und wo ist die Frau? Liegt irgendwo am Strand und hält den Bauch in die Sonne.«

Candice lachte.

»Wenn sie es als Monstrosität bezeichnet hat, dann wird es wohl stimmen.« Sie spürte etwas an ihrem Arm und blickte überrascht auf. »Oh, hallo, Heather!«

»Ich dachte, ich stelle mich mal vor«, sagte Heather lächelnd. »Sie müssen Justin sein.«

»Justin Vellis, kommissarischer Chefredakteur«, sagte Justin und reichte ihr geschäftsmäßig die Hand.

»Heather Trelawney«, sagte Heather und schüttelte die Hand mit festem Griff. »Ich fühle mich geehrt, für den *Londoner* zu arbeiten. Ich habe ihn schon immer gelesen und freue mich darauf, Teil des Teams zu sein.«

»Gut«, sagte Justin knapp.

»Außerdem möchte ich noch sagen«, fuhr Heather fort, »wie sehr mir Ihre Krawatte gefällt. Die ist mir sofort aufgefallen.« Sie strahlte Justin an. »Ist die von Valentino?«

»Oh«, sagte Justin fast erschrocken. »Ja, ist sie.« Seine Finger griffen danach und strichen die Krawatte glatt. »Wie … aufmerksam von Ihnen.«

»Ich mag es, wenn Männer Valentino tragen«, sagte Heather.

»Ja, nun«, sagte Justin und errötete leicht. »Schön, Sie kennenzulernen, Heather. Ralph hat mir berichtet, dass Sie einiges Talent besitzen. Sie werden sicher eine Bereicherung für das Team sein.«

Er nickte Heather zu, warf einen Blick auf Candice, dann ging er. Die beiden Frauen sahen sich an, dann fingen sie an zu kichern.

»Heather, du bist ein Genie!«, sagte Candice. »Woher wusstest du, dass Justin einen Krawattenfimmel hat?«

»Wusste ich nicht«, sagte Heather grinsend. »Das war Instinkt.«

»Na, jedenfalls danke ich dir, dass du mich gerettet hast«, sagte Candice. »Da hast du mich gerade eben aus einer echten Klemme befreit.« Sie schüttelte den Kopf. »Mein Gott, Justin ist manchmal aber auch echt nervig.«

»Ich hab euch streiten sehen«, sagte Heather beiläufig. »Was war denn los?« Sie betrachtete Candice, und ihre Miene nahm einen seltsamen Ausdruck an. »Ihr habt doch nicht etwa ,... meinetwegen gestritten, oder?« Candice spürte, dass sie puterrot wurde.

»Nein!«, sagte sie eilig. »Nein, natürlich nicht! Es ging um ... etwas völlig anderes. Das hat überhaupt nichts zu bedeuten.«

»Wenn du meinst ...«, sagte Heather und sah Candice mit leuchtenden Augen an. »Ich möchte niemandem Probleme bereiten.«

»Du bereitest doch keine Probleme!«, sagte Candice lachend. »Komm, ich zeig dir deinen Schreibtisch.«

Kapitel Sechs

Maggie saß in ihrem großen, kühlen Schlafzimmer am regennassen Fenster und blickte auf das matschig grüne Gras hinaus. Wiesen über Wiesen, so weit das Auge reichte. Uralte englische Landschaft. Zwanzig Morgen davon gehörten Giles und ihr.

Volle zwanzig Morgen – nach Londoner Maßstäben gigantisch. In jenen ersten, aufregenden Monaten, nachdem der Umzug beschlossene Sache war, hatte dieser Gedanke sie über alle Maßen begeistert. Giles, der die Koppeln und Schafwiesen seiner Eltern gewohnt war, hatte sich wohl gefreut, das Land zu erwerben, war aber nicht ganz so aufgeregt gewesen. Maggie jedoch, die am Londoner Stadtrand in einem winzig kleinen Garten aufgewachsen war, kam es wie ein Gutshof vor. Sie hatte sich als Gutsherrin gesehen, die ihren Grund und Boden abschritt, jeden Winkel genauestens erkundete, Bäume pflanzte und an ihrem schattigen Lieblingsplatz ein Picknick bereitete.

An jenem ersten Oktober-Wochenende nach ihrem Einzug war sie bis zum äußersten Ende des Grundstücks gelaufen und hatte von dort aus das Haus betrachtet. Sie bekam gar nicht genug von dem Stück Land, das nun Giles und ihr gehörte. Das zweite Wochenende war verregnet, und sie hatte sich drinnen am Ofen eingerollt. Das dritte Wochenende hatten sie in London verbracht, weil Freunde eine Party gaben.

Seither war die Begeisterung ein wenig verblasst. Noch

immer ließ Maggie im Gespräch gelegentlich ihre zwanzig Morgen fallen. Nach wie vor sah sie sich gern als Gutsbesitzerin und erwähnte beiläufig, ein Pferd kaufen zu wollen. Doch die Vorstellung, ernstlich über ihre sumpfigen Wiesen zu traben, war ihr zu viel. Es war ja nicht so, als wären sie besonders schön oder interessant. Es waren einfach nur Wiesen.

Das Telefon klingelte, und sie sah auf ihre Uhr. Sicher war es Giles, der wissen wollte, was sie so trieb. Sie hatte sich – und ihm – gesagt, sie wollte heute die Renovierung der Schlafzimmer im Dachgeschoss planen. Tatsächlich hatte sie nichts anderes fertiggebracht, als nach unten zu gehen, zu frühstücken und dann wieder raufzugehen. Sie fühlte sich schwer und träge, ein wenig deprimiert vom Wetter, unfähig, irgendetwas anzufangen.

»Hi, Giles?«, sagte sie in den Hörer.

»Wie geht es dir?«, hörte sie ihren Mann gut gelaunt am anderen Ende der Leitung. »Hier schüttet es aus Eimern.«

»Schön«, sagte Maggie und rutschte unbehaglich auf ihrem Stuhl herum. »Hier regnet es auch.«

»Du klingst etwas niedergeschlagen, Liebes.«

»Ach, geht schon«, sagte Maggie finster. »Mein Rücken tut weh, draußen pisst es, und ich hab niemanden, mit dem ich reden kann. Aber ansonsten geht es mir gut.«

»Ist das Kinderbett gekommen?«

»Ja, es ist da«, sagte Maggie. »Der Mann hat es im Kinderzimmer aufgestellt. Sieht hübsch aus.«

Plötzlich spürte sie, wie sich vorn in ihrem Bauch etwas zusammenkrampfte, und sie atmete scharf ein.

»Maggie?«, fragte Giles besorgt.

»Schon okay«, sagte sie nach ein paar Sekunden. »Mal wieder eine Übungswehe.«

»Ich hätte gedacht, du müsstest inzwischen genug Übung haben«, sagte Giles und lachte fröhlich. »Na gut, ich muss los. Pass auf dich auf.«

»Warte«, sagte Maggie, die ihn plötzlich gar nicht gehen lassen wollte. »Was glaubst du, wann du nach Hause kommst?«

»Hier ist der Teufel los«, sagte Giles mit leiser Stimme. »Ich versuche, so früh wie möglich zu kommen, aber wer weiß? Ich ruf dich nachher an und sag Bescheid.«

»Okay«, sagte Maggie unglücklich. »Bye.«

Nachdem er aufgelegt hatte, hielt sie den warmen Hörer noch ein paar Minuten an ihr Ohr, dann legte sie ihn auf und sah sich im leeren Zimmer um. Die Stille war ohrenbetäubend. Maggie betrachtete das Telefon und fühlte sich plötzlich verloren, wie ein Kind im Internat. Absurderweise war ihr, als wollte sie nach Hause.

Dabei war sie doch zu Hause. Immerhin war sie Mrs Drakeford von *The Pines*.

Sie stand auf und schleppte sich ins Bad, wollte sich in die Wanne legen, um ihrem Rücken etwas Erleichterung zu verschaffen. Danach musste sie etwas zu Mittag essen. Nicht dass sie besonders hungrig gewesen wäre, aber trotzdem. Um etwas zu tun zu haben.

Sie stieg ins warme Wasser und lehnte sich gerade zurück, als ihr Unterleib sich erneut zusammenkrampfte. Die nächste Übungswehe. Hatte sie nicht schon genug davon gehabt? Und warum spielte einem die Natur eigentlich solche Streiche? War das Ganze nicht auch so schon schlimm genug? Als sie die Augen schloss, fiel ihr das Kapitel über Scheinwehen in ihrem Schwangerschaftshandbuch ein. »Viele Frauen«, stand dort etwas herablassend, »halten Scheinwehen für echt.«

Ich nicht, dachte Maggie grimmig. Sie würde sich nicht der Erniedrigung aussetzen, Giles aus dem Büro herzubestellen und ins Krankenhaus zu rasen, nur um sich dort freundlich sagen lassen zu müssen, dass sie sich irrte. Sie glauben, *das* sind Wehen?, lautete die unterschwellige Andeutung. Pah! Warten Sie ab, bis es erst richtig losgeht!

Nun, das würde sie. Sie würde darauf warten, dass es richtig losging.

Roxanne griff nach ihrem Orangensaft, nahm einen Schluck und lehnte sich bequem auf ihrem Stuhl zurück. Sie saß an einem blaugrünen Mosaiktisch auf der Terrasse des Aphrodite Bay Hotels mit Blick auf den Pool und – in der Ferne – auf den Strand. Ein letzter Drink im Sonnenschein, ein letzter Blick auf das Mittelmeer vor ihrem Flug nach England. Neben ihr auf dem Boden stand der kleine, gepackte Koffer, den sie als Handgepäck mitnahm. Ihrer Meinung nach war das Leben zu kurz, um es auf Flughäfen an der Gepäckausgabe zu vergeuden, wenn man auf seinen Koffer voll unbenutzter Kleider wartete.

Sie nahm noch einen Schluck und schloss die Augen, genoss die Sonne im Gesicht. Es war eine produktive Arbeitswoche gewesen. Sie hatte ihren Artikel für den *Londoner* zum Thema »Urlaub auf Zypern« schon fertig. Außerdem hatte sie genug neue Baustellen besichtigt, um einen größeren Artikel über neue Ferienanlagen schreiben zu können, der im Immobilienteil einer der landesweiten Tageszeitungen erscheinen würde. Und für die Konkurrenz würde sie unter Pseudonym tagebuchartige Texte über das Leben als Auswanderer auf Zypern verfassen. Der *Londoner* hatte die Reisekosten zur Hälfte übernommen, und diese zusätzlichen Aufträge finanzierten den Rest und mehr. Kein schlechter Job eigentlich, dachte sie und summte leise vor sich hin.

»Du genießt die Sonne«, hörte sie eine Stimme neben sich und blickte auf. Nico Georgiu nahm einen Stuhl und setzte sich an den Tisch. Er war ein eleganter Mann in den besten Jahren, immer gut gekleidet, immer nett und höflich. Der stillere, zurückhaltendere der Georgiu-Brüder.

Sie hatte die beiden auf ihrer ersten Zypern-Reise kennengelernt, als sie über die Eröffnung des neuen Hotels namens »Aphrodite Bay« berichten sollte. Seither hatte sie auf Zypern nirgendwo anders gewohnt und kannte Nico und seinen Bruder Andreas inzwischen sehr gut. Den beiden gehörten drei der größten Hotels auf der Insel, und ein viertes befand sich momentan im Bau.

»Ich liebe die Sonne«, sagte Roxanne lächelnd. »Und ich liebe das Aphrodite Bay Hotel.« Sie sah sich um. »Ich kann dir gar nicht sagen, wie sehr ich meinen Aufenthalt hier genossen habe.«

»Und wir haben es wie immer sehr genossen, dich bei uns zu haben«, sagte Nico. Er winkte einen Kellner herbei.

»Einen Espresso, bitte«, sagte Nico und sah Roxanne an. »Und für dich?«

»Nichts, danke«, sagte Roxanne. »Ich muss bald los.«

»Ich weiß«, sagte Nico. »Ich fahre dich zum Flughafen.«

»Nico! Ich habe ein Taxi bestellt.«

»Und ich habe es wieder abbestellt«, sagte Nico lächelnd. »Ich möchte mit dir reden, Roxanne.«

»Ach ja? Worüber?«

Nicos Kaffee kam, und bevor er fortfuhr, wartete er, bis der Kellner sich zurückgezogen hatte.

»Du hast unsere neue Hotelanlage noch nicht gesehen – das Aphrodite Falls.«

»Ich war auf der Baustelle«, sagte Roxanne. »Echt beeindruckend! All die vielen Wasserfälle.«

»Es wird auch etwas ganz Außergewöhnliches werden«, sagte Nico. »Anders als alles, was man auf Zypern bisher gesehen hat.«

»Gut!«, sagte Roxanne. »Ich kann die Eröffnung kaum erwarten.« Sie grinste ihn an. »Wenn ich nicht eingeladen werde, kriegt ihr Ärger.« Nico lachte, dann nahm er seinen Kaffeelöffel und balancierte ihn auf seiner Tasse.

»Das Aphrodite Falls ist ein Projekt, das in den Medien große Beachtung finden wird«, sagte er und machte eine Pause. »Wir … suchen jemanden, der dynamisch genug ist, die Einweihung und das Marketing des Hotels zu übernehmen. Mit Talent. Mit Energie. Mit Medienkontakten …« Nico schwieg, dann blickte er auf. »Jemanden, dem der mediterrane Lebensstil liegt«, sagte er langsam und sah Roxanne in die Augen. »Vielleicht jemanden aus Großbritannien?«

»Mich?«, sagte Roxanne ungläubig. »Das kann nicht dein Ernst sein.«

»Es ist mir absolut ernst«, sagte Nico. »Mein Bruder und ich würden uns geehrt fühlen, wenn du dich uns anschließen wolltest.«

»Aber ich habe überhaupt keine Ahnung von Marketing! Ich besitze keinerlei Qualifikation, keine Ausbildung …«

»Roxanne, du besitzt mehr Flair und Intelligenz als alle sogenannten Marketingexperten«, sagte Nico mit abschätziger Geste. »Ich habe solche Leute schon eingestellt. Aber bei denen hat man den Eindruck, als hätte das Studium sie ihrer Fantasie beraubt. Junge Menschen gehen voller Ideen und Enthusiasmus aufs College und kommen mit Flipcharts und einem albernen Jargon wieder heraus.«

Roxanne lachte. »Da magst du wohl recht haben.«

»Wir würden dir eine Unterkunft stellen«, sagte Nico und beugte sich vor. »Die Bezahlung wäre sicher großzügig.«

»Nico …«

»Und natürlich könntest du auch weiterhin auf Reisen gehen, zum Beispiel um dir vergleichbare Hotels anzuschauen. Sozusagen zu … Recherchezwecken.« Misstrauisch sah Roxanne ihn an.

»Wurde der Job etwa für mich maßgeschneidert?«

Ein Lächeln blitzte über Nicos Gesicht. »In gewisser Weise … vielleicht ja.«

»Verstehe.« Roxanne starrte in ihren Orangensaft. »Aber … wieso?«

Er schwieg einen Moment, dann sagte Nico, ohne die Miene zu verziehen: »Du weißt, wieso.«

Roxanne spürte, wie es ihr einen Stich versetzte, und sie schloss die Augen, versuchte ihre Gedanken zu ordnen. Die Sonne brannte auf ihren Wangen, in der Ferne hörte sie Kinder am Strand spielen. »Mama!«, rief eines. »Mama!« Hier konnte man es aushalten, dachte sie. Jeden Morgen im Sonnenschein aufwachen. Mit der Familie Georgiu zu endlosen, gemütlichen Festessen Platz nehmen – einmal hatte sie schon Andreas' Geburtstag mitgefeiert.

Und Nico selbst. Der höfliche, bescheidene Nico, der seine Gefühle für sie offen zeigte, ohne sich ihr jemals aufzudrängen. Der freundliche, treue Nico. Sie wollte eher sterben, als ihn zu verletzen.

»Ich kann nicht«, sagte sie und merkte, dass er sie anstarrte. Als sie den Ausdruck in seinen dunklen Augen sah, kamen ihr fast die Tränen. »Ich kann nicht aus London weg.« Scharf atmete sie aus. »Du weißt, warum. Ich kann einfach nicht …«

»Du kannst ihn nicht verlassen«, sagte Nico, nahm seinen Espresso und trank ihn aus.

Irgendetwas bimmelte in Maggies Kopf. Feueralarm. Ein Wecker. Eine Türklingel. Abrupt kam sie zu sich und schlug die Augen auf. Benommen warf sie einen Blick auf ihre Armbanduhr und sah, dass es schon eins war. Sie lag seit einer Stunde in der Wanne und döste im warmen Wasser vor sich hin. So schnell sie konnte, stand sie auf, nahm ein Handtuch und trocknete Gesicht und Hals ab, bevor sie herausstieg.

Auf halbem Weg spürte sie die nächste Übungswehe und hielt sich am Rand der Wanne fest, um bloß nicht auszurutschen. Als der Schmerz verging, klingelte es schon wieder unten an der Haustür, laut und hartnäckig.

»Verdammt noch mal, hetz mich nicht!«, schrie sie. Wütend nahm sie einen Bademantel, der innen an der Tür hing, wickelte sich darin ein und tappte hinaus. Als sie am Spiegel auf dem Treppenabsatz vorüberkam, betrachtete sie sich kurz und erschrak vor ihrer blassen, verspannten Erscheinung. Nicht gerade das blühende Leben. Angesichts ihrer Laune war es ihr allerdings egal, wie sie aussah.

Sie machte sich auf den Weg zur Haustür und erkannte am schmalen Schatten jenseits der Milchglasscheibe, dass Paddy zu Besuch kam. Kaum ein Tag verging, ohne dass Paddy mit der einen oder anderen Ausrede auftauchte – eine selbstgestrickte Decke für das Baby, ein Ableger aus dem Garten, das berühmte Scones-Rezept, handschriftlich auf einer Blumenkarte. »Sie überwacht mich!«, hatte Maggie am Abend zuvor halb im Scherz zu Giles gesagt. »Jeden Tag. Man kann fast seine Uhr danach stellen!« Andererseits war Paddys Gesellschaft besser als gar keine, und wenigstens hatte sie Wendy nicht wieder angeschleppt.

»Maggie!«, rief Paddy, sobald sie ihr die Tür geöffnet hatte. »Wie schön, dass ich dich erwische! Ich habe Tomatensuppe gemacht – wie üblich viel zu viel. Möchtest du etwas davon haben?«

»Oh«, sagte Maggie. »Ja, keine schlechte Idee. Komm rein.« Als sie beiseitetrat, um Paddy hereinzulassen, bekam sie die nächste Übungswehe – diesmal tiefer und schmerzhafter als die bisherigen. Sie hielt sich an der Tür fest, neigte den Kopf, biss sich auf die Lippe und wartete, dass es vorbeiging – dann blickte sie auf, ein wenig außer Atem.

»Maggie, alles in Ordnung?«, rief Paddy aus.

»Ja«, sagte Maggie, als sie wieder normal atmete. »Nur eine wilde Wehe.«

»Eine was?« Paddy starrte sie an.

»Man spricht von Braxton-Hicks-Kontraktionen«, erklärte Maggie geduldig. »Steht so im Buch. Ist in den letzten vier Wochen völlig normal.« Sie lächelte Paddy an. »Soll ich dir einen Kaffee kochen?«

»Du setzt dich hin!«, sagte Paddy und warf Maggie einen merkwürdigen Blick zu. »Ich mach das schon. Bist du sicher, dass alles in Ordnung ist?«

»Wirklich, Paddy, es geht mir gut«, sagte Maggie und folgte ihr in die Küche. »Ich bin nur etwas erschöpft. Und mir tut der Rücken weh. Ich werde gleich mal eine Paracetamol nehmen.«

»Gute Idee«, sagte Paddy stirnrunzelnd. Sie füllte den Wasserkocher, stellte ihn an und nahm zwei Becher von der Anrichte. Dann wandte sie sich um.

»Maggie, meinst du nicht vielleicht, dass es so weit sein könnte?«

»Wie?« Maggie starrte Paddy an und bekam es mit der Angst zu tun. »Wehen? Ach was! Ich bin erst in zwei Wochen fällig.« Sie leckte über ihre trockenen Lippen. »Und ich habe schon die ganze Woche solche wilden Wehen. Das … das hat nichts zu bedeuten.«

»Wenn du meinst.« Paddy holte den Kaffee aus dem Schrank, dann hielt sie inne. »Soll ich dich nicht lieber ins Krankenhaus fahren, für alle Fälle?«

»Nein!«, sagte Maggie sofort. »Die schimpfen mich doch nur ein dummes Huhn und schicken mich wieder nach Hause.«

»Wäre es nicht besser, auf Nummer sicher zu gehen?«, sagte Paddy.

»Ehrlich, Paddy, es gibt keinen Grund zur Sorge«, sagte Maggie und merkte, wie diese Krämpfe schon wieder losgingen. »Ich hab nur …« Aber sie brachte ihren Satz nicht zu Ende. Sie hielt die Luft an und wartete, dass der Schmerz verging. Als sie die Augen aufmachte, stand Paddy vor ihr, mit den Autoschlüsseln in der Hand.

»Maggie, ich bin zwar keine Expertin«, sagte sie freudig, »aber selbst ich weiß, dass das eben keine Übungswehe war.« Sie lächelte. »Es geht los, meine Liebe. Das Baby kommt.«

»Das kann nicht sein …«, hörte Maggie sich sagen. Vor Angst blieb ihr fast die Luft weg. »Das darf nicht sein. Ich bin noch nicht so weit.«

Sanfter, weicher Regen fiel, als Roxanne an der Station Barons Court aus der Londoner U-Bahn kam. Dunkle Wolken hingen am Himmel, die Bürgersteige waren nass und rutschig, und die Verpackung eines Schokoriegels dümpelte in einer Pfütze neben einem Stapel *Evening Standards*. Roxanne fühlte sich wie mitten im Winter. Sie nahm ihren Koffer und marschierte eilig die Straße entlang, wich zurück, als ein vorüberfahrender Lkw ihre Beine mit Dreckwasser vollspritzte. Kaum zu glauben, dass sie noch vor wenigen Stunden in der sengenden Sonne gesessen hatte.

Nico hatte sie in seinem frisch polierten Mercedes zum Flughafen gefahren. Trotz aller Proteste hatte er ihren Koffer ins Terminal getragen und sichergestellt, dass am Schalter alles in Ordnung war. Mit keinem Wort hatte er den Job im Aphrodite Bay mehr erwähnt. Stattdessen hatte er von allem Möglichen gesprochen, von Politik und Büchern und seiner geplanten Reise nach New York – und Roxanne hatte ihm gelauscht, dankbar für sein Taktgefühl. Erst als sie Abschied nehmen mussten, hatte er plötzlich unerwartet ungestüm gesagt: »Er ist ein Idiot, dieser Mann.«

»Du meinst, ich bin ein Idiot«, hatte Roxanne erwidert und zu lächeln versucht. Schweigend hatte Nico den Kopf geschüttelt, dann nahm er ihre Hände.

»Komm uns bald wieder besuchen, Roxanne«, sagte er leise. »Und … überleg es dir. Denk wenigstens darüber nach.«

»Das werde ich tun«, versprach Roxanne, obwohl sie wusste, dass die Entscheidung längst gefallen war. Nico hatte sie angesehen, dann geseufzt und ihre Fingerspitzen geküsst.

»Roxanne, du bist wirklich einzigartig«, hatte er gesagt. »Dieser Mann hat großes Glück.«

Roxanne hatte sein Lächeln erwidert, kurz aufgelacht und dann fröhlich gewunken, als sie durch die Sperre ging. Nun, da ihr der Regen in den Nacken tropfte und alle paar Sekunden Busse an ihr vorüberrauschten, war sie nicht mehr ganz so fröhlich. London schien ihr ein grauer, unwirtlicher Ort, voller Müll und fremder Menschen. Wieso lebte sie eigentlich hier?

Sie kam zu ihrem Haus, lief die Treppe zur Haustür hinauf und fischte in ihrer Tasche nach dem Schlüssel. Ihre winzige Wohnung lag im obersten Stock, mit – wie Immobilienmakler es nannten – freiem Blick über London. Als sie oben ankam, war sie außer Atem. Sie schloss die Wohnung auf und stieg über einen Stapel Post. Drinnen war es kalt – das heiße Wasser war abgestellt. Eilig ging sie in die Küche und stellte den Wasserkocher an, dann kehrte sie in den Flur zurück. Sie hob ihre Post auf und blätterte sie durch, ließ uninteressante Rechnungen und Werbung auf den Boden fallen. Urplötzlich stutzte sie, als sie auf einen weißen Umschlag stieß, handschriftlich adressiert. Es war ein Brief von ihm.

Mit kalten Händen, noch nass vom Regen, riss sie den Umschlag auf und verschlang die Zeilen förmlich.

Meine liebste Rapunzel,
ich bitte tausendmal um Entschuldigung für Mittwochabend. Werde Dir alles erklären. Als wohlverdiente Strafe muss ich nun eifersüchtig auf deine Rückkehr warten. Komm schnell zurück von Zypern! Schnell, schnell!

Der Brief endete wie immer ohne Namen, jedoch mit ein paar Küsschen. Als sie seine Worte las, konnte sie plötzlich seine Stimme hören, spürte seine Hand auf ihrer Haut, hörte sein warmes Lachen. Sie sank auf den Boden und las den Brief wieder und wieder, sog ihn in sich auf. Schließlich fühlte sie sich auf seltsame Weise wiederhergestellt. Es gab keine gangbare Alternative. Sie konnte nicht aufhören, ihn zu lieben. Sie konnte nicht einfach in ein anderes Land ziehen und so tun, als existierte er nicht. Sie brauchte ihn in ihrem Leben, genauso wie sie Luft und Licht und Essen brauchte. Und der Umstand, dass sie ihn teilen musste, dass sie ihn nicht ganz besitzen konnte, machte ihn nur noch begehrenswerter.

Das Telefon klingelte, und voller Hoffnung griff sie nach dem Hörer. »Ja?«, sagte sie leichthin, weil sie dachte, er wäre es – denn dann würde sie gleich ein Taxi nehmen und auf direktem Weg zu ihm fahren.

»Roxanne, hier ist Giles Drakeford.«

»Oh«, sagte Roxanne überrascht. »Geht es Maggie …?«

»Es ist ein Mädchen«, sagte Giles und klang aufgeregter, als sie ihn je erlebt hatte. »Es ist ein Mädchen. Vor einer Stunde geboren. Ein süßes kleines Mädchen. Zweitausendneunhundertfünfzig Gramm. Das hübscheste Baby der Welt.« Bebend atmete er tief ein. »Maggie war … fantastisch. Es ging so schnell, dass ich es gerade noch geschafft habe. Oh, Gott, es war eine unglaubliche Erfahrung. Alle haben geweint, sogar die Hebammen. Wir haben beschlossen, sie Lucia zu nennen. Lucia Sarah Helen. Sie ist … sie ist einfach perfekt. Eine perfekte kleine Tochter.« Er schwieg. »Roxanne?«

»Eine Tochter«, sagte Roxanne mit belegter Stimme. »Herzlichen Glückwunsch. Das ist … großartig.«

»Ich kann nicht lange sprechen«, sagte Giles. »Ehrlich gesagt, ich bin fix und fertig. Aber Maggie wollte, dass du Bescheid weißt.«

»Danke für den Anruf«, sagte Roxanne. »Und nochmals meinen Glückwunsch. Grüß Maggie schön von mir.«

Sie legte auf und betrachtete das Telefon einen Moment. Dann – ohne jede Vorwarnung – brach sie in Tränen aus.

Kapitel Sieben

Der nächste Tag begann sonnig und klar, duftete nach Sommer und machte gute Laune. Auf dem Weg zum Büro machte Roxanne bei einem Blumenladen halt und suchte mit Hilfe einer mit Babyfotos versehenen Broschüre einen verschwenderischen Strauß Lilien aus.

»Ist es ein Junge oder ein Mädchen?«, erkundigte sich die Floristin, während sie die Details in ihren Computer tippte.

»Ein Mädchen«, sagte Roxanne und strahlte die Frau an. »Lucia Sarah Helen. Ist das nicht hübsch?«

»LSH«, sagte die Floristin. »Klingt wie eine Droge. Oder ein Schulabschluss.« Roxanne warf der Frau einen genervten Blick zu und reichte ihr eine Visa-Karte. »Die gehen heute Nachmittag raus«, fügte die Frau hinzu und zog die Karte über das Lesegerät. »Ist das früh genug?«

»Wunderbar«, sagte Roxanne und stellte sich vor, dass Maggie dasaß wie eine dieser Frauen aus der Broschüre, in einem schneeweißen Bett, mit rosigen Wangen, die Ruhe selbst. Mit einem winzigen, schlafenden Baby im Arm, Giles an ihrer Seite und alles voller Blumen. Etwas stach sie ins Herz. Eilig blickte sie auf und lächelte.

»Wenn Sie hier unterschreiben wollen«, sagte die Floristin und reichte Roxanne einen Zettel. »Ihre Nachricht können Sie in das kleine Feld hier schreiben.« Roxanne zögerte.

»Kann es kaum erwarten, Lucia ihren ersten Cocktail zu mixen«, schrieb sie schließlich. »Glückwunsch und alles Liebe Euch beiden – Roxanne.«

»Ich bin nicht sicher, ob das alles auf die Karte passt«, sagte die Floristin skeptisch.

»Dann nehmen Sie eben zwei Karten«, fuhr Roxanne sie an und wollte plötzlich nur noch weit weg vom schweren Duft der Blumen und von dieser Broschüre voller niedlicher Babyfotos. Als sie den Laden verließ, löste sich ein Blütenblatt von einer Girlande und landete wie Konfetti auf ihrem Kopf. Ärgerlich wischte sie es weg.

Um kurz nach halb zehn traf sie in der Redaktion ein und fand Candice im Schneidersitz am Boden vor, wo sie auf einem großen Blatt Papier etwas skizzierte. Neben ihr saß die blonde Frau aus der Manhattan Bar und beugte sich ebenfalls über das Blatt. Einen Moment beobachtete Roxanne die beiden und erinnerte sich an Maggies Anruf. War diese Frau wirklich gefährlich? Nutzte sie Candice tatsächlich aus? Äußerlich wirkte sie harmlos, mit sommersprossiger Stupsnase und freundlichem Lächeln. Doch Roxanne fiel auch auf, wie sehr sie die Zähne zusammenbiss, wenn sie nicht lächelte, und die grauen Augen hatten etwas Kühles.

Da hob die blonde Frau den Kopf und sah Roxanne an. Ihre Augen zuckten kurz, dann lächelte sie süß.

»Hallo«, sagte sie. »Wahrscheinlich erinnerst du dich nicht an mich.«

»Oh, doch«, sagte Roxanne und lächelte zurück. »Heather, richtig?«

»Genau.« Heathers Lächeln wurde sogar noch süßer. »Und du bist Roxanne.«

»Roxanne!«, sagte Candice mit leuchtenden Augen. »Ist das mit dem Baby nicht toll?«

»Fantastisch«, sagte Roxanne. »Hat Giles dich gestern Abend erreicht?«

»Ja. Er war völlig überwältigt, oder?« Candice deutete auf

das Blatt Papier. »Guck mal, wir entwerfen eine Karte, die die Grafik anfertigen soll. Dann lassen wir sie von allen unterschreiben. Was meinst du?«

»Das ist eine ausgezeichnete Idee«, sagte Roxanne und sah sie liebevoll an. »Maggie wird begeistert sein.«

»Ich bring sie runter zu den Grafikdesignern«, sagte Candice im Aufstehen. Dann sah sie etwas zögernd von Heather zu Roxanne. »Du erinnerst dich an Heather, oder?«

»Natürlich«, sagte Roxanne. »Maggie hat mir schon erzählt, dass Heather in unser Team kommt. Das ging ja richtig schnell.«

»Ja«, sagte Candice und errötete leicht. »Es … es hat alles gut geklappt, nicht?« Sie sah Heather an. »Gut, okay … ich geh kurz mit der Karte runter. Wird nicht lange dauern.«

Als sie weg war, herrschte Stille. Roxanne musterte Heather skeptisch, während Heather sie unschuldig ansah und eine Locke um ihren Finger zwirbelte.

»Okay, Heather«, sagte Roxanne dann freundlich. »Wie gefällt es dir beim *Londoner*?«

»Es ist wunderbar«, sagte Heather mit ernster Miene. »Ich habe großes Glück, hier arbeiten zu dürfen.«

»Ich habe gehört, dass du jetzt bei Candice wohnst.«

»Ja, das stimmt«, sagte Heather. »Sie ist wirklich unglaublich nett zu mir.«

»Tatsächlich?«, sagte Roxanne. »Das überrascht mich überhaupt nicht.« Sie machte eine Pause, schien nachzudenken. »Candice ist ein reizender, großzügiger Mensch. Es fällt ihr sehr schwer, anderen etwas abzuschlagen.«

»Ach?«, sagte Heather.

»Ja. Mich überrascht, dass du es noch nicht gemerkt hast.« Beiläufig betrachtete Roxanne ihre Fingernägel. »Ihre Freunde – auch ich – machen sich manchmal richtig Sorgen um sie. Sie gehört zu den Menschen, die sich leicht ausnutzen lassen.«

»Meinst du?« Heather lächelte Roxanne zuckersüß an. »Ich hatte den Eindruck, dass Candice ganz gut auf sich selbst aufpassen kann. Wie alt ist sie eigentlich?«

Oha, dachte Roxanne beinah beeindruckt. Die ist nicht auf den Mund gefallen.

»Okay«, sagte sie und wechselte das Thema. »Ich nehme an, dass du noch nie bei einer Zeitschrift gearbeitet hast.«

»Stimmt«, sagte Heather unbekümmert.

»Aber du kannst gut schreiben, wie ich höre«, sagte Roxanne. »Offenbar hast du Ralph Allsopp bei deinem Bewerbungsgespräch ziemlich beeindruckt.«

Überrascht sah sie, dass eine leicht rosige Färbung an Heathers Hals aufwärtswanderte. Roxanne betrachtete es mit einigem Interesse.

»Nun, Heather«, sagte sie. »Schön, dass du da bist. Wir werden uns in nächster Zeit ja sicher öfter über den Weg laufen.«

Sie sah Heather hinterher, die in Justins Büro schlenderte, und bemerkte, dass Justin lächelnd aufblickte, als Heather eintrat. Typisch Mann, dachte sie bitter. Offensichtlich hatte er sich bereits von Heathers süßem Lächeln einwickeln lassen.

Durch die Scheibe betrachtete Roxanne Heathers entzückendes Profil und versuchte, sich einen Reim auf diese Frau zu machen. Sie war jung, sie war hübsch und in gewissem Maße vermutlich auch begabt. Sie war bezaubernd – oberflächlich betrachtet. Auf den ersten Blick ein süßes Mädchen. Warum also stellten sich Roxanne die Nackenhaare auf? Kurz kam ihr in den Sinn, dass sie vielleicht nur neidisch war – und sie verwarf den Gedanken augenblicklich.

Als sie – noch immer wie gebannt – dastand, kam Candice wieder ins Büro gelaufen, mit einem farbigen Ausdruck in der Hand.

»Hey!«, sagte Roxanne lächelnd. »Wie sieht's aus, wollen wir nach der Arbeit einen kleinen Drink nehmen?«

»Ich kann leider nicht«, sagte Candice. »Ich habe Heather versprochen, mit ihr shoppen zu gehen. Ich brauche noch ein Geschenk für Maggie.«

»Kein Problem«, sagte Roxanne. »Ein andermal.«

Sie sah sich an, wie Candice Justins Büro betrat, Heather anlächelte und losredete. Stirnrunzelnd deutete Justin auf die ausgedruckte Glückwunschkarte, woraufhin Candice ernst nickte und ebenfalls darauf deutete. Während die beiden in die Karte vertieft waren, wandte sich Heather langsam um und betrachtete Roxanne mit eisigem Blick. Einen Moment lang starrten sie einander an – dann wandte sich Roxanne abrupt ab.

»Roxanne!« Justin blickte auf und rief: »Könntest du mal reinkommen und dir das ansehen?«

»Komme gleich!«, rief Roxanne und verließ das Büro. Sie wartete nicht auf den Fahrstuhl, sondern lief, von einem plötzlichen Adrenalinschub angetrieben, die Treppe hinauf und den Flur entlang direkt in Ralph Allsopps Büro.

»Janet!«, sagte sie, als sie vor dem Schreibtisch der ältlichen Sekretärin stand. »Könnte ich Ralph kurz sprechen?«

»Leider ist er nicht da«, sagte Janet und blickte von ihrem Strickzeug auf. »Heute den ganzen Tag nicht.«

»Oh«, sagte Roxanne mutlos. »Verdammt.«

»Aber er weiß Bescheid, dass Maggie ihr Baby bekommen hat«, sagte Janet. »Ich habe es ihm erzählt, als er heute Morgen anrief. Er war begeistert. Und was für ein hübscher Name! Lucia.« Sie deutete auf ihr Strickzeug. »Ich mache ihr gerade ein kleines Jäckchen.«

»Wirklich?«, sagte Roxanne und betrachtete das zitronengelbe Wollknäuel wie ein Kuriosum aus fremden Landen. »Da haben Sie sich ja was vorgenommen.«

»Das ist doch ein Klacks«, sagte Janet und klapperte dabei forsch mit ihren Nadeln. »Sie will dem kleinen Ding doch sicher keine Jäckchen aus dem Laden anziehen.«

Nicht?, dachte Roxanne verwundert. Und warum nicht? Ungeduldig schüttelte sie den Kopf. Sie war nicht hier, um sich über Babykleidung zu unterhalten.

»Hören Sie, Janet«, sagte sie. »Darf ich Sie etwas fragen?«

»Fragen dürfen Sie«, sagte Janet und strickte klappernd weiter. »Was allerdings nicht bedeutet, dass Sie auch eine Antwort bekommen.«

Roxanne grinste und sprach etwas leiser.

»Hat Ralph zu Ihnen irgendetwas über diese neue Redaktionsassistentin namens Heather gesagt?«

»Eigentlich nicht«, sagte Janet. »Nur dass er ihr den Job gegeben hat.«

Roxanne runzelte die Stirn. »Aber nachdem das Bewerbungsgespräch geführt war. Da muss er doch irgendwas gesagt haben.«

»Er fand sie ausgesprochen schlagfertig«, sagte Janet. »Sie hatte einen sehr lustigen Artikel über den Londoner Nahverkehr geschrieben.«

»Tatsächlich?« Überrascht sah Roxanne sie an. »War der wirklich gut?«

»Oh, ja«, sagte Janet. »Ralph hat mir eine Kopie davon gegeben.« Sie ließ ihr Strickzeug sinken, blätterte einen Stapel durch und holte ein Blatt Papier hervor. »Hier. Das wird Ihnen gefallen.«

»Da habe ich so meine Zweifel«, sagte Roxanne. Sie betrachtete das Blatt und steckte es ein. »Vielen Dank dafür.«

»Und bestellen Sie Maggie Grüße von mir, wenn Sie mit ihr sprechen«, fügte Janet liebenswürdig hinzu und schüttelte das kleine gelbe Jäckchen aus. »Ich hoffe sehr, dass das Muttersein für sie kein allzu großer Schock ist.«

»Ein Schock?«, sagte Roxanne überrascht. »Ach was. Maggie kommt bestimmt zurecht. Tut sie doch immer.«

Eine Stimme, die ihren Namen rief, riss Maggie aus einem wilden Traum, in dem sie etwas Namenlosem, Unsichtbarem hinterherlief. In leiser Panik schlug sie die Augen auf und blinzelte orientierungslos ins grelle Licht von oben.

»Maggie?« Ihre Augen mussten sich erst daran gewöhnen, dann sah sie Paddy am Fußende ihres Krankenhausbettes stehen, mit einem gewaltigen Strauß Lilien im Arm. »Maggie, Liebes, ich war mir nicht sicher, ob du schläfst. Wie geht es dir?«

»Gut«, sagte Maggie mit rauer Stimme. »Es geht mir gut.« Sie versuchte, sich aufzusetzen, zuckte leicht zusammen, weil ihr alles wehtat, und wischte sich die Haare aus dem trockenen Gesicht. »Wie spät ist es?«

»Vier«, sagte Paddy mit einem Blick auf ihre Armbanduhr. »Kurz nach. Giles müsste jeden Moment hier sein.«

»Gut«, flüsterte Maggie. Giles hatte – wie alle anderen Besucher auch – um zwei Uhr die Station verlassen müssen, damit sich die jungen Mütter ein wenig ausruhen konnten. Maggie hatte eine Weile angespannt dagelegen und darauf gewartet, dass Lucia schrie, da war sie offensichtlich eingenickt. Doch fühlte sie sich nicht ausgeruht. Sie fühlte sich irgendwie benommen, konnte nicht klar denken.

»Und was macht meine kleine Enkeltochter?« Paddy warf einen Blick in die Plastikwiege neben Maggies Bett. »Schläft wie ein Lämmchen. Was für ein braves kleines Baby! Sie ist ein Engel, oder?«

»Sie war heute Nacht ziemlich oft wach«, sagte Maggie, während sie sich mit zitternden Händen ein Glas Wasser einschenkte.

»Ach?« Paddy lächelte liebevoll. »Hatte wohl Hunger.«

»Ja.« Maggie sah sich ihre kleine Tochter durch das Sichtfenster der Wiege an. Ein kleines Bündel in einer Babydecke, das verkniffene Gesichtchen gerade noch zu sehen. Sie wirkte irreal. Nichts von allem schien real. Nichts hatte sie darauf vorbereitet, wie es sein würde, dachte Maggie. Nichts.

Während der Geburt schien es ihr, als beträte sie eine fremde Welt, in der ihr Körper auf Kräfte reagierte, auf die sie keinen Einfluss hatte. In der ihre Würde, ihre Ideale, ihre Selbstbeherrschung und ihr Selbstbild ausgelöscht waren. In der die Regeln des normalen Lebens nicht galten. Sie hatte Einspruch erheben, dem Ganzen Einhalt gebieten, im letzten Augenblick eine Ausstiegsklausel zur Anwendung bringen wollen. Aber es war zu spät gewesen. Es gab keine Ausstiegsklausel, keinen Notausgang. Keine andere Möglichkeit, als die Zähne zusammenzubeißen und es hinter sich zu bringen.

Schon jetzt verblassten die Stunden des Schmerzes in ihrer Erinnerung. Die ganze Angelegenheit schien sich um diese letzten paar Minuten zu drehen – die grellen, weißen Lichter, das Eintreffen des Kinderarztes und die eigentliche Geburt des Babys. Und das, dachte Maggie, war der surrealste Moment von allen gewesen. Die Geburt eines lebendigen, schreienden Wesens aus ihrem eigenen Körper. Wenn sie sich in der Entbindungsstation die Gesichter der anderen Mütter ansah, konnte sie nicht fassen, wie gelassen diese ein derart außergewöhnliches, folgenschweres Ereignis aufzunehmen schienen. Wie sie über Windelmarken und Fernsehserien plaudern konnten, als sei nichts Bedeutsames passiert.

Vielleicht lag es nur daran, dass sie es alle schon einmal erlebt hatten. Keine der Frauen auf der Entbindungsstation wurde zum ersten Mal Mutter. Alle wiegten ihre kleinen Bündel mit einiger Erfahrung. Sie konnten gleichzeitig stillen und frühstücken und sich mit ihren Männern über die Renovierung des Gästezimmers unterhalten. In der Nacht hatte sie gehört, wie das Mädchen im Bett nebenan mit der diensthabenden Hebamme über ihr Baby scherzte.

»Ist er nicht ein verfressener kleiner Racker?«, hatte sie gesagt und gelacht. »Will mich einfach nicht in Ruhe lassen.« Und Maggie – auf der anderen Seite des geblümten Vorhangs – hatte gemerkt, wie ihr die Tränen über die Wangen liefen, als sie aufs Neue versuchte, Lucia zum Trinken zu bewegen. Was war los mit ihr?, hatte sie in Panik gedacht, als das Baby wieder nur kurz an ihrer Brust nuckelte, um schon nach wenigen Sekunden den Mund zu einem empörten Schrei aufzureißen. Als das Baby immer lauter und lauter schrie, war die Hebamme gekommen, hatte sich Maggie angesehen und missbilligend den Mund verzogen.

»Mittlerweile ist die Kleine völlig überdreht«, hatte sie gesagt. »Versuchen Sie erst mal, sie zu beruhigen.«

Puterrot vor Stress und Verlegenheit hatte Maggie versucht, die strampelnde, heulende Lucia zu trösten. In einem Artikel hatte sie mal gelesen, ein Neugeborenes würde sofort den Geruch der Mutter erkennen und ein wenige Stunden altes Baby ließe sich beruhigen, sobald es die mütterliche Stimme hörte. Der Artikel behauptete, zwischen Mutter und Kind bestünde eine unvergleichliche Bindung.

Doch als Maggie ihr Neugeborenes wiegte, waren Lucias Schreie nur noch immer lauter geworden. Ungeduldig seufzend hatte die Hebamme das Kind schließlich genommen. Sie hatte es aufs Bett gelegt, fest in eine Decke gewickelt und wieder hochgehoben. Fast augenblicklich hatte Lucia aufgehört zu schreien. Hilflos hatte Maggie ihr Kind angestarrt, das still und friedlich in den Armen einer Fremden lag, und kaltes Grauen überkam sie.

»Hier«, sagte die Hebamme freundlicher. »Versuchen Sie es noch mal.« Starr vor Kummer hatte Maggie ihr das Baby abgenommen und erwartet, dass Lucia protestieren würde. Sie hatte Lucia an ihre Brust gelegt, und wie von Zauberhand hatte das Baby zufrieden losgenuckelt.

»So ist es besser«, sagte die Hebamme. »Sie brauchen nur ein bisschen Übung.«

Sie hatte noch ein paar Minuten gewartet und dann mit Blick auf Maggies rot geränderte Augen gesagt: »Geht es Ihnen nicht gut? Sind Sie zu erschöpft?«

»Alles in Ordnung«, hatte Maggie automatisch geantwortet und sich dazu gezwungen, die Hebamme glücklich anzusehen. »Ehrlich. Ich muss mich nur irgendwie daran gewöhnen.«

»Gut«, hatte die Hebamme gesagt. »Machen Sie sich keine Gedanken. Am Anfang fällt es allen schwer.«

Sie hatte noch einen Blick auf Lucia geworfen und dann die geblümte Kabine verlassen. Sobald sie draußen war, fing Maggie wieder an zu weinen. Sie hatte das Fußende ihres Bettes angestarrt, die heißen Tränen auf ihren Wangen gespürt und nicht gewagt, sich zu bewegen oder auch nur einen Laut von sich zu geben, um Lucia nicht zu stören oder – schlimmer noch – von den anderen Müttern gehört zu werden. Die würden sie für eine schlechte Mutter halten, weil sie wegen ihres Babys weinte. Alle anderen auf der Station waren glücklich. Sie sollte auch glücklich sein.

»Diese Lilien kamen für dich, als ich gerade gehen wollte«, sagte Paddy jetzt. »Sollen wir hier noch eine Vase besorgen, oder soll ich sie dir nach Hause bringen?«

»Ich weiß nicht«, sagte Maggie und wischte über ihr Gesicht. »Hat … hat meine Mutter angerufen?«

»Ja«, sagte Paddy strahlend. »Sie kommt morgen. Leider konnte sie sich heute nicht freinehmen. Irgendeine wichtige Besprechung.«

»Oh«, sagte Maggie und versuchte, sich die Enttäuschung nicht anmerken zu lassen. Schließlich war sie eine erwachsene Frau. Wozu brauchte sie ihre Mutter?

»Und da kommt auch schon Giles!«, sagte Paddy fröhlich. »Soll ich uns allen eine schöne Tasse Tee besorgen?« Vorsichtig legte sie die Lilien aufs Bett und machte sich auf den Weg. Wo sie eine schöne Tasse Tee auftreiben wollte, war Maggie ein Rätsel. Aber so war Paddy nun mal. Selbst einsam und verlassen mitten im Dschungel – nur mit einem Taschenmesser bewaffnet – wäre sie immer noch in der Lage, eine schöne Tasse Tee zu besorgen, und vermutlich auch ein paar Scones dazu.

Maggie sah sich an, wie Mutter und Sohn einander begrüßten. Dann, als Giles sich dem Bett näherte, versuchte sie, eine entspannte, freundliche Miene aufzusetzen, einen angemessenen Gesichtsausdruck für eine glückliche, liebende Ehefrau. In Wahrheit empfand sie große Distanz zu ihm und sah sich nicht in der Lage, mehr als oberflächlich zu kommunizieren. Innerhalb von vierundzwanzig Stunden war sie in eine völlig neue Welt abgetaucht, ohne ihn.

So hatte sie sich das nicht vorgestellt. Er hätte bei ihr sein sollen, im wahrsten Sinne des Wortes. Doch als ihn die Nach-

richt bei der Arbeit erreichte, hatten die Wehen längst einge-
setzt. Er kam gerade rechtzeitig, um die letzte halbe Stunde
mitzuerleben, in der sie ihn kaum noch wahrgenommen hatte. Nun konnte er zwar behaupten, dass er bei der Geburt seiner Tochter dabei gewesen war, aber es schien ihr, als freute
er sich über das Ergebnis, ohne den Weg dorthin erlebt zu
haben. Er würde nie begreifen, was sie durchgemacht hatte.

Während sie schockiert und schweigend ihre neue Tochter angestarrt hatte, riss er mit den Schwestern Witze und
schenkte Champagner ein. Sie hatte sich einen Augenblick
der Zweisamkeit erhofft, einen stillen Moment, in dem sie
ihre Gedanken ordnen konnte. Eine Gelegenheit für beide,
das Unglaubliche dessen, was eben geschehen war, zu begreifen. Eine Chance für sie, offen zu sprechen, ohne sich
verstellen zu müssen. Nach wenigen Minuten war jedoch
eine Hebamme gekommen und hatte Giles sanft erklärt, die
Besucher müssten die Entbindungsstation leider verlassen,
und er könne ja am Morgen wiederkommen. Als er seine
Sachen einsammelte, hatte Maggie gemerkt, wie ihr Herz
in Panik raste. Statt ihm ihre Angst zu zeigen, hatte sie ihn
jedoch nur freundlich angelächelt, als er ihr zum Abschied
einen Kuss gab, und hatte sogar einen Scherz über die vielen anderen Frauen gemacht, die ihn zu Hause erwarteten.
Jetzt lächelte sie wieder.

»Du kommst spät.«

»Hast du gut geschlafen?« Giles setzte sich aufs Bett und
strich Maggie übers Haar. »Du siehst so entspannt aus. Ich
habe allen erzählt, wie toll du warst. Alle lassen dir Grüße
bestellen.«

»Alle?«

»Alle, die mir einfielen.« Er warf einen Blick in die Wiege.
»Wie geht es ihr?«

»Oh, gut«, sagte Maggie leichthin. »Sie hat sich kaum gerührt, seit du gegangen bist.«

»Hübsche Blumen«, sagte Giles und betrachtete die Lilien. »Von wem sind sie?«

»Ich hab noch gar nicht nachgesehen!«, sagte Maggie. Sie riss den kleinen Umschlag auf, und zwei geprägte Karten fielen heraus. »Roxanne«, lachte sie. »Sie schreibt, sie will Lucia ihren ersten Cocktail mixen.«

»Typisch Roxanne«, sagte Giles.

»Ja.« Als Maggie die beiden Karten betrachtete, schien es ihr, als hörte sie Roxannes heisere Stimme in ihrem Kopf, und entsetzt merkte sie, dass in ihren Augen schon wieder verräterische Tränen brannten. Sie zwinkerte ein paarmal und legte die Karten auf den Nachttisch.

»Da bin ich wieder!«, hörte sie Paddys Stimme. Sie trug ein Tablett mit Tassen herein, im Schlepptau eine Hebamme, die Maggie nicht kannte. Paddy stellte das Tablett ab und strahlte Maggie an. »Ich dachte mir, nach dem Tee könntest du Lucia vielleicht das erste Mal baden.«

»Oh«, sagte Maggie erschrocken. »Ja … natürlich.«

Sie nahm einen Schluck Tee und versuchte, Paddy anzulächeln, doch sie war knallrot vor Verlegenheit. Es war ihr gar nicht in den Sinn gekommen, dass Lucia gebadet werden musste. Was war nur los mit ihr?

»Hat sie denn schon etwas bekommen?«, fragte die Hebamme.

»Seit heute Mittag nicht mehr.«

»Gut«, sagte die Hebamme fröhlich. »Na, vielleicht sollten Sie die Kleine jetzt stillen. Wir wollen sie nicht zu lange warten lassen. Sie ist ja noch so klein.«

Und wieder plagte Maggie das schlechte Gewissen, und ihr Gesicht wurde immer röter.

»Natürlich«, sagte sie. »Das … das mache ich jetzt sofort.«

Unter den aufmerksamen Blicken der Umstehenden griff sie in die Wiege, nahm Lucia und wickelte sie aus.

»Gib sie mir mal«, sagte Giles plötzlich. »Ich möchte sie mir ansehen.« Er hob Lucia hoch und legte sie bequem in seine Armbeuge. Unvermittelt gab die Kleine ein mächtiges Gähnen von sich und schlug ihre winzigen, verknitterten Augen auf. Sie starrte ihren Vater an, der kleine rosa Mund weit offen, wie eine Blume.

»Ist das nicht ein herziger Anblick?«, sagte Paddy leise.

»Darf ich mal sehen?«, fragte die Hebamme.

»Natürlich«, sagte Giles. »Ist sie nicht einfach perfekt?«

»Und so eine gesunde Hautfarbe!«, sagte Paddy.

»Das überlege ich gerade …«, sagte die Hebamme. Sie legte Lucia aufs Bett und knöpfte eilig ihren Schlafanzug auf. Sie sah sich Lucias Brust an, dann blickte sie zu Maggie auf. »Hatte sie diese Farbe schon von Anfang an?«

»Ja«, sagte Maggie erschrocken. »Ich … ich glaube wohl.«

»Sie lag wohl in der Sonne«, sagte Giles und lachte unsicher.

»Ich glaube nicht«, sagte die Hebamme und legte ihre Stirn in Falten. »Das hätte eigentlich jemand merken müssen. Ich glaube, sie hat Gelbsucht.«

Dieses unheimliche Wort hing in der Luft wie eine Drohung. Maggie starrte die Hebamme an und spürte, wie ihre Wangen blass wurden, wie ihr Herz laut pochte. Man hatte sie belogen. Alle hatten sie belogen. Das Baby war überhaupt nicht gesund.

»Ist es sehr ernst?«, presste sie hervor.

»Nein, nein! Das geht nach ein paar Tagen weg.« Die Frau sah Maggies Gesicht und brach in schallendes Gelächter aus. »Keine Sorge, meine Liebe. Sie wird es überleben.«

Ralph Allsopp saß auf einer Bank draußen vor dem Charing Cross Hospital und beobachtete einen Mann mit gebrochenem Bein, der sich unter Schmerzen auf Krücken an ihm vorüberschleppte. Zwei Krankenschwestern begrüßten sich plappernd. Auf seinem Schoß lag eine Glückwunschkarte aus dem Krankenhaus-Shop, mit einer Wiege, einem Blumenstrauß und einem reizenden Baby. »Meine liebe Maggie«, hatte er zitternd hineingeschrieben. Dann hatte er den Stift sinken lassen, konnte nicht mehr weiter.

Er fühlte sich elend. Nicht von der Krankheit selbst. Die hatte sich heimlich, still und leise eingeschlichen, unbemerkt wie ein leutseliger Bauernfänger. Sie hatte erst einen Zeh in die Tür geschoben, dann den nächsten – und schon hatte sie sich mit dem Selbstbewusstsein eines willkommenen Gastes schnell im ganzen Körper ausgebreitet. Nun besaß sie das Gewohnheitsrecht eines Hausbesetzers. Sie konnte machen, was sie wollte, und ließ sich nicht mehr vertreiben. Sie war stärker als er. Und aus diesem Grunde – weil sie um ihre eigene Macht wusste – hatte sie ihn bisher relativ wohlwollend behandelt. Oder vielleicht war es auch nur Teil ihrer Strategie. Auf Zehenspitzen hatte sie ihn umkreist, sich überall eingerichtet, wo sie Fuß fassen konnte, ohne sich bemerkbar zu machen, bis es dann zu spät war.

Inzwischen hatte er sie allerdings bemerkt. Inzwischen wusste er Bescheid. Von drei verschiedenen Ärzten hatte er sich seine Krankheit ausführlich erklären lassen. Offenbar war allen dreien daran gelegen, dass er jedes Detail genau verstand, als sollte er eine Prüfung zu dem Thema ablegen. Alle drei hatten ihm mit professioneller, einfühlsamer Miene tief in die Augen geblickt und von psychologischer Unterstützung und Hospizen gesprochen – und dann, nach einer Pause, von seiner Frau. Man ging davon aus, dass seine

Frau und die Familie es erfahren würden, dass seine Mitarbeiter es erfahren würden, dass die Welt es erfahren würde. Man ging davon aus, dass er die Übermittlung dieser Information übernahm, dass dies seiner Verantwortung oblag.

Und genau diese Verantwortung war es, angesichts derer sich Ralph so elend fühlte, angesichts derer es ihm eiskalt über den Rücken lief und flau im Magen wurde. Die Verantwortung war zu groß. Wem er es sagen sollte. Was er sagen sollte. Wie viele Boote er gleichzeitig ins Wanken bringen sollte. Denn von dem Moment an, in dem er es aussprach, würde sich alles ändern. Er wäre augenblicklich öffentliches Eigentum. Sein Leben – sein begrenztes, schwindendes Leben – würde nicht mehr ihm gehören. Es würde denen gehören, die er liebte. Und genau darin lag das Problem, der Schmerz. Wem gehörten diese letzten Monate, Wochen, Tage?

Wenn er sich jetzt offenbarte, würde er den Rest seines Lebens seiner Frau, seinen drei Kindern, seinen engsten Freunden widmen. So würde es sein. Aber jemanden einzuschließen bedeutete auch, jemand anderen auszuschließen. Wenn er über seine Krankheit sprach, richtete sich das Augenmerk aller auf ihn. Dann würde er seine letzten Monate wie unter einer riesigen Lupe verbringen, ohne Geheimnisse, ohne heimliche Störungen, ohne Überraschungen. Er wäre gezwungen, den Rest seines Lebens auf ehrenwerte, konventionelle Weise zu verbringen.

Krebspatienten waren schließlich keine Ehebrecher, oder?

Ralph schloss die Augen und massierte müde seine Stirn. Diese Ärzte meinten, sie hätten die Weisheit mit Löffeln gefressen, mit ihren Diagrammen und Durchleuchtungen und Statistiken. Sie hatten keine Ahnung, dass das Leben außerhalb des Sprechzimmers viel komplizierter war. Dass es da Faktoren gab, von denen sie nichts wussten. Dass da Schmerz und Kummer lauerten.

Natürlich hätte er ihnen alles beichten können, hätte er ihnen sein Dilemma anvertrauen können, wie er ihnen seinen Körper anvertraute. Hätte zusehen können, wie sie flüsterten und sich besprachen und ihre Bücher konsultierten. Doch was hätte das für einen Sinn gehabt? Es gab keine Lösung, ebenso wenig wie es für seine Krankheit eine Heilung gab. Es würde in jedem Fall wehtun. Er konnte nur hoffen, dass er den Schmerz so gering wie möglich hielt.

Als er neuen Mut fasste, nahm er seinen Stift. »Ein neues, kleines Licht in dieser Welt«, schrieb er auf die Babykarte. »Alles Liebe und Gute wünscht Ralph.« Plötzlich beschloss er, ihr eine Magnum-Flasche Champagner zu kaufen und das Ganze per Boten zukommen zu lassen. Maggie hatte etwas ganz Besonderes verdient.

Er klebte den Umschlag zu, erhob sich steif und sah auf seine Armbanduhr. Eine halbe Stunde noch. Eine halbe Stunde, um alle Broschüren, alle Infoblätter, alle Beweise verschwinden zu lassen. Um diesen schrecklichen Krankenhausgeruch aus der Nase zu bekommen. Um sich von einem Patienten wieder in einen normalen Menschen zu verwandeln. Ein Taxi fuhr langsam die Straße entlang, und er lief hin, um es heranzuwinken.

Während sich das Taxi durch den dichten Abendverkehr schob, blickte er starr aus dem Fenster. Die Menschen drängten übellaunig aneinander vorbei, wenn sie über die Straße gingen, und er sah sie sich an, freute sich über ihre normalen Mienen im Gegensatz zu den abgeklärten Masken der Ärzte. Diese Normalität wollte er sich so lange wie möglich erhalten. Er wollte sich diese wunderbar lockere

Gleichgültigkeit gegenüber dem Wunder der menschlichen Existenz erhalten. Die Menschen waren nicht dafür gemacht, über die Erde zu wandeln und sich unablässig dankbar ihrer körperlichen Gesundheit zu erfreuen. Sie waren dafür gemacht, zu ringen, zu lieben, zu kämpfen und zu streiten, zu viel zu trinken, zu viel zu essen und zu lange in der Sonne zu liegen.

An einer Ecke stieg er aus dem Taxi und ging langsam die Straße entlang zu dem Haus, in dem sie wohnte. Als er aufblickte, sah er, dass ihre Fenster allesamt hell erleuchtet waren. Der Anblick bereitete ihm fast Schmerzen. Seine ahnungslose Rapunzel in ihrem Turm ahnte nicht, was ihr die Zukunft bringen würde. Schmerzhaft bohrte sich ihm ein Pfeil ins Herz, und einen Moment lang war er wild entschlossen, es ihr zu sagen. Noch am selben Abend. Er wollte sie an sich drücken und mit ihr bis in die frühen Morgenstunden weinen.

Und doch würde er es nicht tun. Er wollte stark sein. Er holte tief Luft, lief schneller und stand schließlich vor ihrer Haustür. Er klingelte, und kurz darauf wurde der Summer gedrückt. Langsam stieg er die Treppe hinauf, und als er oben ankam, sah er sie in ihrer Tür stehen. Sie trug eine weiße Seidenbluse mit einem kurzen, schwarzen Rock, und das Licht in ihrem Rücken ließ ihre Haare leuchten. Einen Moment lang starrte er sie nur an.

»Roxanne«, sagte er schließlich. »Du bist so …«

»Schön«, sagte sie, und ihr Mund bog sich zu einem flüchtigen Lächeln. »Komm doch rein.«

Kapitel Acht

Die Geschenkboutique war klein und still und duftete hübsch, und obwohl sich wahre Menschenmassen durch das Einkaufszentrum schoben, war sie so gut wie leer. Candice spazierte herum, lauschte ihren eigenen Schritten auf dem Holzfußboden und sah sich zweifelnd bestickte Kissen und Becher mit der Aufschrift »*It's a Girl!*« an. Vor einem Regal mit Stofftieren blieb sie stehen, nahm einen Teddybären und lächelte ihn an. Dann stellte sie ihn auf den Kopf, um nachzusehen, was er kosten sollte, doch als sie das Preisschild sah, wurde sie ganz blass.

»Wie viel?«, fragte Heather hinter ihr.

»Fünfzig Pfund«, sagte Candice leise und setzte den Bären eilig wieder ins Regal.

»Fünfzig?« Ungläubig starrte Heather den Teddy an, dann fing sie an zu lachen. »Das ist absurd! Der hat noch nicht mal ein hübsches Gesicht. Komm, wir gehen woandershin.«

Als sie den Laden verließen, hakte sich Heather wie selbstverständlich bei Candice unter, und Candice merkte, dass ihr vor Freude ganz warm wurde. Sie konnte kaum glauben, dass Heather erst vor einer Woche bei ihr eingezogen war. Schon jetzt fühlten sie sich wie alte Freundinnen, wie verwandte Seelen. Jeden Abend bestand Heather darauf, etwas Ordentliches zu kochen und eine Flasche Wein zu köpfen. Jeden Abend hatte sie etwas anderes geplant. Einmal hatte sie Candice das Gesicht massiert, ein anderes Mal Videos und Popcorn mitgebracht. Am nächsten Tag hatte sie eine elektrische Saftpresse dabei und verkündete, sie wolle in der Küche eine Saftbar eröffnen. Am Ende hatten sie wunde Hände vom Orangenschälen und nicht mehr als ein Glas warmen, eher unappetitlichen Saft herausbekommen, aber sie kringelten sich vor Lachen. Selbst jetzt noch, als sie sich daran erinnerte, hätte Candice sich kringeln können.

»Was?«, fragte Heather und wandte sich ihr zu.

»Die Saftpresse.«

»Oh Gott«, sagte Heather. »Erinnere mich nicht daran.« Am Eingang eines großen Kaufhauses blieb sie stehen. »Hier, wie wäre es damit? Die haben bestimmt eine Babyabteilung.«

»Hey, das ist eine gute Idee«, sagte Candice.

»Ich verschwinde mal kurz«, sagte Heather. »Ich muss noch was besorgen. Wir sehen uns oben.«

»Okay«, sagte Candice und machte sich auf den Weg zum Fahrstuhl. Es war sieben Uhr abends, aber der Laden war so voll, als wäre es mitten am Tag. Als sie in die Babyabteilung kam, wurde sie etwas unsicher, marschierte jedoch weiter zwischen den schwangeren Müttern hindurch, die Kinderwagen begutachteten. Eine Reihe bestickter Kleidchen fiel ihr ins Auge, und sie sah sich den Ständer näher an.

»Da bist du ja!« Heathers Stimme unterbrach sie, und sie blickte auf.

»Das ging ja schnell!«

»Ach, ich wusste ja, was ich wollte«, sagte Heather etwas verlegen. »Es ist … eigentlich ist es für dich.«

»Was?« Verdutzt nahm Candice die Papiertüte, die Heather ihr hinhielt. »Was soll das heißen, es ist für mich?«

»Ein Geschenk«, sagte Heather ernst. »Du warst so gut zu mir, Candice. Du hast … mein Leben verändert. Ohne dich wäre ich … na ja. Etwas völlig anderes.«

Candice blickte in ihre großen, grauen Augen, und plötzlich war ihr ganz betreten zumute. Wenn Heather doch nur Bescheid wüsste. Wenn sie doch nur wüsste, warum Candice in Wahrheit so großzügig war. Wenn sie doch nur eine Ahnung davon hätte, dass ihre Freundschaft auf Schuldgefühlen und Unaufrichtigkeit aufgebaut war. Würde sie dann immer noch so dastehen und Candice mit derart offenen, freundlichen Augen ansehen?

Plötzlich wurde Candice vor schlechtem Gewissen richtig übel. Sie riss die Tüte auf und holte einen silbernen Füllfederhalter hervor.

»Es ist nichts Großes«, sagte Heather. »Ich dachte nur, er könnte dir gefallen. Wenn du deine Interviews zu Papier bringst.«

»Der ist hübsch«, sagte Candice und merkte, wie ihr die Tränen kamen. »Heather, das wäre doch nicht nötig gewesen.«

»Das ist das Mindeste, was ich tun kann«, sagte Heather. Sie nahm Candices Arm und drückte ihn. »Ich bin so froh, dass wir uns wieder getroffen haben. Da ist etwas wirklich … Besonderes zwischen uns. Findest du nicht? Es fühlt sich an, als wärst du meine beste Freundin.« Candice sah sie an, dann beugte sie sich spontan vor und umarmte sie. »Ich weiß, dass deine anderen Freundinnen mich nicht mögen«, hörte sie Heather an ihrem Ohr. »Aber … weißt du, das macht nichts.«

Candice richtete sich auf und sah Heather überrascht an.

»Was meinst du damit: Meine anderen Freundinnen mögen dich nicht?«

»Roxanne mag mich nicht.« Heather lächelte schief. »Mach dir keine Gedanken. Es ist nicht schlimm.«

»Aber das ist schrecklich!«, rief Candice verzweifelt. »Wieso glaubst du, dass sie dich nicht mag?«

»Vielleicht habe ich es auch falsch verstanden«, sagte Heather gleich. »Sie hat mich nur so angesehen … Ehrlich, Candice, mach dir keine Sorgen. Ich hätte lieber gar nichts sagen sollen.« Sie lächelte kurz. »Komm, such dir eins von den Kleidchen aus, dann gehen wir uns ein paar richtige Kleider ansehen.«

»Okay«, sagte Candice. Doch als sie sich wieder den Babysachen zuwandte, lag ihre Stirn in Falten.

»Ach, jetzt habe ich ein ganz schlechtes Gewissen!«, sagte Heather. »Bitte, Candice, vergiss, was ich eben gesagt habe.« Mit dem Daumen fuhr sie über die Falte an Candice' Stirn. »Vergiss Roxanne, okay? Bestimmt bin ich nur empfindlich. Bestimmt habe ich was falsch verstanden.«

Selig lag Roxanne im T-Shirt auf dem Sofa und lauschte leiser, jazziger Musik und den Geräuschen, die Ralph beim Kochen in der Küche machte. Er kümmerte sich immer um das Abendessen – zum Teil, weil er behauptete, Spaß daran zu haben, aber auch, weil sie vom Kochen keine Ahnung hatte. Einige der glücklichsten Momente ihres Lebens hatten mit Mahlzeiten zu tun, die er gekocht hatte – nach dem Sex. Das waren die Momente, die sie am meisten genoss. Die Momente, in denen man fast glauben konnte, dass sie zusammenlebten, dass sie ein normales Paar waren.

Natürlich waren sie kein normales Paar. Sie würden es vielleicht niemals sein. Automatisch – und eher leidenschaftslos – schweiften Roxannes Gedanken zu Ralphs jüngstem Sohn Sebastian. Dem süßen kleinen Sebastian, dem Nachzügler. Dem Segen. Dem Ausrutscher – wenn man es recht bedachte. Und immer noch ein Kind, immer noch erst zehn Jahre alt. Zehn Jahre, fünf Monate und eine Woche.

Roxanne wusste auf die Minute genau, wie alt Sebastian

Allsopp war. Sein älterer Bruder und die Schwester waren schon über zwanzig und hatten ihr eigenes Leben. Aber Sebastian wohnte noch zu Hause, ging zur Schule, putzte sich die Zähne und hatte einen Teddybären. Sebastian war zu jung für das Chaos einer Scheidung. Er musste erst noch achtzehn werden, hatte Ralph einmal nach diversen Brandys gesagt. Achtzehn. Noch sieben Jahre, sechs Monate und drei Wochen. In sieben Jahren wäre sie vierzig.

Um der Kinder willen. Es war eine Phrase, die ihr früher nichts bedeutet hatte. Inzwischen schien sie sich in ihre Seele eingebrannt zu haben. Um Sebastians willen. Er war vier Jahre alt gewesen, als sie damals an jenem Abend zum ersten Mal mit Ralph getanzt hatte. Ein kleiner Fratz im Pyjama, der friedlich in seinem Bettchen schlief, während sie seinem Vater tief in die Augen blickte und plötzlich merkte, dass sie mehr davon wollte. Dass sie *von ihm* mehr wollte. Damals war sie siebenundzwanzig gewesen. Ralph war sechsundvierzig. Die Welt schien ihnen offenzustehen.

Roxanne schloss die Augen, erinnerte sich. Es war der erste Abend einer prominent besetzten Gastproduktion von *Romeo und Julia* im Barbican gewesen. Ralph hatte zwei Tickets und kam in letzter Minute in die Redaktion des *Londoner* spaziert, auf der Suche nach jemandem, der mitkommen wollte. Als Roxanne Interesse anmeldete, war er leicht überrascht gewesen, hatte diesen Umstand jedoch taktvoll verborgen. Wie er später gestand, hatte er sie für glatt und materialistisch gehalten – intelligent und talentiert, aber ohne echten Tiefgang. Als er sich am Ende des Stückes zu ihr umwandte und sah, dass sie immer noch wie erstarrt dasaß, mit Tränen auf den Wangen, war er dann richtig überrascht und merkte unverhofft, dass er sie mochte. Und als sie sich dann die Haare aus der Stirn strich, die Augen wischte und sagte: »Verdammt, ich bin am Verdursten. Wie wär's mit einem Cocktail?«, hatte er den Kopf in den Nacken geworfen und laut gelacht. Er hatte zwei Einladungen für die Premierenparty hervorgezaubert, die er eigentlich gar nicht hatte nutzen wollen, hatte seine Frau angerufen und ihr erklärt, es würde etwas später werden als gedacht.

Dann hatte sie mit ihm am Rande einer Party gestanden, auf der beide niemanden kannten, hatte Buck's Fizz getrunken, über das Stück gesprochen und Mutmaßungen über die anderen Gäste angestellt. Dann spielte eine Jazz-Band auf, und die Tanzfläche füllte sich mit Pärchen. Nach kurzem Zögern hatte Ralph sie aufgefordert. Als sie seine Arme um sich spürte und in seine Augen blickte, hatte sie es gewusst. Sie hatte es einfach gewusst.

Ein vertrauter Stich, halb Schmerz, halb Freude, durchfuhr Roxanne bei der Erinnerung. Sie würde diesen Abend stets als einen der magischsten Momente ihres Lebens in Erinnerung behalten. Ralph war telefonieren gegangen, und sie hatte lieber gar nichts weiter davon wissen wollen. Dann war er wieder an den Tisch gekommen, bebend vor Aufregung. Er hatte sich ihr gegenüber hingesetzt, ihr tief in die Augen gesehen und ganz langsam gesagt: »Am liebsten würde ich irgendwohin gehen. In ein Hotel vielleicht. Möchtest du … mitkommen?« Ein paar Sekunden hatte Roxanne ihn schweigend angesehen und dann ihren Drink abgestellt.

Sie wollte cool bleiben, so lange wie möglich gepflegte Distanz wahren. Doch in dem Moment, als sie ins Taxi stiegen, hatte sich Ralph ihr zugewandt, und sie merkte, dass sie seinen Blick mit fast verzweifeltem Verlangen erwiderte. Als sich ihre Lippen berührten, hatte sie noch mit einem Anflug von Humor gedacht: Hey, ich küsse gerade meinen Chef.

Doch dann war sein Kuss eindringlicher geworden, sie hatte die Augen geschlossen, und ihr Verstand hatte die Fähigkeit eingebüßt, zusammenhängende Gedanken zu denken. Diese Fähigkeit kehrte erst am Morgen wieder, als sie in einem Hotel in Park Lane aufwachte, neben einem Ehebrecher, der neunzehn Jahre älter war als sie.

»Ein Glas Wein?« Ralphs Stimme unterbrach sie, und als sie die Augen aufschlug, sah er liebevoll auf sie herab. »Ich könnte die Flasche aufmachen, die ich mitgebracht habe.«

»Nur wenn sie gut gekühlt ist«, hatte sie misstrauisch gesagt. »Warmen Wein lasse ich zurückgehen.«

»Er ist kalt«, sagte Ralph lächelnd. »Ich habe ihn gleich in den Kühlschrank gestellt, als ich herkam.«

»Hoffen wir das Beste«, sagte Roxanne. Sie setzte sich auf und umarmte ihre Knie, als er wieder in die Küche ging. Eine Minute später kam Ralph mit zwei Gläsern Wein zurück.

»Warum bist du heute eigentlich nicht im Büro?«, fragte Roxanne. Sie hob ihr Glas. »Cheers.«

»Cheers«, antwortete Ralph. Er nahm einen kräftigen Schluck, dann blickte er auf und sagte nur: »Ich habe den ganzen Morgen bis in die Mittagspause mit meinem Buchhalter zusammengesessen. Da lohnte es sich nicht mehr hinzufahren.«

»Aha«, sagte Roxanne. »Faulpelz.«

Ein flüchtiges Lächeln strich über Ralphs Gesicht, und er ließ sich langsam auf einen Stuhl sinken. Roxanne musterte ihn und runzelte die Stirn.

»Geht es dir gut?«, sagte sie. »Du siehst mitgenommen aus.«

»War etwas spät gestern Abend«, sagte Ralph und schloss die Augen.

»Na dann«, sagte Roxanne fröhlich. »In dem Fall hast du von mir kein Mitleid zu erwarten.«

Candice trank von ihrem Wein und sah sich im überfüllten Restaurant um.

»Unfassbar, wie voll es hier ist!«, sagte sie. »Ich hatte ja keine Ahnung, wie viele Leute abends shoppen gehen!«

Heather lachte. »Warst du denn noch nie abends shoppen?«

»Doch, klar. Aber mir war nicht bewusst, dass da so eine … Partyatmosphäre herrscht.« Sie nahm noch einen Schluck Wein und sah sich um. »Vielleicht sollte ich Justin einen Artikel darüber vorschlagen. Wir könnten hier ein paar Leute interviewen, Fotos machen …«

»Gute Idee«, sagte Heather und nippte an ihrem Wein. Vor ihr lagen die Speisekarte sowie ein Stift, den der Kellner ihnen dagelassen hatte, und Heather nahm ihn zur Hand. Sie fing an, auf der Speisekarte herumzukritzeln: gezackte Sterne mit langen, glitzernden Strahlen. Fasziniert, leicht angetrunken, sah Candice ihr dabei zu. Eine halbe Stunde hatten sie auf einen Tisch warten müssen und dabei je einen Gin & Tonic und zusammen noch eine halbe Flasche Wein gekippt. Irgendwie schien sie schneller zu trinken als Heather, und auf leeren Magen wirkte der Alkohol stärker als sonst.

»Es ist doch komisch, oder?«, sagte Heather und blickte abrupt auf. »Wir stehen uns so nahe, und dabei kennen wir uns gar nicht richtig.«

»Stimmt schon«, sagte Candice grinsend. »Was möchtest du denn gern wissen?«

»Erzähl mir von Justin«, sagte Heather nach einem Moment. »Magst du ihn immer noch?«

»Nein!«, sagte Candice, dann lachte sie. »Als Redakteur

finde ich ihn möglicherweise erträglich. Aber ich empfinde … nichts mehr für ihn. Ich glaube, es war ein Riesenfehler.«

»Ach so?«, sagte Heather freundlich.

»Anfangs hat er mich schwer beeindruckt. Ich fand ihn unglaublich klug und wortgewandt und einfach wunderbar. Aber das ist er nicht. Nicht, wenn man genau hinhört, was er von sich gibt.« Sie trank von ihrem Wein. »Er hört sich einfach gern selbst reden.«

»Und da ist weit und breit kein anderer abzusehen?«

»Momentan nicht«, sagte Candice heiter. »Und ich kann nicht gerade behaupten, dass es mir was ausmachen würde.«

Ein Kellner kam an den Tisch, zündete die Kerze zwischen ihnen an und legte Messer und Gabeln bereit. Heather wartete, bis er weg war, dann blickte sie wieder auf. Ihr Gesicht leuchtete im Kerzenschein.

»Also … bedeuten dir Männer nichts.«

»Keine Ahnung«, sagte Candice leise lachend. »Ich schätze, der Richtige vielleicht doch.« Sie sah, wie Heather die Flasche Wein nahm und ihr nachschenkte. Plötzlich funkelten ihre Augen.

»Aber was sonst?«, fragte sie leise. »Was bedeutet dir am meisten auf der Welt? Was ist dir … wichtig?«

»Was mir wichtig ist?« Nachdenklich wiederholte Candice die Frage und starrte in ihr Glas. »Ich weiß nicht. Meine Familie, schätze ich. Obwohl mir meine Mutter gar nicht mehr so nahesteht. Und meine Freunde.« Mit plötzlicher Gewissheit blickte sie auf. »Meine Freundinnen sind mir wichtig. Besonders Roxanne und Maggie.«

»Deine Freundinnen.« Heather nickte langsam. »Freunde sind so wichtig.«

»Und mein Job. Ich liebe meinen Job.«

»Aber nicht wegen des Geldes«, bohrte Heather.

»Nein! Das Geld ist mir egal!« Candice errötete ein wenig und trank von ihrem Wein. »Ich hasse Materialismus. Und Gier. Und … Unaufrichtigkeit.«

»Du möchtest ein guter Mensch sein.«

»Ich möchte es versuchen.« Candice stieß ein betretenes kleines Lachen aus und stellte ihr Weinglas ab. »Aber was ist mit dir? Was ist dir wichtig?«

Es folgte kurzes Schweigen. Ein seltsamer Ausdruck fuhr über Heathers Gesicht.

»Ich habe lernen müssen, lieber nichts so nah an mich herankommen zu lassen«, sagte sie schließlich und lächelte kurz. »Denn man kann es von heute auf morgen verlieren, ohne Vorwarnung. Eben ist es noch da, im nächsten Moment nicht mehr.« Sie schnippte mit den Fingern. »Einfach so.«

Schuldbewusst starrte Candice sie an und wollte plötzlich immer weiterreden, vielleicht sogar die Wahrheit sagen.

»Heather …«, sagte sie zögernd. »Ich habe … ich habe nie …«

»Hey!«, unterbrach Heather sie lachend und deutete hinter Candice. »Da kommt unser Essen.«

Roxanne nahm einen letzten Mundvoll Pasta, legte ihre Gabel weg und seufzte. Sie saß Ralph gegenüber an ihrem winzigen Klapptisch, das Licht war gedimmt, und Ella Fitzgerald schmachtete leise im Hintergrund.

»Das war verdammt lecker.« Roxanne rieb ihren Bauch. »Willst du deins nicht mehr essen?«

»Nimm ruhig.« Ralph deutete auf seinen halb vollen Teller, den Roxanne mit fragendem Blick zu sich herüberzog.

»Keinen Appetit?«, sagte sie. »Oder bist du immer noch verkatert?«

»Gut möglich«, sagte Ralph heiter.

»Na, ich werde jedenfalls nichts umkommen lassen«, sagte Roxanne und machte sich über die Nudeln her. »Weißt du, ich vermisse deine Kochkünste, wenn ich auf Reisen bin.«

»Wirklich?«, sagte Ralph. »Was ist mit deinen Fünf-Sterne-Köchen?«

Roxanne verzog das Gesicht. »Ist nicht dasselbe. Die können Nudeln nicht wie du.« Sie kippelte ihren Stuhl, bis er am Sofa lehnte, nahm einen Schluck Wein und schloss genießerisch die Augen. »Ehrlich gesagt finde ich es richtig selbstsüchtig von dir, dass du nicht jeden Abend herkommst und mir Nudeln kochst.« Sie nahm einen Schluck Wein, dann noch einen.

Dann, als das Schweigen anhielt, schlug sie die Augen auf. Ralph betrachtete sie wortlos, mit seltsamer Miene.

»Ich bin selbstsüchtig«, sagte er schließlich. »Du hast recht. Ich behandle dich furchtbar schlecht.«

»Nein, tust du nicht!«, sagte Roxanne und lachte. »Ich mach nur Witze.« Sie nahm die Flasche Wein, schenkte beiden nach und trank davon. »Netter Wein.«

»Netter Wein«, wiederholte Ralph und nahm einen Schluck.

Eine Weile schwiegen beide. Dann blickte Ralph auf und sagte wie beiläufig: »Wenn du dir aussuchen könntest, was du in einem Jahr machst. Egal was. Was wäre es?«

»In einem Jahr …«, wiederholte Roxanne und spürte, wie ihr Herz ein wenig schneller schlug. »Wieso in einem Jahr?«

»Oder in drei Jahren«, sagte Ralph und machte eine vage Geste mit seinem Glas. »In fünf Jahren. Wo siehst du dich?«

»Ist das hier ein Bewerbungsgespräch?«, fragte Roxanne munter.

»Es interessiert mich einfach«, sagte Ralph achselzuckend. »Ist nur so ein Gedankenspiel.«

»Na ja, ich … ich weiß nicht«, sagte Roxanne, nahm noch einen Schluck Wein und versuchte, die Ruhe zu bewahren.

Was war hier los? Eigentlich herrschte zwischen Ralph und ihr die stillschweigende Übereinkunft, dass sie die Zukunft ausklammern wollten und alles, was ärgern oder wehtun konnte. Sie sprachen über die Arbeit, über Filme, Essen und Reisen. Sie tratschten über Kollegen und spekulierten über Roxannes fragwürdigen Nachbarn unten im Haus. Sie sahen sich Fernseh-Soaps an und lachten gemeinsam über die hölzernen Schauspielkünste. Doch selbst wenn auf dem Bildschirm jemand einen Ehebruch beging, sprachen sie doch nie über ihre eigene Situation.

Am Anfang hatte sie unter Tränen von ihm gefordert, dass er ihr von seiner Frau und seiner Familie erzählte, alles bis ins letzte Detail. Und jedes Mal hatte sie vor Elend und Erniedrigung förmlich gebebt, wenn er ging, hatte ihm vergeblich Vorwürfe und Ultimaten an den Kopf geworfen. Inzwischen tat sie, als wäre jeder Abend, jede Nacht, die sie in seinen Armen verbrachte, eine Ausnahme, eine kleine Welt für sich. Es war der reine Selbstschutz. Auf diese Weise konnte die Enttäuschung sie nicht so leicht verletzen. Auf diese Weise konnte sie – zumindest vor sich selbst – so tun, als führte sie diese Beziehung nach ihren Bedingungen. Als hätte sie es von Anfang an so gewollt.

Sie blickte auf und merkte, dass Ralph noch immer auf eine Antwort wartete, und als sie seine Miene sah, wurde ihr ganz anders. Er starrte sie offen an, mit glänzenden Augen, als wäre ihm ihre Antwort wirklich wichtig. Sie nahm einen Schluck Wein, um Zeit zu schinden, dann strich sie ihr Haar zurück und zwang sich zu einem sorglosen Lächeln.

»In einem Jahr?«, sagte sie. »Wenn ich es mir aussuchen könnte, würde ich irgendwo in der Karibik an einem weißen Strand liegen … mit dir natürlich.«

»Ich freue mich, das zu hören«, sagte Ralph und verknitterte sein Gesicht zu einem Lächeln.

»Aber nicht nur mit dir«, sagte Roxanne. »Eine Schar aufmerksamer Kellner in weißen Jacketts würde uns jeden Wunsch von den Lippen ablesen. Sie würden uns mit Speis und Trank und kleinen Bonmots amüsieren. Und dann würden sie sich wie von Zauberhand diskret verkrümeln, und wir säßen ganz allein im zauberhaften Sonnenuntergang.«

Sie stockte, nahm einen Schluck Wein, und nach kurzem Schweigen blickte sie auf. Als sie Ralphs Augen sah, schlug ihr das Herz bis zum Hals. Ob er merkt, dachte sie, dass das eben eine Beschreibung von Flitterwochen war?

Ralph starrte sie mit einem Ausdruck an, den sie in seinen Augen noch nie gesehen hatte. Plötzlich nahm er ihre Hände und presste sie an seine Lippen.

»Du hast es verdient«, sagte er heiser. »Du hast das alles verdient, Roxanne.« Sie sah ihn an und spürte eine Hitze ganz hinten in ihrer Kehle. »Mir tut das alles so leid«, murmelte er. »Wenn ich daran denke, was ich dir zugemutet habe …«

»Dir muss nichts leidtun.« Roxanne blinzelte und merkte, dass ihr schon wieder die Tränen kamen. Sie zog ihn über den Tisch zu sich heran und küsste seine feuchten Augen, seine Wangen, seine Lippen. »Ich liebe dich«, flüsterte sie und spürte eine Woge von schmerzhaftem, besitzergreifendem Glück in sich aufsteigen. »Ich liebe dich, und wir sind zusammen. Alles andere ist egal.«

Kapitel Neun

Das Krankenhaus war ein mächtiger viktorianischer Bau mit gepflegten Gärten und einem umzäunten Bereich, in dem Kinder spielen konnten. Als Roxanne und Candice aus dem Auto stiegen und den Weg zum Haupteingang nahmen, musste Roxanne lachen.

»Typisch Maggie«, sagte sie und sah sich auf dem gepflegten Gelände um. »Selbst das Krankenhaus ist ein Postkartenmotiv. Sie würde ihr Kind nie im Leben in einem düsteren Loch in London zur Welt bringen, oder?«

»Was suchen wir?«, fragte Candice bei einem Blick auf den bunten Wegweiser voller Pfeile, die in alle Richtungen zeigten. »Gynäkologie. Kreißsaal.« Sie blickte auf. »Da wollen wir nicht hin, oder?«

»Du kannst dir den Kreißsaal gern ansehen, wenn du möchtest«, sagte Roxanne mit leichtem Schaudern. »Ich persönlich genieße meine Ahnungslosigkeit.«

»Neugeborenenstation. Schwangerschaftsbegleitung. Entbindungsstation«, las Candice und runzelte die Stirn. »Ich blick da nicht mehr durch.«

»Komm!«, sagte Roxanne. »Wir finden sie schon.«

Sie betraten den geräumigen Empfangsbereich und sprachen mit einer freundlichen Frau hinter dem Tresen, die Maggies Namen in einen Computer tippte.

»Station Blau«, sagte sie lächelnd. »Folgen Sie dem Korridor, so weit es geht, dann nehmen Sie den Fahrstuhl in den fünften Stock.«

Als sie durch die Gänge liefen, betrachtete Candice die beigefarbenen Wände und verzog das Gesicht. »Ich kann diesen Krankenhausgeruch nicht leiden. Sollte ich jemals schwanger werden, möchte ich das Kind zu Hause kriegen.«

»Das kann ich mir gut vorstellen«, sagte Roxanne. »Mit Panflöten und Aromatherapiekerzen.«

»Nein!«, lachte Candice. »Ich glaube, ich wäre einfach … ich weiß nicht … lieber zu Hause.«

»Sollte ich je ein Kind bekommen, kriege ich es per Kaiserschnitt«, sagte Roxanne trocken. »Unter Vollnarkose. Die können mich wecken, wenn es drei Jahre alt wird.«

Sie kamen zum Fahrstuhl und drückten den Knopf für die fünfte Etage. Als es aufwärtsging, warf Candice Roxanne einen Blick zu. »Ich bin richtig nervös«, sagte sie. »Komisch, oder?«

»Ich bin auch ein bisschen nervös«, sagte Roxanne nach kurzer Pause. »Wahrscheinlich liegt es nur daran, dass eine von uns erwachsen geworden ist. Das echte Leben geht los. Die Frage ist: Sind wir bereit dafür?« Sie zog beide Augenbrauen hoch, und Candice musterte sie.

»Du siehst ganz schön müde aus«, sagte sie. »Bist du okay?«

»Mir geht es fabelhaft«, sagte Roxanne sofort und warf ihre Haare in den Nacken. »Besser als je zuvor.«

Doch während sie aufwärtsfuhren, betrachtete sie ihr getöntes Spiegelbild in der Fahrstuhltür und wusste, dass Candice recht hatte. Sie sah wirklich müde aus. Seit jenem Abend mit Ralph fand sie kaum noch Schlaf, weil sie an nichts anderes denken konnte als an dieses Gespräch und was es bedeuten mochte. Sie machte sich unweigerlich Hoffnungen.

Natürlich hatte Ralph nichts Konkretes gesagt. Er hatte keine Versprechungen gemacht. Nach diesem einen, kurzen Gespräch hatte er nie wieder ein Wort über die Zukunft verloren. Aber irgendwas war los, irgendwas hatte sich verändert. Eigentlich hatte sie schon im selben Moment, als er vor der Tür stand, gemerkt, dass er sich irgendwie verändert hatte. Dass er sie anders ansah und anders mit ihr sprach. Und beim Abschied hatte er sie minutenlang angestarrt, ohne ein Wort zu sagen. Er sah aus, als stünde er vor der schwersten Entscheidung seines Lebens.

Sie wusste, dass man diese Entscheidung nicht überstürzen durfte, dass es keine schnelle Lösung gab. Doch die Anspannung der ständigen Ungewissheit war unerträglich. Und sie litten beide darunter – Ralph sah in letzter Zeit müder und abgespannter aus als je zuvor. Neulich hatte sie ihn im Büro beobachtet und erschrocken festgestellt, dass er allen Ernstes schmaler wurde. Er ging durch die Hölle. Aber wenn er sich entscheiden und den entsprechenden Mut aufbringen könnte, wäre die Hölle ein für alle Mal vorbei.

Wieder einmal bäumte sich eine schmerzhafte Woge der Hoffnung in ihr auf, und sie drückte ihre Tasche fester an sich. Sie durfte sich nicht so gehen lassen. Sie musste wieder mehr Selbstdisziplin zeigen. Aber es fiel ihr schwer. Nach sechs kargen Jahren, in denen sie sich der Hoffnung verweigert hatte und nicht einmal daran denken wollte, verlor sie sich nun in Fantasien. Ralph würde seine Frau verlassen. Endlich könnten sie sich entspannen und aneinander freuen. Der lange, harte Winter wäre vorbei. Die Sonne würde wieder scheinen. Das Leben würde für sie beide neu beginnen. Sie würden zusammenziehen. Vielleicht würden sie sogar …

Da bremste sie sich. So weit durfte sie nicht gehen. Sie

musste sich beherrschen. Schließlich hatte er gar nichts gesagt. Nichts davon stand fest. Aber dieses Gespräch hatte doch sicher etwas zu bedeuten gehabt. Er dachte doch bestimmt auch daran.

Und sie hatte es verdient, oder? Sie hatte es sich verdammt noch mal redlich verdient, nach allem, was sie hatte durchmachen müssen. Ein ungewohnter Groll ergriff sie, und sie zwang sich, ruhig durchzuatmen. Im Laufe der letzten paar Tage, in denen sie sich ihrer Fantasie hingegeben hatte, war ihr aufgefallen, dass hinter ihrer freudigen Hoffnung die dunkle Kehrseite der Medaille lauerte. Ein Groll, den sie zu viele Jahre unterdrückt hatte. Sechs Jahre des Wartens, der Ungewissheit und der kurzen Augenblicke des Glücks, an denen sie sich festhielt. Es ging schon zu lange so. Es war wie ein Gefängnis.

Die Fahrstuhltüren gingen auf, und Candice sah Roxanne an.

»Da wären wir«, sagte sie mit einem leisen Lächeln. »Endlich.«

»Ja«, sagte Roxanne und schnaubte. »Endlich.«

Sie traten aus dem Fahrstuhl und gingen auf eine Schwingtür zu, an der »Station Blau« stand. Candice sah Roxanne an, dann drückte sie die Tür vorsichtig auf. Der Raum war groß, aber mit geblümten Vorhängen in einzelne Kabinen aufgeteilt. Candice zog die Augenbrauen hoch, Roxanne zuckte nur mit den Schultern. Da kam eine Frau in dunkelblauer Uniform heran, mit einem Baby auf dem Arm.

»Wollen Sie jemanden besuchen?«, fragte sie lächelnd.

»Ja«, sagte Roxanne und starrte das Baby unwillkürlich an. »Maggie Phillips.«

»Aber sie heißt doch eigentlich Drakeford, oder?«, meinte Candice. »Maggie Drakeford.«

»Ach so!«, sagte die Frau freundlich. »In der Ecke.«

Roxanne und Candice sahen sich an, dann gingen sie einmal quer durch die Station. Vorsichtig schob Candice den letzten Vorhang zurück, und da lag sie. Maggie sah aus wie immer und dann doch nicht, saß im Bett mit einem kleinen Baby auf dem Arm. Sie blickte auf, und einen Moment lang schwiegen alle. Dann lächelte Maggie sie an, hielt ihnen das Baby hin und sagte: »Lucia, darf ich vorstellen: die Cocktail-Queens.«

Maggie hatte eine gute Nacht gehabt. Als sie sah, wie Roxanne und Candice sich zögernd dem Bett näherten, breitete sich wohlige Zufriedenheit in ihr aus. Nur etwas Schlaf, mehr brauchte sie nicht. Jede Nacht ein wenig Schlaf, und schon sah die Welt ganz anders aus.

Die ersten drei Nächte waren die Hölle gewesen. Das Grauen. Starr und steif hatte sie im Dunkeln gelegen und konnte sich nicht entspannen, geschweige denn ein Auge zutun vor lauter Angst, dass Lucia möglicherweise aufwachte. Selbst wenn sie nur kurz einnickte, schreckte sie bei jedem Schnaufen aus der Wiege wieder auf. Im Traum hörte sie Schreie und schoss panisch hoch, nur um festzustellen, dass Lucia friedlich schlummerte und irgendein anderes Baby schrie. Dann fürchtete sie, das andere Baby könnte Lucia wecken – und schon verspannte sie sich wieder und konnte nicht mehr einschlafen.

In der vierten Nacht, um zwei Uhr morgens, wollte Lucia einfach nicht schlafen. Sie hatte geschrien, wenn Maggie versuchte, sie in ihre Wiege zu legen, hatte um sich geschlagen, wenn Maggie versuchte, sie zu stillen, und angefangen zu brüllen, als Maggie in ihrer Verzweiflung versuchte, ihr etwas vorzusingen. Nach ein paar Minuten war hinter dem geblümten Vorhang ein Gesicht aufgetaucht. Es war eine ältere Hebamme aus der Nachtschicht, die Maggie noch nicht kannte, und als die Frau Lucia sah, schüttelte sie lachend den Kopf.

»Junges Fräulein, deine Mutter braucht Schlaf!«, hatte sie gesagt, und Maggie war direkt erschrocken. Sie hatte eine Predigt über das »Stillen nach Bedarf« oder die Mutter-Kind-Bindung erwartet. Stattdessen war die Hebamme in Maggies Kabine gekommen, hatte die dunklen Schatten um ihre Augen gesehen und geseufzt. »Das ist nicht gut! Sie sehen erschöpft aus!«

»Ich bin auch etwas müde«, hatte Maggie mit bebender Stimme gesagt.

»Sie brauchen eine Pause.« Die Hebamme hatte kurz gewartet, dann sagte sie: »Möchten Sie, dass ich die Kleine in den Säuglingssaal bringe?«

»Den Säuglingssaal?« Mit leerem Blick hatte Maggie sie angestarrt. Keiner hatte ihr was von einem Säuglingssaal erzählt.

»Ich behalte die Kleine im Auge, und Sie können so lange schlafen. Und wenn sie hungrig wird, bringe ich sie Ihnen zurück.«

Maggie hatte die Hebamme nur angestarrt und wäre vor lauter Dankbarkeit am liebsten in Tränen ausgebrochen.

»Danke. Danke … Joan«, presste sie hervor, als sie das Namensschildchen der Frau im trüben Licht ausmachte. »Ich … kann ich sie denn allein lassen?«

»Die Kleine kommt bestimmt zurecht!«, sagte Joan. »Jetzt sollten Sie sich erst mal etwas ausruhen.«

Sobald sie Lucias Wiege aus der Kabine gerollt hatte, schlief Maggie zum ersten Mal seit der Entbindung entspannt ein. Es war der tiefste, süßeste Schlaf ihres Lebens.

Um sechs Uhr war sie aufgewacht und fast schon wieder bereit, Lucia zu sich zu holen und sie zu stillen.

Seitdem hatte Joan jede Nacht an Maggies Bett gestanden, um ihr die Dienste der Säuglingsstation anzubieten, und mit schlechtem Gewissen war Maggie jedes Mal auf das Angebot eingegangen.

»Kein Grund für Schuldgefühle«, hatte Joan eines Nachts gesagt. »Sie brauchen den Schlaf, um Milch zu produzieren. Es ist nicht gut, sich kaputt zu machen. Wissen Sie, früher haben wir die Mütter zwei Wochen hierbehalten. Jetzt werden sie schon nach zwei Tagen nach Hause geschickt. Nach zwei Tagen!« Missbilligend schnalzte sie mit der Zunge. »Wenn die Kleine keine Gelbsucht hätte, wären sie längst nicht mehr hier.«

Doch trotz aller Beschwichtigungen hatte Maggie ein schlechtes Gewissen. Sie fand, sie sollte rund um die Uhr bei Lucia sein, wie es auch in sämtlichen Büchern empfohlen wurde. Alles andere käme einem Versagen gleich. Und deshalb hatte sie weder Giles noch Paddy etwas von Joan erzählt – und auch sonst niemandem.

Jetzt lächelte sie Roxanne und Candice an und sagte: »Kommt rein! Setzt euch! Wie schön, euch zu sehen!«

»Mags, du siehst toll aus!«, sagte Roxanne. In einer Duftwolke schloss sie Maggie in die Arme, dann setzte sie sich auf die Bettkante. Sie wirkte schlanker und glamouröser als je zuvor. Wie ein exotischer Paradiesvogel in diesem Raum voller triefäugiger Muttertiere. Und einen Moment lang stach Maggie der Neid. Sie hatte gedacht, dass sie gleich nach der Geburt wieder ihre alte Figur haben würde, dass sie problemlos in ihre alten Kleider steigen könnte. Doch ihr Bauch – unter der Decke – war nach wie vor beängstigend schlaff, und es fehlte ihr an Kraft, etwas dagegen zu unternehmen.

»Also, Mags«, meinte Roxanne mit einem Blick in die Runde. »Ist das Muttersein so, wie du es dir vorgestellt hast?«

»Ach, weißt du …« Maggie grinste. »Halb so wild. Bin schon ein alter Hase.«

»Maggie, sie ist wunderschön!« Mit leuchtenden Augen blickte Candice auf. »Und sie sieht überhaupt kein bisschen krank aus!«

»Ist sie eigentlich auch nicht«, sagte Maggie mit Blick auf Lucias verkniffenes schlafendes Gesicht. »Sie hatte Gelbsucht, und es dauerte etwas, bis die weg war. Deshalb mussten wir länger im Krankenhaus bleiben.«

»Darf ich sie mal halten?« Candice streckte die Arme aus, und nach kurzem Zögern reichte Maggie ihr das Baby.

»Sie ist so leicht!«, hauchte Candice.

»Wirklich süß«, sagte Roxanne. »Gleich werde ich trübsinnig.«

Maggie lachte. »Na, das wäre ja mal was ganz Neues!«

»Möchtest du sie auch mal halten?« Candice sah Roxanne an, die komisch mit den Augen rollte.

»Wenn's sein muss.«

Sie hatte schon Unmengen von Babys im Arm gehalten. Kleine Bündel, die anderen gehörten und in ihr nichts anderes als Langeweile auslösten. Roxanne Miller gurrte im Angesicht von Babys nicht, sie gähnte. Dafür war sie bekannt. Die Frage, ob sie tatsächlich kein Interesse hatte oder ob es sich nur um eine im Laufe der Jahre zielstrebig kultivierte Abwehrreaktion handelte, hatte sie stets verdrängt.

Als sie jedoch Maggies schlafendes Baby sah, merkte Roxanne, dass ihr Widerstand nachließ und sie Dinge dachte, die sie sich bisher nie gestattet hatte. Sie wollte auch eins, dachte sie. Oh, Gott. Sie wollte wirklich auch eins. Der Gedanke machte ihr Angst, und er machte sie glücklich. Sie schloss die Augen, und ohne es zu wollen, stellte sie sich vor, sie hielte ihr eigenes Baby. Ralphs Baby. Und Ralph blickte selig über ihre Schulter. Bei der Vorstellung wurde ihr fast schlecht vor lauter Hoffnung – und vor Angst. Sie bewegte sich auf verbotenem Terrain, ließ zu, dass ihre Gedanken an gefährliche Orte abdrifteten. Aber woraufhin? Auf ein bloßes Gespräch hin. Es war lächerlich. Es war dämlich. Doch nachdem sie einmal damit angefangen hatte, konnte sie nicht mehr aufhören.

»Und was meinst du dazu, Roxanne?«, fragte Maggie amüsiert. Roxanne starrte Lucia noch ein paar Sekunden an, dann zwang sie sich, nonchalant aufzublicken.

»Sehr hübsch – wenn Babys denn hübsch sein können. Aber ich warne dich: Hauptsache, sie pinkelt mich nicht an.«

»Dann nehme ich sie lieber wieder«, sagte Maggie lächelnd, und einen kurzen Moment war Roxanne richtig enttäuscht.

»Hier, nimm sie, Mama«, knurrte sie und gab das Bündel ab.

»Ach, Maggie, ich hab dir was mitgebracht«, sagte Candice und hob den Blumenstrauß auf, den sie auf dem Boden abgelegt hatte. »Ich weiß ja, du hast schon so viele …«

»Hatte ich«, sagte Maggie. »Die sind alle eingegangen. Hier drinnen halten sie keine fünf Minuten.«

»Oh, gut. Ich meine nur …«

»Ich weiß, was du meinst«, sagte Maggie lächelnd. »Sie sind bezaubernd. Vielen Dank.«

Candice sah sich in der Kabine um. »Hast du eine Vase?«

Maggie zog eine Grimasse.

»Vielleicht ist draußen auf dem Flur eine. Oder auf einer anderen Station.«

»Ich werd schon eine finden.« Candice legte die Blumen aufs Bett und ging hinaus. Als sie weg war, lächelten Maggie und Roxanne sich an.

»Und … wie geht es dir?«, fragte Maggie, während sie sanft mit der Fingerspitze Lucias Wange streichelte.

»Gut«, sagte Roxanne. »Du weißt ja, das Leben geht weiter …«

»Was macht Mister Verheiratet mit Kindern?«, fragte Maggie vorsichtig.

»Hat immer noch Kinder«, sagte Roxanne heiter. »Ist immer noch verheiratet.« Sie lachten beide, und Lucia rührte sich im Schlaf. »Obwohl … man weiß ja nie«, konnte Roxanne sich nicht verkneifen. »Vielleicht ändert sich ja was.«

»Wirklich?«, fragte Maggie erstaunt. »Ist nicht dein Ernst!«

»Wer weiß?« Ein Lächeln zog Roxannes Miene in die Breite. »Wart's ab.«

»Du meinst, wir lernen ihn vielleicht sogar kennen?«

»Na, das weiß ich noch nicht so genau.« Roxannes Augen blitzten amüsiert. »Ich habe mich schon so daran gewöhnt, dass er mein kleines Geheimnis ist.«

Maggie sah sie an, dann suchte sie nach ihrer Uhr.

»Wie spät ist es? Ich sollte euch ein Tässchen Tee anbieten. Da steht eine große Kanne im Aufenthaltsraum.«

»Mach dir keine Mühe«, sagte Roxanne und unterdrückte ein leises Schaudern angesichts der Vorstellung. »Ich habe uns eine kleine flüssige Erfrischung mitgebracht. Die genehmigen wir uns, wenn Candice wieder da ist.« Sie sah sich um und suchte etwas Höfliches, das sie über die Entbindungsstation sagen konnte. Für sie war dieser Raum jedoch nur eine überheizte Blumenhölle. Und Maggie war schon eine Woche hier. Wie konnte sie es ertragen? »Wie lange musst du denn noch bleiben?«, fragte sie.

»Morgen darf ich nach Hause. Der Kinderarzt muss sich Lucia noch mal ansehen, und dann verschwinden wir.«

»Ich wette, du bist heilfroh.«

»Ja«, sagte Maggie nach kurzer Pause. »Ja, natürlich bin ich das. Aber … aber lass uns nicht über Krankenhäuser reden.« Sie lächelte Roxanne an. »Erzähl mir von der Welt da draußen. Habe ich was verpasst?«

»Ach Gott, keine Ahnung«, sagte Roxanne achselzuckend. »Ich weiß nichts von Klatsch und Tratsch. Ich bin immer unterwegs, wenn was passiert.«

»Was ist mit Candice' neuer Freundin?«, fragte Maggie finster. »Heather Soundso. Hast du sie noch mal getroffen?«

»Ja, wir sind uns im Büro begegnet. Bin nicht richtig warm mit ihr geworden.« Roxanne verzog das Gesicht. »Die ist mir zu zuckersüß.«

»Ich weiß gar nicht, wieso ich mich so aufgeregt habe«, sagte Maggie bedrückt. »Schwangerschaftsparanoia. Wahrscheinlich ist sie total nett.«

»Na, so weit würde ich eher nicht gehen. Aber eins steht fest …« Roxanne setzte sich auf und griff nach ihrer Tasche. »Sie kann schreiben.«

»Wirklich?«

»Guck mal hier.« Roxanne holte ein Blatt Papier aus ihrer Tasche. »Das habe ich von Janet bekommen. Es ist wirklich witzig.«

Sie sah, wie Maggie die ersten zwei Zeilen des Artikels las, die Stirn runzelte und dann den Rest überflog.

»Ich fass es nicht!«, sagte sie und blickte auf. »Hat sie ernstlich auf diesen Artikel hin den Job beim *Londoner* bekommen?«

»Das weiß ich nicht«, sagte Roxanne. »Aber du musst zugeben, dass sie den Nagel auf den Kopf trifft.«

»Keine Frage«, sagte Maggie. »Alles, was Candice schreibt, trifft den Nagel auf den Kopf.«

»Wie jetzt?« Roxanne starrte sie an.

»Das hier hat Candice für den *Londoner* geschrieben«, sagte Maggie und schlug mit der Hand nach dem Blatt Papier. »Ich erinnere mich genau. Wort für Wort. Es ist ihr Stil und alles.«

»Das kann doch nicht wahr sein!«

»Kein Wunder, dass Ralph beeindruckt war«, sagte Maggie und rollte mit den Augen. »Mein Gott, manchmal ist Candice aber auch echt dämlich!«

Candice hatte länger als erwartet gebraucht, um eine Vase aufzutreiben, und war auf einer anderen Station mit einer Hebamme ins Gespräch gekommen. Als sie schließlich fröhlich summend wiederkam, sahen Roxanne und Maggie sie so komisch an.

»Okay«, sagte Roxanne, als sie sich dem Bett näherte. »Was hast du zu deiner Entschuldigung zu sagen?«

»Bitte?«, sagte Candice.

»Hier«, sagte Maggie und reichte ihr mit großer Geste ein Blatt Papier. Verdutzt starrte Candice es an – dann, als sie den Text aus der Nähe betrachtete, merkte sie, was es war. Ihre Wangen wurden rot, und sie wandte sich ab.

»Ach, das …«, sagte sie. »Heather hatte keine Textprobe dabei. Deshalb habe ich …« Sie stockte kleinlaut.

»Und da hast du dir gedacht, du versorgst sie mit einer kompletten Mappe?«

»Nein!«, sagte Candice. »Nur ein kleiner Artikel. Nur … ihr wisst schon.« Trotzig zuckte sie mit den Schultern. »Irgendwas, auf das sie aufbauen kann. Meine Güte, das ist doch keine große Sache.«

Maggie schüttelte den Kopf.

»Candice, es ist nicht fair. Du *weißt*, dass es nicht fair ist. Es ist nicht fair Ralph gegenüber, es ist nicht fair den anderen Leuten gegenüber, die sich um den Job beworben haben …«

»Und eigentlich ist es auch Heather gegenüber nicht fair«, warf Roxanne ein. »Was passiert, wenn Justin sie bittet, einen Artikel wie den hier zu schreiben?«

»Das tut er nicht! Außerdem wird sie schon zurechtkommen. Sie hat Talent. Sie ist dem Job gewachsen. Sie braucht nur eine Chance.« Ihr Blick wanderte von Roxanne zu Maggie, und auf einmal merkte sie, wie ungeduldig sie mit den beiden wurde. Wieso konnten sie nicht einsehen, dass manches Ziel solche Mittel mehr als rechtfertigte? »Kommt schon, mal ehrlich!«, rief sie. »Wie viele Jobs werden durch Vetternwirtschaft vergeben? Wie viele Leute lassen Namen fallen, nutzen ihre Kontakte und geben vor, besser zu sein, als sie sind? Das hier ist genau dasselbe.«

Alle schwiegen – dann sagte Maggie: »Und sie ist bei dir eingezogen.«

»Ja.« Candice blickte von einer zur anderen und fragte sich, ob sie irgendwas nicht mitbekommen hatte. »Was ist damit?«

»Zahlt sie Miete?«

»Ich …« Candice schluckte. »Findest du nicht, dass das meine Sache ist?«

Sie hatte mit Heather noch nicht über die Miete gesprochen, und auch Heather hatte das Thema bisher nicht angeschnitten. Im Grunde ihres Herzens war sie davon ausgegangen, dass Heather ihr wenigstens einen kleinen Beitrag anbieten würde, aber selbst wenn nicht – was war daran so schlimm? Manche zahlten ihren Freunden Miete, manche nicht. Es war ja nicht so, als wäre sie auf das Geld angewiesen.

»Das stimmt wohl«, sagte Roxanne milde. »Solange sie dich nicht ausnutzt.«

»Mich *ausnutzt*?« Ungläubig schüttelte Candice den Kopf. »Nach allem, was mein Vater ihrer Familie angetan hat?«

»Candice …«

»Nein, hör zu«, sagte Candice und wurde dabei etwas lauter. »Ich bin ihr was schuldig. Okay? Ich bin ihr etwas schuldig. Also habe ich ihr diesen Job möglicherweise unter Vortäuschung falscher Tatsachen besorgt, und möglicherweise bin ich ihr gegenüber großzügiger, als ich es sonst wäre. Aber sie hat es verdient. Sie hat eine Chance verdient.« Candice spürte, wie ihr Gesicht ganz heiß wurde. »Und ich weiß ja, dass du sie nicht magst, Roxanne, aber …«

»Was?«, sagte Roxanne empört. »Bis jetzt habe ich kaum ein Wort mit ihr gewechselt!«

»Na, sie hat aber den Eindruck, dass du sie nicht magst.«

»Vielleicht mag sie *mich* nicht. Hast du daran schon gedacht?«

»Warum sollte sie dich nicht mögen?«, erwiderte Candice entrüstet.

»Was weiß ich? Warum sollte ich sie denn nicht mögen?«

»Das ist doch albern«, ging Maggie dazwischen. »Hört auf damit, alle beide!«

Ihre laute Stimme weckte Lucia. Die Kleine rührte sich und fing an zu weinen, erst traurig, dann empört.

»Da seht ihr, was ihr angerichtet habt!«, sagte Maggie.

»Oh«, sagte Candice und biss sich auf die Lippe. »Tut mir leid. Ich wollte mich nicht so gehen lassen.«

»Nein«, sagte Roxanne. »Ich auch nicht.« Sie drückte Candice' Hand. »Versteh mich nicht falsch. Heather ist bestimmt ein nettes Mädchen. Wir … wir machen uns nur Sorgen um dich.«

»Du bist einfach zu nett«, fügte Maggie hinzu und schnitt eine Grimasse. Entsetzt beobachteten die Freundinnen, wie sie Lucia anlegte.

»Tut das etwa *weh*?«, sagte Candice und sah, wie Maggie vor Schmerz das Gesicht verzog.

»Ein bisschen«, sagte Maggie. »Nur am Anfang.« Das Baby fing an zu nuckeln, und langsam entspannte sich ihre Miene. »Na also. Geht doch.«

»Verdammt«, sagte Roxanne und starrte unverhohlen Maggies Brust an. »Darauf kann ich gut und gern verzichten.« Verkniffen sah sie Candice an, die lachen musste.

»Jedenfalls trinkt sie gern«, sagte sie und sah sich an, wie Lucia gierig nuckelte.

»Wie ihre Mutter«, meinte Roxanne. »Apropos …« Sie griff in ihre Tasche und holte nach einigem Wühlen einen großen silbernen Cocktailshaker hervor.

»Nein!«, rief Maggie ungläubig. »Das kann nicht wahr sein!«

»Ich hab doch gesagt, wir stoßen mit Cocktails auf das Baby an«, sagte Roxanne.

»Das können wir doch nicht machen!«, sagte Maggie kichernd. »Wenn uns jemand sieht, werde ich aus dem Club der Braven Mütter ausgestoßen.«

»Auch daran habe ich gedacht«, sagte Roxanne. Mit ungerührter Miene langte sie noch einmal in die Tasche und holte drei kleine Babyfläschchen hervor.

»Was …?«

»Warte.«

Sie schraubte die Fläschchen auf, stellte sie nebeneinander auf den Nachttisch, nahm den Shaker und schüttelte ihn kräftig durch, während die anderen beiden ihr staunend dabei zusahen. Dann nahm sie den Deckel ab und goss feierlich eine weiße Flüssigkeit in die einzelnen Fläschchen.

»Was ist das?«, fragte Candice mit starrem Blick.

»Doch keine Milch, oder?«, sagte Maggie.

»Piña Colada«, sagte Roxanne.

Augenblicklich fingen Candice und Maggie an zu kichern. Piña Colada war ein Insiderwitz, seit jenem ersten Abend in der Manhattan Bar, als Roxanne verkündet hatte, sie würde jeden, der eine Piña Colada bestellte, am liebsten einen Kopf kürzer machen.

»Hör auf!«, wimmerte Maggie und versuchte, sich nicht zu bewegen. »Ich darf nicht lachen. Arme Lucia.«

»Cheers«, sagte Roxanne und reichte ihr ein Fläschchen.

»Auf Lucia«, sagte Candice.

»Auf Lucia«, wiederholte Roxanne und hob ihr Fläschchen.

»Und auf euch zwei«, sagte Maggie, wobei sie Roxanne und Candice anlächelte. Sie nahm einen Schluck und schloss genießerisch die Augen. »Gott, tut das gut. Ich hab seit Wochen keinen Alkohol mehr getrunken.«

»Eigentlich«, sagte Candice schlürfend, »schmeckt Piña Colada richtig lecker.«

»Nicht übel, oder?«, sagte Roxanne und trank nachdenklich. »Wenn das Zeug nur irgendwie einen stilvolleren Namen hätte …«

»Apropos Alkohol. Ralph Allsopp hat uns eine Magnum-Flasche Champagner schicken lassen«, sagte Maggie. »Ist das nicht nett von ihm? Aber wir haben sie noch nicht aufgemacht.«

»Wie schön«, sagte Roxanne beiläufig.

»Mrs Drakeford?« Draußen vor dem geblümten Vorhang hörten sie eine Männerstimme, und die drei sahen sich reumütig an. Im nächsten Moment kam das fröhliche Gesicht eines Arztes hinter dem Vorhang hervor und grinste sie an. »Mrs Drakeford, ich bin einer von den Kinderärzten. Ich wollte mal nach der kleinen Lucia sehen.«

»Oh«, sagte Maggie kraftlos. »Äh … kommen Sie rein.«

»Soll ich dir mal deine … Milch abnehmen?«, fragte Roxanne hilfsbereit und griff nach Maggies Babyfläschchen. »Hier. Ich stell sie dir für später auf den Nachttisch.«

»Danke«, sagte Maggie. Ihr Mund war schmal. Offenbar verkniff sie sich das Lachen.

»Vielleicht sollten wir lieber gehen«, sagte Candice.

»Okay«, flüsterte Maggie.

»Wir sehen uns bald wieder, Süße«, sagte Roxanne. Sie leerte ihre Piña Colada in einem Zug und stopfte das leere Fläschchen in ihre Tasche. »Es geht doch nichts über ein gesundes Glas Milch«, sagte sie zu dem Kinderarzt, der überrascht nickte.

»Lucia ist hinreißend«, sagte Candice und beugte sich übers Bett, um sich von Maggie zu verabschieden. »Wir sehen uns ganz bald.«

»In der Manhattan Bar«, fügte Roxanne hinzu. »Am nächsten Ersten. Meinst du, das ist zu schaffen?«

»Auf jeden Fall«, sagte Maggie und grinste sie an. »Ich werde da sein.«

Kapitel Zehn

Als Candice an diesem Abend nach Hause kam, hatte sie ganz rote Wangen vor Glück, und sie musste immer noch lachen, wenn sie an die Babyfläschchen mit der Piña Colada dachte. Außerdem war ihr das Ganze mehr unter die Haut gegangen, als sie erwartet hätte. Maggie mit ihrem Baby zu sehen, diesem neuen, kleinen Erdenbürger, hatte sie tief berührt, mehr als ihr in dem Moment bewusst gewesen war. Fast ging ihr das Herz über vor Zuneigung für ihre beiden Freundinnen.

Der einzige betretene Moment zwischen den dreien war wegen Heather entstanden, aber das – dachte Candice – lag nur daran, dass sie es nicht begriffen. Wie sollten sie auch? Maggie und Roxanne hatten nie insgeheim so schwere Schuldgefühle gehabt wie sie, und daher konnten sie auch nicht wissen, wie es sich anfühlte, wenn diese Schuld nachließ. Sie konnten nicht verstehen, wie erleichtert sie in letzter Zeit gewesen war. Es war so schön, dass Heather ihr Leben endlich auf die Reihe bekam.

Außerdem hatte keine von beiden Heather bisher richtig kennengelernt. Sie hatten keine Ahnung, was für ein warmherziger, großzügiger Mensch sie war, wie schnell die Freundschaft zu ihr gewachsen war. Vielleicht hatte sie Heather anfangs vor allem als Opfer betrachtet, und vielleicht war ihre anfängliche Freigiebigkeit vor allem von Schuldgefühlen getrieben gewesen, doch mittlerweile war da ein echter Draht zwischen ihnen. Maggie und Roxanne taten, als sei es ein Nachteil, dass Heather bei ihr wohnte. Tatsächlich traf das Gegenteil zu. Da sie nun eine Mitbewohnerin hatte, konnte sich Candice gar nicht mehr vorstellen, allein zu leben. Wie hatte sie ihre Abende verbracht, als Heather noch nicht da gewesen war? Sie hatte einsam ihren Kakao geschlürft, statt im Pyjama neben Heather auf der Couch zu sitzen und sich gegenseitig – laut lachend – ihre Horoskope vorzulesen. Es war kein Fehler, dass Heather bei ihr eingezogen war, dachte Candice liebevoll. Sie machte ihr Leben schöner.

Als sie die Wohnungstür hinter sich ins Schloss zog, hörte sie Heathers Stimme in der Küche. Es klang, als wäre sie am Telefon, und Candice schlich den Flur entlang, um Heather nicht zu stören. Wenige Schritte vor der Küche blieb sie erschrocken stehen.

»Spar dir dein Mitgefühl, Hamish!«, sagte Heather mit leiser, scharfer Stimme, die so ganz anders klang als sonst, dass Candice sie kaum erkannte. »Was geht dich der Scheiß überhaupt an?« Es folgte eine Pause, dann sagte sie: »Na, vielleicht ist es mir ja egal. Vielleicht werde ich das auch tun!« Sie schrie fast, dann hörte man, wie sie den Hörer aufknallte. Draußen auf dem Flur erstarrte Candice in Panik. Bitte komm jetzt nicht raus, dachte sie. Bitte, bitte komm nicht raus und erwisch mich hier.

Im nächsten Moment hörte sie, dass Heather den Wasserkocher anstellte, und setzte sich in Bewegung. Mit absurd schlechtem Gewissen schlich sie auf Zehenspitzen ein paar Schritte zurück, öffnete die Wohnungstür und knallte sie wieder zu.

»Hi!«, rief sie fröhlich. »Jemand zu Hause?«

Heather erschien in der Küchentür und musterte Candice ohne ein Lächeln.

»Hi«, sagte sie schließlich. »Wie war's?«

»Super!«, sagte Candice begeistert. »Lucia ist wirklich süß! Und Maggie geht es gut …« Ihr Satz verebbte, und Heather lehnte sich an den Türrahmen.

»Ich war am Telefon«, sagte sie. »Du hast mich bestimmt gehört.«

»Nein!«, sagte Candice sofort. »Ich bin eben erst reingekommen.« Sie merkte, dass sie rot wurde, wandte sich ab und tat, als machte sie sich am Ärmel ihrer Jacke zu schaffen.

»Männer«, sagte Heather nach einem Moment. »Wer braucht die schon?« Überrascht blickte Candice auf.

»Du hast einen Freund?«

»Exfreund«, sagte Heather. »Mistkerl. Davon willst du nichts wissen.«

»Okay«, sagte Candice verlegen. »Na ja … wollen wir einen Tee trinken?«

»Warum nicht?«, sagte Heather und folgte ihr in die Küche.

»Übrigens«, sagte Heather, als Candice die Teebeutel nahm. »Ich brauchte Briefmarken und habe mir welche von deiner Frisierkommode genommen. Das macht doch nichts, oder? Ich bezahl sie dir.«

»Sei nicht albern!«, sagte Candice und drehte sich um. »Natürlich macht es mir nichts aus. Bedien dich nur.« Sie lachte. »Was meins ist, ist auch deins.«

»Okay«, sagte Heather gleichgültig. »Danke.«

Hungrig und frierend kam Roxanne nach Hause und fand einen Pappkarton vor ihrer Tür. Verwundert betrachtete sie ihn, dann öffnete sie die Tür und schob ihn mit einem Fuß hinein. Sie schloss die Wohnungstür, machte Licht, ging in die Hocke und sah sich das Paket aus der Nähe an. Es war auf Zypern abgestempelt, und die Adresse war Nicos Handschrift. Der Gute. Was schickte er ihr diesmal?

Lächelnd riss Roxanne den Karton auf und fand einen ganzen Haufen orangefarbener Tangerinen, noch mit Stängeln und grünen Blättern. Sie nahm eine in die Hand, schloss die Augen und atmete den süßlich bitteren, unverwechselbaren Duft. Dann griff sie nach dem handgeschriebenen Zettel, der auf den Früchten lag.

Meine liebste Roxanne. Eine kleine Erinnerung daran, was Dir hier auf Zypern entgeht. Andreas und ich hoffen immer noch, dass Du unser Angebot in Erwägung ziehst.
Dein Nico

Einen Moment lang saß Roxanne ganz still. Dann betrachtete sie nachdenklich die Tangerine, warf sie in die Luft und fing sie auf. Bunt und süß, sonnig und verlockend, dachte sie. Eine völlig andere Welt. Eine Welt, die sie fast vergessen hatte.

Doch ihre Welt war hier. Hier im Londoner Nieselregen, mit Ralph.

Nachdem alle Besucher die Station verlassen hatten, das Licht aus war und Lucia schlief, lag Maggie wach in ihrem Bett, starrte an die hohe weiße Krankenhausdecke und versuchte, ihre Panik zu ersticken.

Der Kinderarzt hatte sehr positiv geklungen, was Lucia anging. Die Gelbsucht war ganz weg, sie legte auch etwas Gewicht zu, und alles war, wie es sein sollte.

»Sie können morgen nach Hause«, hatte er gesagt und sein Zeichen auf das weiße Formular gesetzt. »Ich denke, Sie haben sicher genug von diesem Laden.«

»Allerdings«, hatte Maggie gesagt und ihn matt angelächelt. »Ich kann es kaum erwarten, nach Hause zu kommen.«

Später schaute Giles noch kurz vorbei, und als sie ihm die gute Nachricht überbrachte, hatte er vor Freude förmlich gequiekt.

»Endlich! Was für eine Erleichterung. Bestimmt bist du froh. Das wird so schön, mein Schatz, wenn du wieder zu Hause bist.« Er hatte sich vorgebeugt und sie so fest an sich gedrückt, dass sie kaum noch Luft bekam, und einen Moment war sie so zuversichtlich, dass es schon an Euphorie grenzte.

Als sie nun jedoch im Dunkeln lag, hatte sie nur noch Angst. In zehn Tagen hatte sie sich an den Rhythmus im Krankenhaus gewöhnt. Sie war an drei Mahlzeiten täglich gewöhnt, an das freundliche Plaudern mit den Hebammen, an die Tässchen Tee, die um vier Uhr auf Wagen hereingerollt wurden. Sie hatte sich an die Sicherheit gewöhnt, die Gewissheit, dass es, wenn es zur Katastrophe kam, immer einen Knopf gab, den man drücken konnte, eine Schwester, die man rufen konnte. Sie hatte sich daran gewöhnt, dass Joan die kleine Lucia um zwei Uhr morgens rausrollte und um sechs mit ihr zurückkam.

Zu ihrer Schande musste sie sich eingestehen, dass sie insgeheim erleichtert gewesen war, als Lucias Gelbsucht langsamer als erwartet auf die Lichtbehandlung ansprach. Jeder weitere Tag im Krankenhaus schob den Moment hinaus, an dem sie die Sicherheit, Vertrautheit und das freundschaftliche Geplänkel der Entbindungsstation gegen ihr leeres, kaltes Haus eintauschen musste. Sie dachte an *The Pines* – ihr Zuhause – und versuchte, so etwas wie Zuneigung dafür aufzubringen. Doch das stärkste Gefühl, das sie für dieses Haus je empfunden hatte, war Stolz auf dessen Erhabenheit – und die bedeutete ihr mittlerweile nicht mehr so viel. Was nützten einem die großen, kalten Räume? Sie hatte sich an ihre kuschelige, geblümte Zelle gewöhnt, wo alles griffbereit war.

Giles würde das natürlich nie verstehen. Er schwärmte für dieses Haus, wie sie es vermutlich niemals könnte.

»Ich freue mich schon so sehr darauf, dich wieder zu Hause zu haben«, hatte er am Nachmittag gesagt und ihre Hand gehalten. »Du und das Baby, daheim in *The Pines*. Das wird bestimmt … genau so, wie ich es mir immer vorgestellt habe.« Da war sie doch leicht überrascht gewesen. Fast neidisch. Giles hatte offensichtlich ein klares Bild davon vor Augen, wie sein Leben mit einem Baby aussehen würde. Sie dagegen konnte immer noch kaum glauben, dass es tatsächlich passierte.

Während ihrer gesamten Schwangerschaft hatte sie sich das Leben mit einem Kind nicht vorstellen können. Die Logik hatte ihr gesagt, dass sie ein Baby bekommen würde, und manchmal hatte sie sich vorgestellt, wie sie den schicken Kinderwagen schob oder das Moseskörbchen schaukelte. Sie hatte sich die neuen, weißen Babyschlafsäcke angesehen und sich gesagt, dass bald schon ein lebendiges kleines Kind darin stecken würde. Trotzdem kam ihr nichts davon real vor.

Und jetzt schien ihr die Vorstellung, mit Lucia allein zu Hause zu sein, genauso irreal. Sie knipste ihr Nachtlicht an, betrachtete Lucias schlafendes Gesicht und schenkte sich ein Glas Wasser ein.

»Können Sie nicht schlafen?« Eine junge Hebamme schob ihren Kopf hinter dem Vorhang hervor. »Bestimmt freuen Sie sich schon, dass Sie morgen nach Hause dürfen.«

»Und wie«, sagte Maggie und rang sich ein Lächeln ab. »Kann es kaum erwarten.«

Die Hebamme verschwand, und sie starrte trübsinnig in ihr Wasserglas. Sie konnte niemandem erzählen, wie ihr wirklich zumute war. Sie konnte niemandem erzählen, dass sie Angst hatte, in ihr eigenes Haus zurückzukehren, mit ihrem eigenen Baby. Man würde sie für total verrückt halten. Was sie ja vielleicht auch war.

Spätnachts schreckte Candice auf und starrte ins Dunkel ihres Zimmers. Einen Moment konnte sie sich nicht erklären, was sie geweckt haben mochte. Dann hörte sie Geräusche aus der Küche. Oh, mein Gott, dachte sie: Einbrecher. Ganz still lag sie da, mit pochendem Herzen. Dann stieg sie langsam und ganz leise aus dem Bett, zog einen Morgenmantel über und öffnete vorsichtig ihre Zimmertür.

Das Küchenlicht brannte. Seit wann machten Einbrecher denn das Licht an? Sie zögerte, dann tappte sie eilig auf den Flur hinaus. Als sie in die Küche kam, blieb sie erschrocken stehen. Heather saß am Tisch, mit einem Kaffeebecher in der Hand, inmitten von Druckfahnen des *Londoner*. Als Candice dastand und sie ansah, blickte sie auf, mit angespannter, sorgenvoller Miene.

»Hi«, sagte sie und widmete sich gleich wieder dem, was sie da las.

»Hi«, sagte Candice und starrte sie an. »Was machst du? Du wirst doch wohl nicht arbeiten, oder?«

»Ich hatte was vergessen«, sagte Heather mit Blick auf die Druckfahnen. »Total vergessen.« Sie rieb sich die roten Augen. »Ich habe mir diese Seiten hier mitgenommen, um am Wochenende daran zu arbeiten, und hab sie total vergessen. Wie konnte ich nur so *blöd* sein?«

»Ach … mach dir keine Sorgen!«, sagte Candice beruhigend. »Davon geht die Welt nicht unter!«

»Ich muss bis morgen noch fünf Seiten überarbeiten!«, sagte Heather und klang ziemlich verzweifelt. »Und dann muss ich alle Korrekturen in den Computer eingeben, bevor Alicia kommt! Ich habe ihr versprochen, dass sie fertig sind!«

»Das versteh ich nicht«, sagte Candice und sank auf einen Stuhl. »Wieso hast du so viel zu tun?«

»Ich hänge hinterher«, sagte Heather. Sie nahm einen Schluck Kaffee und zuckte mit den Schultern. »Alicia hat mir einen Haufen Zeug zu tun gegeben, und ich … ich weiß nicht, vielleicht bin ich einfach nicht so schnell wie alle anderen. Vielleicht sind alle anderen aber auch nur schlauer als ich.«

»Quatsch!«, sagte Candice sofort. »Ich rede mal mit Alicia.« Sie hatte Alicia schon immer gemocht, die ernste Schlussredakteurin. Irgendwann hatten sie sogar mal überlegt, ob sie zusammenziehen wollten.

»Nein, lieber nicht«, meinte Heather. »Sie sagt bestimmt nur …« Sie kam ins Stocken, und es wurde totenstill in der Küche. Nur die elektrische Uhr tickte.

»Was?«, fragte Candice. »Was sagt sie bestimmt nur?«

»Sie sagt bestimmt nur, dass ich den Job von vornherein gar nicht hätte kriegen sollen«, sagte Heather bedrückt.

»Was?« Candice lachte. »So was würde Alicia nie sagen!«

»Das hat sie schon«, sagte Heather. »Sie hat es schon mehrfach gesagt.«

»Ist das dein Ernst?« Candice war fassungslos. Heather erwiderte den Blick, als überlegte sie, ob sie weiterreden sollte, dann seufzte sie.

»Anscheinend hat sich auch eine Freundin von ihr um den Job beworben. Irgendein Mädchen mit zwei Jahren Erfahrung bei einer anderen Zeitschrift. Und ich wurde ihr vorgezogen. Alicia war etwas genervt.«

»Oh.« Verunsichert rieb Candice an ihrer Nase herum. »Davon wusste ich nichts.«

»Also darf sie nicht erfahren, dass ich hinterherhänge. Ich muss es einfach irgendwie … hinkriegen.« Heather strich ihre Haare aus dem Gesicht und trank von ihrem Kaffee. »Geh wieder ins Bett, Candice. Ehrlich.«

»Ich kann dich doch hier jetzt nicht so sitzen lassen!«, sagte Candice. Sie nahm eine Druckfahne in die Hand, die voller roter Korrekturen war, dann legte sie sie wieder weg. »Ich habe ein ganz schlechtes Gewissen. Ich hatte ja keine Ahnung, dass du so unter Druck stehst.«

»Es geht schon, wirklich. Solange ich das alles bis morgen früh fertig habe …« Heathers Stimme bebte leicht. »Es wird schon gehen.«

»Nein«, sagte Candice wild entschlossen. »Komm schon, das ist doch lächerlich! Ich nehme dir was von der Arbeit ab. Ich brauche damit nicht halb so lange wie du.«

»Wirklich? Das würdest du tun?« Flehentlich blickte Heather zu ihr auf. »Ach Candice …«

»Ich geh früher hin und arbeite die Korrekturen gleich ein. Was meinst du dazu?«

»Aber …« Heather schluckte. »Wird Alicia nicht merken, dass du mir geholfen hast?«

»Wenn ich fertig bin, schick ich die Seiten rüber auf dein Terminal. Dann kannst du sie ausdrucken.« Candice grinste sie an. »Ganz einfach.«

»Candice, du bist die Beste«, sagte Heather und sank auf ihren Stuhl. »Nur dieses eine Mal. Versprochen.«

»Kein Problem«, sagte Candice und lächelte sie an. »Wozu hat man denn Freunde?«

Am nächsten Tag war sie schon in aller Herrgottsfrühe bei der Arbeit und ging geduldig die Seiten durch, die Heather zur Korrektur bekommen hatte. Sie brauchte länger als erwartet, und es war elf Uhr, bis sie die letzte Seite fertig hatte. Sie warf einen Blick zu Heather hinüber, hielt beide Daumen hoch und drückte die entsprechende Taste, um die Seite auf Heathers Computer rüberzumailen. Hinter sich hörte sie Alicia sagen: »Diese Seite ist auch in Ordnung. Sehr gut, Heather!«

Candice grinste und griff nach ihrem Becher Kaffee. Sie kam sich vor wie ein Schulkind, das die Lehrer ausgetrickst hatte.

»Candice?« Sie blickte auf, als sie Justins Stimme hörte, und sah ihn in der Tür zu seinem Büro stehen, geschniegelt wie immer. Nachdenklich runzelte er die Stirn, was er vermutlich vor dem Badezimmerspiegel geübt hatte. Nachdem sie mit Justin zusammengelebt und seine Eitelkeit aus nächster Nähe erlebt hatte, konnte sie seine einstudierten Mienen nicht mehr ernst nehmen. Im Grunde nahm sie ihn als Chefredakteur sowieso kaum ernst. Er konnte sich aufspielen und so viele ellenlange Worte um sich werfen, wie er wollte, und wäre trotzdem als Redakteur nie auch nur halb so gut wie Maggie. Er mochte einen großen Wortschatz haben und den *maître* im Boodles kennen, aber von Menschen hatte er keine Ahnung.

Mal wieder staunte sie, dass sie auf Justins Pomp hereingefallen war, dass sie allen Ernstes geglaubt hatte, sie würde ihn lieben. Es zeigte doch nur mal wieder, welch heimtückischen Einfluss gutes Aussehen auf die Urteilsfähigkeit anderer nehmen konnte. Wäre er nicht so attraktiv gewesen, hätte sie vielleicht von Anfang an besser auf seinen Charakter geachtet und früher gemerkt, was für ein Egoist er war, bei allem eloquenten, oberflächlichen Charme.

»Was gibt's?«, sagte sie, erhob sich widerwillig von ihrem Stuhl und steuerte auf sein Büro zu. Auch in dieser Hinsicht war Justin ihrer Meinung nach Maggie als Chef weit unterlegen. Wenn Maggie etwas zu sagen hatte, kam sie und sagte es. Justin dagegen schien es zu genießen, wenn er in seinem kleinen Büro Hof halten konnte, wenn das Personal der Zeitschrift wie ein Schwarm treuer Lakaien zu ihm gebuckelt kam. Sie sehnte sich förmlich nach Maggie zurück.

»Candice, ich warte immer noch auf die Liste mit den Kurzbiografien, die du mir versprochen hast«, sagte Justin, als sie Platz nahm. Er hatte sich hinter seinen Schreibtisch zurückgezogen und blickte mürrisch aus dem Fenster, als würde er für ein Modemagazin fotografiert.

»Ach ja«, sagte sie und spürte, wie sie vor Ärger rot anlief. Es war wohl zu erwarten, dass Justin ihr von nun an jeden kleinsten Fehler unter die Nase reiben würde. Sie hatte die Liste am Morgen schreiben wollen, aber Heathers Seiten waren wichtiger gewesen. »Mach ich gleich«, sagte sie.

»Hmm.« Er drehte sich mit seinem Stuhl herum und sah sie an. »Es ist nicht das erste Mal, dass du spät dran bist, oder?«

»Doch, ist es!«, sagte Candice entrüstet. »Und es ist nur eine Liste. Es ist doch kein Leitartikel für die Titelseite.«

»Hmm.« Nachdenklich musterte Justin sie, und Candice spürte, dass sie vor Wut ganz starr wurde.

»Und wie gefällt dir deine Aufgabe als kommissarischer Chefredakteur?«, fragte sie, um das Thema zu wechseln.

»Sehr gut«, sagte Justin und nickte feierlich. »Wirklich sehr gut.« Er setzte seine Ellenbogen auf den Schreibtisch und drückte die Fingerspitzen aneinander. »Ich sehe mich hier als …«

»Daniel Barenboim«, sagte Candice, bevor sie es verhindern konnte, und verkniff sich ein Lachen. »Entschuldige«, flüsterte sie.

»Troubleshooter«, sagte Justin und warf ihr einen ärgerlichen Blick zu. »Ich beabsichtige, eine Reihe von Stichproben durchzuführen, um systeminterne Probleme zu lokalisieren.«

»Was für Probleme denn?«, sagte Candice. »*Gibt* es denn systeminterne Probleme?«

»Ich analysiere die Herstellung dieser Zeitschrift, seit ich hier die Macht übernommen habe …«

Die Macht!, dachte Candice verächtlich. Als Nächstes krönte er sich zum Kaiser.

»… und mir sind mehrere Pannen aufgefallen, die Maggie offenbar noch gar nicht bemerkt hat.«

»Tatsächlich?« Candice verschränkte die Arme und schenkte ihm den unbeeindrucktesten Blick, den sie zustande brachte. »Du meinst also, du bist nach zwei Wochen ein besserer Chefredakteur als Maggie.«

»Das habe ich nicht gesagt.« Justin tat, als überlegte er. »Wie wir alle wissen, besitzt Maggie außerordentliche Talente und Qualitäten …«

»Ja, nun, Ralph scheint auch dieser Ansicht zu sein«, warf Candice loyalerweise ein. »Immerhin hat er ihr eine Magnum-Flasche Champagner geschickt.«

»Das kann ich mir vorstellen«, sagte Justin und lehnte sich bequem auf seinem Sessel zurück. »Du weißt, dass er sich in zwei Wochen zur Ruhe setzt?«

»Bitte?«

»Ich habe es gerade heute Morgen gehört. Offenbar möchte er mehr Zeit mit seiner Familie verbringen«, sagte Justin. »Es sieht also danach aus, als würden wir einen neuen Chef bekommen. Anscheinend soll sein ältester Sohn übernehmen. Nächste Woche will er uns alle kennenlernen.«

»Ach, du Schande«, sagte Candice erschrocken. »Ich hatte ja keine Ahnung, dass das überhaupt im Gespräch war.« Sie runzelte die Stirn. »Weiß Maggie davon?«

»Das möchte ich bezweifeln«, sagte Justin leichthin. »Wieso sollte sie? Sie hat ganz andere Sorgen.« Er nahm einen Schluck Kaffee, dann warf er einen Blick über ihre Schulter hinweg durch die Glasscheibe ins Redaktionsbüro. »Diese Freundin von dir macht sich übrigens gut.«

»Wer, Heather?«, fragte Candice und leuchtete vor Stolz. »Ja, sie ist gut, nicht? Hab ich dir doch gesagt.« Sie wandte sich um, folgte Justins Blick, sah Heather und lächelte.

»Neulich kam sie mit einer ausgezeichneten Idee für einen Artikel zu mir«, sagte Justin. »Ich war beeindruckt.«

»Ach ja?«, sagte Candice und wandte sich ihm interessiert zu. »Was denn für eine Idee?«

»Late Night Shopping«, sagte Justin. »Wir ziehen es ganz groß auf.«

»Was?« Candice starrte ihn nur an.

»Wir bringen es in der Lifestyle-Rubrik. Schicken einen Fotografen in ein Einkaufszentrum, interviewen ein paar Shopper ...« Fragend betrachtete Justin ihre verblüffte Miene. »Was ist denn? Findest du die Idee nicht gut?«

»Doch, natürlich!«, rief Candice und merkte, wie ihr ganz heiß wurde. »Aber ...« Sie stockte. Was konnte sie sagen, ohne dass es so aussah, als wollte sie Heather Schwierigkeiten machen?

»Was?«

»Nichts«, sagte Candice langsam. Sie drehte sich um und sah durch die Scheibe, aber Heather war nicht mehr da. »Das ... das ist eine tolle Idee.«

Heather stand mit Kelly, der Redaktionssekretärin, bei der Kaffeemaschine. Kelly war ein sechzehnjähriges Mädchen mit langen, knochigen Beinen und einem schmalen Gesicht mit leuchtenden Augen. Und sie war stets begierig auf den neuesten Klatsch und Tratsch.

»Du hattest heute Morgen viel zu tun«, sagte sie und drückte auf den Knopf für die heiße Schokolade. »Ich hab gesehen, dass du wie wild getippt hast!« Heather lächelte, dann lehnte sie sich an die Kaffeemaschine. »Du hast Candice haufenweise Zeugs geschickt, stimmt's?«, fügte Kelly hinzu.

Abrupt blickte Heather auf.

»Ja«, sagte sie vorsichtig. »Woher weißt du das?«

»Ich hab deine E-Mails bimmeln hören!«, sagte Kelly. »Den ganzen Morgen habt ihr zwei hin- und hergebimmelt!« Sie lachte fröhlich und nahm ihren Styroporbecher mit der heißen Schokolade.

»Das stimmt«, sagte Heather nach einem Moment. »Das hast du gut beobachtet.« Sie drückte den Knopf für Milchkaffee. »Weißt du, worum es bei diesen vielen E-Mails ging?«, fragte sie leise.

»Worum denn?«, fragte Kelly interessiert.

»Candice meint, ich soll ihr alles rüberschicken, was ich mache, damit sie es checken kann«, flüsterte Heather. »Jedes einzelne Wort, das ich schreibe.«

»Du machst Witze!«, sagte Kelly. »Warum tut sie das?«

»Ich weiß nicht«, sagte Heather. »Wahrscheinlich findet sie, dass ich es allein nicht kann oder so …«

»Die hat ja Nerven!«, sagte Kelly. »Das würde ich mir nicht gefallen lassen.« Sie pustete an ihrer heißen Schokolade. »Ich hab diese Candice noch nie so richtig gemocht.«

»Wirklich?«, sagte Heather und rückte etwas näher heran.

»Kelly, was machst du eigentlich heute in der Mittagspause?«

Roxanne saß mit Ralph an ihrem kleinen Esstisch und
blickte ihn über ihren Berg von Bœuf Stroganoff hinweg
vorwurfsvoll an.

»Du musst aufhören, mir so leckeres Essen zu kochen!«,
sagte sie. »Sonst werde ich noch dick und rund.«

»Blödsinn«, sagte Ralph, nahm einen Schluck Wein und
strich mit der Hand an Roxannes Oberschenkel entlang.
»Sieh dir das an. Du bist perfekt.«

»Du hast leicht reden«, sagte Roxanne. »Du hast mich
nicht im Bikini gesehen.«

»Ich habe dich schon in viel weniger als einem Bikini gesehen.« Ralph grinste sie an.

»Am Strand, meine ich!«, sagte Roxanne ungeduldig.
»Neben all den Fünfzehnjährigen. Auf Zypern war alles voll
davon. Schrecklich dürre Dinger mit langen Beinen und
riesigen, rehbraunen Augen.«

»Ich steh nicht auf braune Augen«, sagte Ralph entgegen-
kommend.

»Du hast selbst braune Augen«, erinnerte ihn Roxanne.

»Ich weiß. Steh ich trotzdem nicht drauf.«

Roxanne lachte und lehnte sich auf ihrem Stuhl zurück,
hob ihre Füße an und legte sie auf Ralphs Schoß. Als er anfing, sie zu massieren, spürte sie, dass ihr Herz den nächsten kleinen Hüpfer machte – vor Hoffnung, vor Aufregung.
Ralph hatte dieses Treffen unerwartet arrangiert. Vor ein
paar Tagen hatte er sie mit einem Blumenstrauß überrascht.
Sie bildete es sich nicht ein – er benahm sich tatsächlich
anders. Seit sie von Zypern zurück war, hatte er sich verändert. Hoffnung sprudelte in Roxanne wie Brausepulver

167

in einem Glas Limonade, und sie spürte, wie sich ein Lächeln auf ihrem Gesicht ausbreitete.

»Wie war denn deine Reise überhaupt?«, fügte er hinzu, während er ihre Zehen streichelte. »Ich habe noch gar nicht gefragt. Wie immer?«

»Mehr oder weniger«, sagte Roxanne. Sie griff nach ihrem Weinglas und nahm einen großen Schluck. »Aber du glaubst nicht, was passiert ist: Nico Georgiu hat mir einen Job angeboten.«

»Einen Job?« Ralph starrte sie an. »Auf Zypern?«

»In dieser neuen Hotelanlage, die er gerade baut. Marketing Manager oder so.« Roxanne schüttelte ihr Haar und sah Ralph provozierend an. »Er bietet mir einen guten Deal. Was meinst du? Soll ich annehmen?«

Im Laufe der Jahre hatte sie ihn mit so etwas schon oft geärgert. Sie sprach von Jobs in Schottland, in Spanien, in Amerika – manche echt, andere erfunden. Zum Teil tat sie es aus Spaß und zum Teil, weil sie ihm dringend vor Augen führen wollte, dass sie sich bewusst und nicht aus Mangel an Gelegenheit dafür entschieden hatte, bei ihm zu bleiben. Wenn sie ganz ehrlich mit sich war, hatte sie ihm in letzter Zeit auch wehtun wollen. Sie wollte sehen, wie er ein langes Gesicht machte, wie er für einen kurzen Moment diesen Schmerz spürte, den sie jedes Mal empfand, wenn er sie allein ließ.

Heute jedoch war es beinah ein Test. Eine Herausforderung. Eine Möglichkeit, ihn dazu zu bewegen, dass er wieder über die Zukunft sprach.

»Er hat mir sogar eine Kiste mit Tangerinen geschickt«, fügte sie hinzu und deutete auf die Obstschale, in der sich eine orangefarbene Pyramide stapelte. »Es muss ihm also ernst sein. Was meinst du?«

Sie dachte, er würde lächeln und sagen: »Na, das kann er

sich abschminken«, wie er es normalerweise tat. Sie wünschte sich, er würde ihre Hände nehmen und sie küssen und noch einmal fragen, wo sie in einem Jahr sein wollte. Doch Ralph tat weder das eine noch das andere. Er starrte sie nur an wie eine Fremde – dann schließlich räusperte er sich und sagte: »Willst du das Angebot denn annehmen?«

»Du meine Güte, Ralph!«, sagte Roxanne, und die Enttäuschung ließ ihre Stimme scharf klingen. »Ich mach doch nur Witze! Selbstverständlich will ich das Angebot *nicht* annehmen!«

»Warum nicht?« Er beugte sich vor und betrachtete sie mit einem seltsamen Ausdruck im Gesicht. »Wäre das denn kein guter Job?«

»Ich weiß es nicht!«, rief Roxanne. »Wenn du mich so fragst, wäre der Job bestimmt ganz toll.« Sie griff sich ihre Zigaretten. »Sie wollen mich unbedingt haben. Wusstest du, dass sie mir sogar ein Haus zur Verfügung stellen würden?« Sie zündete ihre Zigarette an und musterte ihn durch den Rauch. »Ich kann mich nicht erinnern, dass mir irgendjemand bei Allsopp Publications jemals ein Dach über dem Kopf angeboten hätte.«

»Und … was hast du ihnen geantwortet?«, fragte Ralph und faltete die Hände wie zum Gebet. »Wie seid ihr verblieben?«

»Ach, das Übliche«, sagte Roxanne. »Danke, aber nein danke.«

»Du hast also abgelehnt.«

»Selbstverständlich habe ich abgelehnt!«, sagte Roxanne und stieß ein kleines Lachen aus. »Warum? Findest du, ich hätte zusagen sollen?«

Er blieb still, und Roxanne starrte ihn an. Als sie Ralphs verkniffene Miene bemerkte, wurde ihr innerlich ganz kalt.

»Du machst Witze«, sagte sie und versuchte zu lächeln. »Du meinst, ich hätte zusagen sollen?«

»Vielleicht wird es Zeit, dass du weiterziehst. Eine dieser Möglichkeiten wahrnimmst.« Mit zitternder Hand griff Ralph nach seinem Weinglas und nahm einen Schluck. »Ich habe dich schon viel zu lange aufgehalten. Ich stehe dir im Weg.«

»Ralph, sei nicht albern!«

»Ist es zu spät, um sich noch dafür zu entscheiden?« Ralph blickte auf. »Könntest du immer noch zu ihnen gehen und sagen, dass du Interesse an dem Job hast?«

Schockiert starrte Roxanne ihn an und kam sich vor, als hätte er ihr ins Gesicht geschlagen.

»Ja«, sagte sie schließlich. »Ich glaube schon, theoretisch …« Sie schluckte und strich sich die Haare aus dem Gesicht, konnte kaum glauben, dass sie dieses Gespräch führten. »Willst du mir damit sagen, dass ich es tun sollte? Möchtest … möchtest du, dass ich diesen Job annehme?« Ihre Stimme brach. »Ralph?«

Er schwieg, dann sah er sie an.

»Ja«, sagte er. »Das möchte ich. Ich glaube, du solltest ihn annehmen.«

Die Stille war erdrückend. Es ist ein böser Traum, dachte Roxanne. Es ist ein beschissener, böser Traum.

»Ich … ich verstehe nicht«, sagte sie schließlich und versuchte, die Ruhe zu bewahren. »Ralph, was ist los? Du hast von unserer gemeinsamen Zukunft gesprochen. Vom Strand in der Karibik!«

»Nicht ich – du.«

»Du hast mich danach *gefragt*!«, sagte Roxanne wütend. »Gottverdammt!«

»Ich weiß es ja. Aber das war … Träumerei. Kindische

Träumerei. Das hier ist das echte Leben. Und ich finde, wenn sich dir eine Gelegenheit bietet, nach Zypern zu gehen, solltest du sie annehmen.«

»Scheiß auf die Gelegenheit!« Sie war den Tränen nah und schluckte. »Was wird aus dir und mir? Was wird aus *der* Gelegenheit?«

»Es gibt da etwas, das ich dir erzählen muss«, sagte Ralph abrupt. »Es gibt da etwas, das … deine und meine Situation verändert.« Er stand auf, trat ans Fenster. Nach einer Weile drehte er sich wieder um. »Ich werde mich zur Ruhe setzen, Roxanne«, sagte er, ohne zu lächeln. »Auf dem Land. Ich möchte mehr Zeit mit meiner Familie verbringen.«

Roxanne starrte in seine braunen Augen. Erst begriff sie nicht, was er da sagte. Als ihr dann klar wurde, was das bedeutete, stach es sie mitten ins Herz.

»Du meinst, es ist aus«, flüsterte sie, und plötzlich war ihr Mund ganz trocken. »Du meinst, du hast deinen Spaß gehabt. Und jetzt willst du lieber wieder … trautes Heim spielen.«

Schweigen.

»Wenn du es so ausdrücken möchtest«, sagte Ralph schließlich. Er sah ihr in die Augen und wandte sich schnell wieder ab.

»Nein«, sagte Roxanne, als sie merkte, dass sie am ganzen Körper zitterte. »Nein, ich lass dich nicht gehen. Das darfst du nicht.« Sie warf ihm ein verzweifeltes Lächeln zu. »Es kann doch nicht vorbei sein. Nicht einfach so.«

»Du wirst nach Zypern gehen«, sagte Ralph mit bebender Stimme. »Du wirst nach Zypern gehen und dir ein wunderbares neues Leben aufbauen. Weit weg von … allem hier.« Er rieb sich über die Stirn. »Es ist das Beste so, Roxanne.«

»Du willst nicht, dass ich nach Zypern gehe. Du meinst es

gar nicht so. Sag mir, dass du es nicht so meinst.« Ihr wurde fast schwindlig, als würde sie jeden Moment die Fassung verlieren. Gleich würde sie flehend vor ihm auf die Knie fallen. »Du machst Witze.« Sie schluckte. »Machst du Witze?«

»Nein, Roxanne. Ich mache keine Witze.«

»Aber du liebst mich.« Ihr Lächeln wurde immer breiter. Tränen liefen über ihre Wangen. »Du liebst mich doch, Ralph.«

»Ja«, sagte Ralph mit erstickter Stimme. »Das stimmt. Ich liebe dich, Roxanne. Vergiss das nie.«

Er trat vor, nahm ihre Hände und presste sie an seine Lippen. Ohne ein Wort drehte er sich um, nahm seinen Mantel vom Sofa und ging.

Wie betäubt vor Schmerz sah Roxanne ihn gehen, hörte, wie die Wohnungstür ins Schloss fiel. Einen Moment lang saß sie schweigend da, totenblass und bebend, als müsste sie sich gleich übergeben. Dann nahm sie mit zitternder Hand ein Kissen, hielt es sich mit beiden Händen vors Gesicht und schrie hinein.

Kapitel Elf

Maggie lehnte sich an den Zaun und schloss die Augen, atmete die saubere Landluft. Es war Vormittag, der Himmel hellblau. Eine Vorahnung des Sommers lag in der Luft. In ihrem früheren Leben hätte das Wetter sie aufgerichtet. Sie hätte neue Kraft daraus gezogen. Aber heute, wie sie hier auf ihrem Grund und Boden stand und das Baby neben ihr im Kinderwagen schlief, war sie nur fix und fertig.

Sie war blass, dünnhäutig und ständig den Tränen nah – und sie fühlte sich von dem ewigen Schlafmangel völlig ausgelaugt. Lucia weckte sie alle zwei Stunden, wollte gefüttert werden. Sie konnte sie nicht im Bett stillen, weil Giles mit seinem anstrengenden Job den Schlaf brauchte. Und so kam es ihr vor, als säße sie die ganze Nacht im Schaukelstuhl im Kinderzimmer, nickte ein, während Lucia trank, und schreckte hoch, sobald das Baby wieder schrie. Wenn dann der Morgen graute, raffte sie sich auf und tappte benommen ins Schlafzimmer, mit Lucia im Arm.

»Guten Morgen!«, sagte Giles dann und strahlte sie verschlafen vom großen Doppelbett aus an. »Wie geht es meinen zwei Mädels?«

»Gut«, antwortete Maggie dann jeden Morgen, ohne näher darauf einzugehen. Wozu auch? Schließlich konnte Giles Lucia weder stillen noch dafür sorgen, dass sie schlief. Und Maggie zog eine gewisse trotzige Zufriedenheit aus ihrer Weigerung, sich zu beklagen. Aus ihrer Fähigkeit, zu lächeln und Giles zu sagen, dass alles ganz wunderbar laufe.

Und er glaubte ihr sogar. Sie hatte ihn am Telefon gehört, wie er seinen Freunden mit stolzgeschwellter Brust erzählt hatte, dass Maggie die geborene Mutter sei. Dann kam er zu ihr, küsste sie liebevoll und sagte, alle staunten nur so, wie gut sie ihre Sache machte und dass alles so reibungslos lief. »Mutter des Jahres!«, sagte er eines Abends. »Hab ich doch gewusst!« Seine Begeisterung für sie war unübersehbar. Die wollte sie ihm nicht verderben.

Also reichte sie ihm Lucia nur und ließ sich von der tröstlichen Wärme des Bettes umfangen, wollte fast weinen vor Erleichterung. Diese halbe Stunde jeden Morgen war ihre Rettung. Wenn sie sah, wie Giles mit Lucia spielte und sich ihre Blicke über den kleinen, flaumigen Kopf hinweg trafen, wurde ihr ganz warm ums Herz – diese Liebe war so stark, dass es fast wehtat.

Dann zog Giles sich an, gab beiden einen Kuss und machte sich auf den Weg zur Arbeit. Der Rest des Tages gehörte ihr. Stunde um Stunde hatte sie nichts anderes zu tun, als sich um ein kleines Kind zu kümmern. Es klang lächerlich einfach.

Warum also war sie so müde? Warum fiel ihr alles so schwer? Sie fühlte sich, als würde sich der Nebel der Erschöpfung nie mehr verziehen. Als würde sie weder ihre frühere Kraft noch ihren Sinn für Humor je wiederfinden. Manches, was sie vor der Geburt lediglich gestört hatte, ließ sie nun in Tränen ausbrechen. Bei kleinsten Problemen, über die sie sonst nur gelacht hätte, geriet sie nun in Panik.

Am Tag zuvor hatte sie den ganzen Morgen gebraucht, um sich und Lucia anzuziehen, in den Wagen zu bugsieren und zum Supermarkt zu fahren. Zwischendurch musste sie Lucia auf der Damentoilette stillen und hatte sich dann wieder in die Schlange eingereiht – just als Lucia zu schreien anfing. Maggie war richtig rot geworden, als sich die Leute umdrehten, und sie hatte versucht, Lucia so gut wie möglich zu beruhigen. Doch deren Geschrei war immer lauter und lauter geworden, bis der ganze Laden Maggie anstarrte. Schließlich hatte sich die Frau vor ihr umgedreht und fachkundig gesagt: »Der arme Kleine hat wohl Hunger.«

Maggie hatte die Frau nur angeschnauzt: »Es ist eine *Sie*! Und sie hat keinen Hunger! Ich habe sie eben erst gestillt!« Fast unter Tränen hatte sie Lucia aus dem Einkaufswagen gehoben und war aus dem Laden gestürmt, unter den erstaunten Blicken der Leute hinter ihr.

Wenn sie jetzt an diesen Zwischenfall dachte, hätte sie vor Scham im Boden versinken können. Was für eine Mutter war sie eigentlich, wenn sie nicht mal einen simplen Einkauf zustande brachte? Sie sah andere Frauen mit kleinen Babys ungerührt die Straße entlangschlendern, unbekümmert mit ihren Freundinnen plaudern, in Cafés sitzen, die schlafenden Kinder an ihrer Seite. Wie konnten sie so entspannt sein? Sie würde sich nie in ein Café trauen, aus Angst, dass Lucia zu schreien anfing, aus Angst vor diesen genervten, ablehnenden Blicken der Leute, die in Ruhe einen Kaffee trinken wollten. Diese Blicke, die sie selbst Müttern mit quäkenden Kindern immer zugeworfen hatte.

Sie dachte an ihr altes Leben, und es schien ihr so verlockend, dass sie sich am liebsten weinend auf den Boden geworfen hätte. Und augenblicklich, wie aufs Stichwort, fing Lucia an zu schreien – ein kleiner, klagender Schrei, fast verloren im Wind. Maggie schlug die Augen auf und merkte, wie die vertraute Müdigkeit über sie kam. Dieser durchdringende kleine Schrei verfolgte sie auf Schritt und Tritt: Sie hörte ihn im Traum, sie hörte ihn im Rauschen des Wasserkochers, sie hörte ihn im laufenden Wasserhahn, wenn sie versuchte, ein Bad zu nehmen. Sie konnte ihm nicht entkommen.

»Okay, mein Schatz«, sagte sie laut und lächelte in den Kinderwagen. »Schaffen wir dich wieder nach Hause …«

Es war Giles' Vorschlag gewesen, dass sie am Morgen einen Spaziergang mit Lucia machen sollte, und angesichts des strahlend blauen Himmels hatte sie es auch für eine gute Idee gehalten. Doch als sie nun den Kinderwagen durch den Morast zurückschieben musste, kam ihr die Landschaft eher wie ein Schlachtfeld vor. Was soll an dieser güllestinkenden Luft eigentlich so toll sein?, dachte sie und riss am Kinderwagen herum, als der an einem Brombeerbusch hängen blieb. Angesichts des ungewohnten Ruckelns fing Lucia noch erbärmlicher an zu schreien.

»Entschuldige!«, sagte Maggie atemlos. Sie riss noch mal daran, befreite das Rad und marschierte zügig zum Haus zurück. Als sie zur Hintertür kam, war ihr Gesicht schweißnass.

»Okay«, sagte sie und hob Lucia aus dem Wagen. »Dann wollen wir dich mal umziehen und füttern.«

Galt es schon als Selbstgespräch, wenn man sich mit einem vier Wochen alten Baby unterhielt?, fragte sie sich, während sie nach oben hastete. Verlor sie langsam den Verstand? Lucia schrie immer lauter, sodass Maggie den Flur zum Kinderzimmer entlanghetzte. Sie legte Lucia auf den Wickeltisch, knöpfte ihren dicken Schneeanzug auf und verzog das Gesicht. Lucias kleiner Strampler war klatschnass.

»Okay«, flötete sie. »Ich will dich nur kurz wickeln …« Fahrig fingerte sie am Strampler herum, verfluchte ihre Ungeschicklichkeit. Lucias Geschrei wurde immer lauter, kam in immer kürzeren Abständen. Dazwischen japste sie nach

Luft. Sie hatte Tränen in ihren kleinen Augenfältchen, und Maggie merkte, wie sie selbst vor lauter Stress rot anlief.

»Ich muss dich nur kurz wickeln, Lucia«, sagte sie und versuchte, die Ruhe zu bewahren. Eilig riss sie Lucias nasse Windel auf, warf sie auf den Boden und langte nach einer neuen. Aber das Regal war leer. Panik ergriff sie. Wo waren die Windeln? Plötzlich fiel ihr ein, dass sie vor dem Spaziergang die letzte verbraucht und sich vorgenommen hatte, den neuen Karton anzubrechen und den Vorrat aufzufüllen. Was sie natürlich nicht getan hatte.

»Okay«, sagte sie und strich die Haare aus ihrem Gesicht. »Okay, ganz ruhig.« Sie nahm Lucia vom Wickeltisch und legte sie auf den sicheren Boden. Lucia schrie wie am Spieß. Es war, als bohrte sich der Lärm durch Maggies Kopf.

»Lucia, bitte!«, sagte sie und merkte, dass ihre Stimme gefährlich laut wurde. »Ich hol dir nur eine neue Windel, okay? Ich mach, so schnell ich kann!«

Sie rannte den Flur entlang ins Schlafzimmer, wo sie den neuen Karton mit den Windeln abgestellt hatte, und fing an, ihn ungeduldig aufzureißen. Schließlich schaffte sie es – nur um dann festzustellen, dass die Windeln in Plastik eingeschweißt waren.

»Oh Gott!«, rief sie und riss verzweifelt an dem Plastik herum. Sie kam sich vor wie eine Kandidatin bei einer dieser grässlichen japanischen Game-Shows. Endlich bekam sie eine Windel zu fassen und riss sie heraus. Dann wetzte sie durch den Flur zurück ins Kinderzimmer, wo sich Lucia in Schreikrämpfen wand.

»Alles klar, bin schon da«, sagte Maggie atemlos. »Lass mich dir nur eben eine Windel anlegen.« Sie beugte sich über Lucia und befestigte die Windel, so schnell sie konnte – dann schleppte sie sich mit dem Baby im Arm zum

Schaukelstuhl in der Ecke. Jede Sekunde schien zu zählen, denn der Lärm, den Lucia veranstaltete, wurde immer lauter. Mit einer Hand langte sie unter ihren Pulli, um den BH aufzumachen, aber der Haken hatte sich verklemmt. Mit einem kleinen genervten Aufschrei nahm sie Lucia auf den Schoß und langte auch mit der anderen Hand unter ihren Pulli, um den Haken zu lösen, wobei sie sich alle Mühe gab, die Ruhe zu bewahren. Lucias Schreie wurden immer höher und kamen in immer kürzeren Abständen, als hätte jemand eine Schallplatte schneller gestellt.

»Moment noch!«, rief Maggie und riss hilflos an dem Haken herum. »Ich mach ja schon, so schnell ich kann.« Inzwischen schrie sie. »Lucia, sei still! Bitte sei still! Ich bin gleich so weit!«

»Es gibt keinen Grund, die Kleine anzuschreien, meine Liebe«, hörte sie eine Stimme von der Tür her.

Erschrocken blickte Maggie auf – und als sie sah, wer es war, merkte sie, wie blass sie wurde. Dort stand – mit abschätzig verkniffenem Mund – Paddy Drakeford und beobachtete sie.

Mit einem Becher Kaffee in der Hand starrte Candice ihren Bildschirm an, über die Schulter des Computerfachmanns hinweg, und versuchte, ein intelligentes Gesicht zu machen.

»Hm«, machte der Mann schließlich und blickte auf. »Haben Sie schon mal ein Virenschutzprogramm installiert?«

»Äh … ich bin mir nicht sicher«, sagte Candice und wurde rot. »Glauben Sie, das ist es? Ein Virus?«

»Schwer zu sagen«, meinte der Mann und drückte ein paar Tasten. Heimlich warf Candice einen Blick auf ihre Uhr. Es war schon halb zwölf. Sie hatte einen Computerfachmann bestellt und gedacht, er würde ihren Rechner mal

eben schnell reparieren, aber er war vor einer Stunde angekommen, hatte losgetippt und machte inzwischen den Eindruck, als richtete er sich darauf ein, den Rest des Tages
zu bleiben. Sie hatte Justin schon Bescheid gegeben, dass
sie sich verspäten würde, und er hatte missbilligend »ge-
hmmt«.

»Heather bittet dich übrigens, ihren blauen Ordner mit-
zubringen«, hatte er hinzugefügt. »Möchtest du sie sprechen? Sie ist hier.«

»Nein, ich … ich hab gerade zu tun«, hatte Candice eilig
gesagt. Sie hatte schnell aufgelegt und sich mit klopfendem
Herzen hingesetzt. Langsam wurde es lächerlich. Sie musste ihre Gedanken ordnen und diese aufkeimenden Zweifel
an Heather abschütteln.

Äußerlich gingen Heather und sie so herzlich miteinander um wie eh und je, aber innerlich war Candice verunsichert. Hatten die anderen recht? Nutzte Heather sie aus?
Nach wie vor zahlte sie keine Miete und hatte es bisher auch
nicht angeboten. Sie hatte sich kaum für die viele Arbeit bedankt, die Candice für sie erledigte. Und sie hatte – Candice
schluckte –, sie hatte dreist ihre Idee für diesen Artikel übers
Late Night Shopping geklaut und als ihre eigene verkauft.

Candice wurde ganz flau, und sie schloss die Augen. Sie
wusste, dass sie Heather offen damit konfrontieren sollte.
Sie sollte das Thema ansprechen, freundlich und entschlossen, und sich anhören, was Heather dazu zu sagen hatte.
Vielleicht – so argumentierte eine Stimme in ihr – war das
alles nur ein Missverständnis. Vielleicht war Heather einfach nicht klar gewesen, dass man fremde Ideen nicht als
die eigenen ausgab. Es war kein großes Ding – Candice
musste es nur deutlich sagen und abwarten, wie Heather
darauf reagierte.

Aber sie brachte es irgendwie nicht fertig. Die Vorstellung, Heather zu beschuldigen, vielleicht sogar in einen Streit darüber zu geraten, war ihr ein Gräuel. Es lief doch alles so gut zwischen ihnen – wollte sie denn wirklich wegen einer klitzekleinen Idee ein größeres Zerwürfnis riskieren?

Und so hatte sie mehr als eine Woche lang nichts dazu gesagt und versucht, die ganze Sache zu vergessen. Doch das flaue Gefühl im Magen wollte nicht vergehen.

»Laden Sie manchmal was aus dem Internet herunter?«, fragte der Computerfachmann.

»Nein«, sagte Candice und schlug die Augen auf. Dann überlegte sie einen Moment. »Oder doch. Ich habe es mal probiert, aber es funktionierte nicht richtig. Macht das was?«

Der Mann schnaubte, und sie kaute auf ihrer Lippe, kam sich blöd vor. Da klingelte es an der Wohnungstür, und sie seufzte erleichtert.

»Entschuldigen Sie«, sagte sie. »Bin gleich wieder da.«

Draußen auf dem Flur stand Ed in einem alten T-Shirt, mit Shorts und Espadrilles.

»Okay …«, sagte er ohne jede Einleitung. »Erzähl mir was von deiner Mitbewohnerin.«

»Da gibt es nichts zu erzählen«, sagte Candice und wurde unwillkürlich rot. »Sie … wohnt einfach bei mir. Wie Mitbewohnerinnen das so machen.«

»Das weiß ich. Aber woher kommt sie? Wie ist sie so?« Ed schnüffelte an Candice vorbei. »Ist das Kaffee?«

»Ja.«

»Eure Wohnung riecht immer so gut«, sagte Ed. »Wie ein Coffee Shop. Bei mir riecht es nach alter Wäsche.«

»Putzt du denn nie?«

»Das macht irgendeine Frau.« Er beugte sich weiter in

die Wohnung vor und schnüffelte sehnsuchtsvoll. »Komm schon, Candice! Spendier mir einen Kaffee!«

»Na gut«, sagte Candice. »Komm rein.« Da musste sie wenigstens nicht wieder zu dem Computermann zurück.

»Heute früh habe ich deine Freundin ohne dich zur Arbeit gehen sehen«, sagte Ed, als er ihr in die Küche folgte, »und ich dachte sofort: Ah! Kaffeeklatsch!«

»Hast du heute denn nichts vor?«, fragte Candice. »Keine Immobilien zu besichtigen? Gibt es nichts im Fernsehen?«

»Reib es mir nicht auch noch unter die Nase!«, sagte Ed. Er nahm den Salzstreuer und klopfte damit gegen seine Hand. »Diese verdammte Freistellung macht mich wahnsinnig.«

»Was ist denn los?«, fragte Candice wenig mitfühlend.

»Mir ist langweilig!« Er stellte den Salzstreuer auf den Kopf und schrieb »Ed« ins Salz auf dem Tisch. »Langweilig, langweilig, langweilig!«

»Offenbar kannst du mit dir nichts anfangen«, sagte Candice und nahm ihm den Salzstreuer aus der Hand.

»Stimmt«, sagte Ed. »Kein bisschen. Gestern war ich im Museum. Im *Museum*. Ist das zu fassen?«

»In welchem?«, fragte Candice.

»Keine Ahnung«, sagte Ed. »Eins mit weichen Bänken.« Candice betrachtete ihn einen Moment, dann verdrehte sie die Augen und wandte sich ab, um Wasser nachzufüllen. Ed grinste und fing an, sich in der Küche umzusehen.

»Wer ist denn dieses Kind da?«, fragte er mit einem Blick auf ein Foto an der Pinnwand.

»Das ist der kambodschanische Junge, den ich unterstütze«, sagte Candice und griff nach dem Kaffee.

»Wie heißt er?«

»Pin Fu. Ju«, verbesserte sie sich. »Pin Ju.«

»Schickst du ihm Weihnachtsgeschenke?«

»Nein. Das gilt nicht als besonders hilfreich.« Candice schüttete Kaffee in die Cafetière. »Außerdem will er keinen westlichen Schund haben.«

»Wetten doch?«, sagte Ed. »Wahrscheinlich hätte er für sein Leben gern einen Darth Vader. Hast du ihn mal kennengelernt?«

»Nein.«

»Hast du schon mal mit ihm telefoniert?«

»Nein. Sei nicht albern.«

»Und woher weißt du dann, dass er überhaupt existiert?«

»Bitte?« Candice blickte auf. »Selbstverständlich existiert er! Da ist er doch.« Sie deutete auf das Foto, aber Ed grinste sie hinterhältig an.

»Du bist ganz schön leichtgläubig, oder? Woher weißt du, dass sie euch gutmütigen Trotteln nicht allen dasselbe Foto schicken? Jedes Mal mit einem anderen Namen. Und dann stecken sie das Geld in die eigene Tasche. Hast du jemals eine unterschriebene Quittung von ihm bekommen?«

Verächtlich rollte Candice mit den Augen. Manchmal war es den Aufwand nicht wert, Ed zu antworten. Sie gab heißes Wasser in die Glaskanne, und die Küche war von köstlichem Duft erfüllt.

»Du hast mir immer noch nichts von Heather erzählt«, sagte Ed, als er sich setzte. Die bloße Erwähnung des Namens bereitete Candice Bauchschmerzen. Sie wandte sich ab.

»Was willst du denn wissen?«

»Woher kennst du sie?«

»Sie ist … eine alte Freundin«, sagte Candice.

»Ach ja? Na, wenn sie so eine alte Freundin ist, wie kommt es dann, dass ich sie nie gesehen habe, bevor sie eingezogen ist?« Neugierig beugte Ed sich vor. »Wie kommt es, dass du sie nie erwähnt hast?«

»Weil … wir hatten den Kontakt verloren, okay?«, sagte Candice und kam ganz durcheinander. »Warum interessiert dich das eigentlich so?«

»Ich weiß nicht«, sagte Ed. »Sie hat irgendetwas an sich, was mich fasziniert.«

»Na, wenn sie dich so fasziniert, wieso fragst du sie nicht, ob sie mit dir ausgehen will?«, sagte Candice schroff.

»Vielleicht tue ich das«, sagte Ed grinsend.

Schneidende Stille machte sich in der Küche breit. Candice reichte Ed seinen Kaffeebecher, und er nahm einen Schluck. »Du hättest doch nichts dagegen, oder, Candice?«, fügte er hinzu, und seine Augen leuchteten ein wenig.

»Selbstverständlich nicht!«, sagte Candice sofort und warf ihre Haare zurück. »Warum sollte ich was dagegen haben?«

Das Räuspern des Computerfachmanns unterbrach sie, und beide blickten zur Tür.

»Hi«, sagte Candice. »Haben Sie rausgefunden, was los ist?«

»Ein Virus«, sagte der Mann und verzog das Gesicht. »Ich fürchte, er hat sich überall eingenistet.«

»Oh«, sagte Candice bestürzt. »Und … können Sie ihn einfangen?«

»Er ist schon längst wieder weg«, sagte der Mann. »Diese Viren sind schlau. Man merkt gar nicht, dass man sie auf dem Computer hat. Jetzt kann ich nur noch den Schaden beheben, den er angerichtet hat.« Tadelnd schüttelte er den Kopf. »In Zukunft, Miss Brewin, schlage ich vor, dass Sie versuchen, sich etwas besser zu schützen.«

Zutiefst gedemütigt saß Maggie an ihrem Küchentisch. Paddy stand am Herd, nahm den Kocher und gab brodelndes Wasser in die Teekanne, dann drehte sie sich um und warf einen Blick auf den Babykorb am Fenster.

»Mir scheint, sie schläft. Bestimmt ist sie ganz erschöpft von dem Geschrei.«

Die unterschwellige Kritik war nicht zu überhören, und Maggie errötete. Sie konnte Paddy nicht mal in die Augen sehen, konnte den missbilligenden Blick nicht ertragen. Versuch du es doch!, wollte sie schreien. Versuch du mal, sie zu beruhigen, wenn du nächtelang nicht geschlafen hast! Stattdessen aber starrte sie die hölzerne Tischplatte an und malte mit dem Finger die Maserung nach. Mal einfach weiter, sagte sie sich und ballte die andere Hand auf ihrem Schoß zur Faust. Mal einfach weiter, bis sie geht.

Nachdem Paddy ins Kinderzimmer geplatzt war, hatte sie Maggie allein gelassen, damit sie in Ruhe stillen konnte, und Maggie hatte trübsinnig dagesessen und sich wie ein gemaßregeltes Kind gefühlt. Als sie nach unten kam, mit Lucia im Arm, stellte sie fest, dass Paddy die Küche aufgeräumt, die Spülmaschine angeworfen und sogar den Boden gefeudelt hatte. Sie wusste, sie sollte dankbar sein, doch stattdessen fühlte sie sich gerügt. Eine gute Mutter hätte nie zugelassen, dass ihre Küche in solch einem Zustand war. Eine gute Mutter wäre nie weggegangen, ohne die Arbeitsflächen abzuwischen.

»Hier, bitte schön«, sagte Paddy, als sie ihr einen Becher Tee zum Tisch brachte. »Möchtest du Zucker?«

»Nein danke«, sagte Maggie mit gesenktem Blick. »Ich versuche, auf meine Linie zu achten.«

»Wirklich?« Paddy stutzte, mit der Teekanne in der Hand. »Ich weiß noch, dass ich doppelt so viel essen musste, als

ich gestillt habe, sonst hätten die Jungs hungern müssen.«
Sie stieß ein kleines Lachen aus, und Maggie empfand eine
irrationale Abneigung gegen sie. Was wollte sie ihr damit
sagen? Dass sie Lucia nicht richtig stillte? Dass ihre Milch
irgendwie nicht so gut war?

Plötzlich spürte sie einen Kloß im Hals und musste
schlucken.

»Und wie sind die Nächte?«, fragte Paddy.

»Gut«, sagte Maggie und nahm einen Schluck Tee.

»Findet Lucia langsam eine Routine?«

»Nicht wirklich«, sagte Maggie. »Aber heutzutage wird
auch empfohlen, Babys keine Routine aufzuzwingen.« Sie
sah Paddy offen an. »Man soll bei Bedarf stillen, damit das
Baby seinen eigenen Rhythmus findet.«

»Verstehe«, sagte Paddy und stieß schon wieder dieses
kleine Lachen aus. »Seit damals hat sich viel verändert.«

Maggie nahm noch einen Schluck Tee und starrte stur
aus dem Fenster.

»Schade, dass deine Eltern nicht länger bleiben konnten«,
sagte Paddy. Der Schmerz traf Maggie tief, und sie blinzelte angestrengt. Musste diese Frau eigentlich in *jede* Wunde
Salz streuen? Ihre Eltern waren zwei Tage zu Besuch gewesen, als Maggie im Krankenhaus lag, und hatten dann –
eher widerstrebend – abfahren müssen. Schließlich waren
beide noch berufstätig, und die Fahrt von Derbyshire nach
Hampshire war lang. Maggie hatte freundlich gelächelt, als
sie fuhren, hatte versprochen, dass sie auch allein zurecht-
käme und die beiden bald besuchen wolle. In Wahrheit hatte
der Abschied sie härter getroffen als erwartet. Das freundliche Gesicht ihrer Mutter rührte sie nach wie vor manchmal zu Tränen. Und jetzt musste Paddy sie auch noch daran erinnern.

»Ja, nun«, sagte sie, ohne sich umzudrehen. »Die beiden haben viel zu tun.«

»Das kann ich mir vorstellen.« Paddy nahm einen Schluck Tee und einen Keks aus der Dose. »Maggie …«

»Was?« Widerwillig wandte sich Maggie um.

»Hast du schon mal daran gedacht, dir Hilfe mit dem Baby zu holen? Zum Beispiel eine Nanny?«

Maggie starrte sie an und fühlte sich, als hätte sie eine Ohrfeige bekommen. Paddy hielt sie also tatsächlich als Mutter für so unfähig, dass sie nicht ohne bezahlte Hilfe für ihr eigenes Kind sorgen konnte.

»Nein«, sagte sie und lachte auf, obwohl sie den Tränen nah war. »Wieso? Meinst du, ich sollte?«

»Natürlich ist das …«, sagte Paddy, »… deine Sache …«

»Ich würde lieber selbst für mein Kind sorgen«, sagte Maggie mit bebender Stimme. »Es mag ja sein, dass ich nicht perfekt bin …«

»Maggie!«, sagte Paddy. »Das wollte ich damit doch gar nicht …«

Sie stockte, und Maggie wandte sich ab. Es wurde still in der Küche. Nur Lucia schnaufte im Schlaf.

»Vielleicht sollte ich besser gehen«, sagte Paddy schließlich. »Ich will dir nicht im Weg sein.«

»Okay«, sagte Maggie und zuckte leicht mit den Schultern.

Sie sah sich an, wie Paddy ihre Sachen zusammensammelte, wobei sie Maggie hin und wieder besorgte Blicke zuwarf.

»Du weißt, wo du mich findest«, sagte sie. »Mach's gut, meine Liebe.«

»Ja«, sagte Maggie gleichgültig.

Sie wartete, bis Paddy die Küche verlassen und die Haustür hinter sich zugemacht hatte. Sie wartete, bis das Auto ansprang und der Kies unter den Reifen knirschte. Und dann, als der Wagen weg war und sie ihn nicht mehr hören konnte, brach sie in Tränen aus.

Kapitel Zwölf

Mit hochgezogenen Schultern – das Gesicht hinter einem Schal verborgen – saß Roxanne auf einer Holzbank und beobachtete Ralph Allsopps Londoner Haus auf der gegenüberliegenden Straßenseite. Es war ein schmales Haus an einem stillen Platz in Kensington, mit schwarzem Geländer und blauer Tür. Ein Haus, vor dem sie schon unzählige Male gesessen hatte, das sie verflucht, beweint und Stunde um Stunde angestarrt hatte – ohne es jemals zu betreten.

Anfangs – vor Jahren – war sie heimlich hergekommen und hatte stundenlang davorgesessen. Damals hatte sie sich dann mit einem Buch in dem kleinen Park eingerichtet und die Fassade angestarrt, hinter der Ralph mit seiner Familie lebte, als wollte sie sich jeden einzelnen Mauerstein, jede Gehwegplatte einprägen, und sich gefragt, ob sie wohl heute einen Blick erhaschen würde – auf sie oder ihn oder irgendwen.

Denn damals hatte Cynthia ihre Zeit noch größtenteils in London verbracht, und Roxanne hatte ziemlich oft beobachtet, wie sie mit Sebastian die Treppe hinauf- oder hinunterging, beide in adretten, dunkelblauen Mänteln. (Vermutlich von Harrods, wenn man danach ging, wie oft deren Lieferwagen vor dem Haus hielt.) Sobald die Tür aufging, erstarrte Roxanne und ließ ihr Buch sinken. Dann erschienen die feinen Züge der nichts ahnenden Cynthia Allsopp. Und ihr kleiner Sohn Sebastian mit seinem unschuldigen Christopher-Robin-Haarschnitt. Da saß Roxanne dann da und sah sich an, wie sie die Treppe herunterkamen und ins Auto stiegen oder die Straße entlanghasteten. Sie prägte sich jedes neue Kleidungsstück von Cynthia ein, jeden neuen Haarschnitt, jedes belauschte Wort, jedes mögliche Detail. Ihr Anblick erschreckte sie noch jedes Mal, faszinierte sie – und deprimierte sie schließlich. Denn er war mit Cynthia verheiratet. Mit dieser eleganten, seelenlosen Frau. Und sie – Roxanne – war seine Geliebte. Seine billige, popelige Geliebte. Die anfängliche Aufregung, sie zu sehen, dieses Gefühl der Macht, wich noch jedes Mal einer entsetzlichen Leere, einem finsteren Unglück.

Und doch war sie immer wieder dorthin gegangen, konnte sich dem Sog dieser blauen Haustür nicht entziehen, bis zu jenem Tag, an dem Ralph mit einer Bücherkiste die Stufen herunterkam, zum kleinen Park herübersah und sie entdeckte. Augenblicklich hatte sie den Kopf eingezogen, mit rasendem Herzen, und gebetet, dass er sie nicht verriet, dass er die Ruhe bewahrte. Was er auch getan hatte – das musste sie ihm lassen. Abends am Telefon hatte er jedoch keineswegs die Ruhe bewahrt. Er war wütend gewesen, wütender, als sie ihn je erlebt hatte. Sie hatte ihn angefleht, auf ihn eingeredet, ihm versprochen, dass sie den kleinen Park nie mehr betreten würde. Und dieses Versprechen hatte sie gehalten.

Jetzt jedoch brach sie es. Jetzt war es ihr scheißegal, wer sie sah. Jetzt *wollte* sie gesehen werden. Sie suchte in ihrer Tasche nach den Zigaretten und holte ihr Feuerzeug hervor. Ironie des Schicksals war nun jedoch, dass es jetzt – Jahre später – völlig egal war. Die Fenster waren dunkel, das Haus stand leer. Cynthia wohnte gar nicht mehr in dem verfluchten Gemäuer. Sie war ins Landhaus umgezogen und kam nur noch her, wenn bei Harrods Ausverkauf war. Sebastian ritt auf seinen kleinen Ponys, und alle waren glücklich. Das war das Leben, welches Ralph ihr vorzog.

Roxanne sog den Rauch der Zigarette tief in ihre Lunge und erschauerte, als sie ihn wieder ausblies. Sie wollte nicht mehr weinen. Sie hatte ihr Make-up schon oft genug verschmiert. Die letzten beiden Wochen hatte sie zu Hause gesessen, Wodka getrunken, tagtäglich dieselben Leggins getragen und aus dem Fenster gestarrt, manchmal weinend, manchmal zitternd, manchmal schweigend. Sie hatte den Anrufbeantworter angestellt und zugehört, wie sich die Nachrichten sammelten wie tote Fliegen – dumme, bedeutungslose Nachrichten von Leuten, die sie nicht interessierten. Eine – von Justin – hatte sie zu Ralphs Abschiedsparty eingeladen, und der Schmerz darüber durchzuckte sie wie ein Elektroschock. Ralph machte es wirklich wahr, dachte sie, und wieder kamen ihr die Tränen. Er machte es wirklich und wahrhaftig wahr.

Candice hatte zahllose Nachrichten hinterlassen, ebenso wie Maggie, und fast hatte sie sich versucht gefühlt zurückzurufen. Von allen Menschen waren das die beiden einzigen, mit denen sie sprechen wollte. Einmal hatte sie sogar den Hörer abgenommen und angefangen, Candice' Nummer zu wählen. Doch dann hatte sie innegehalten, bebend vor Entsetzen, weil sie nicht wusste, was sie sagen sollte, wie sie anfangen sollte. Wie sie den Schwall aufhalten wollte, wenn sie erst mal angefangen hatte. Das Geheimnis war zu groß. Leichter – viel leichter – war es, nichts zu sagen. Darin hatte sie schließlich sechs Jahre Erfahrung.

Die beiden waren natürlich davon ausgegangen, dass sie auf Reisen war. »Oder vielleicht bist du ja bei deinem Mr Verheiratet«, hatte Maggie bei einer ihrer Nachrichten gesagt, was Roxanne halb zum Lachen, halb zum Weinen brachte. Die gute Maggie. Wenn sie wüsste. »Aber wir sehen uns am Ersten«, hatte Maggie dann unsicher hinzugefügt. »Du kommst doch, oder?«

Roxanne sah auf ihre Uhr. Es war der Erste des Monats. Es war sechs Uhr. In einer halben Stunde würden sie da sein. Die beiden Gesichter, die ihr in diesem Moment die liebsten auf der Welt waren. Sie drückte ihre Zigarette aus, stand auf und sah sich Ralph Allsopps Haus noch ein letztes Mal an.

»Arschloch«, sagte sie laut. »Du kannst mich mal!« Dann wandte sie sich ab und ging, wobei ihre hohen Absätze laut auf dem feuchten Gehweg klackerten.

Ralph Allsopp blickte von seinem Sessel auf und sah aus dem Fenster. Draußen verdunkelte sich der Himmel, und die Straßenlaternen auf dem Platz gingen an. Er streckte die Hand nach einer Lampe aus und knipste sie an, was den dunklen Raum augenblicklich erhellte.

»Stimmt irgendwas nicht?«, fragte Neil Cooper und blickte von seinen Unterlagen auf.

»Nein«, sagte Ralph. »Ich dachte nur, ich hätte was gehört. Hab mich wohl getäuscht.« Er lächelte. »Fahren Sie fort.«

»Gern«, sagte Neil Cooper. Er war ein junger Mann mit korrektem Haarschnitt und etwas nervösem Wesen. »Nun, wie ich bereits erklärt habe, halte ich es in diesem Fall für die einfachste Lösung, wenn Sie einen kurzen Testamentsnachtrag abfassen.«

»Verstehe«, sagte Ralph. Er starrte die Fensterscheiben an, nass vom Londoner Regen. Testamente, dachte er, waren wie das Familienleben selbst. Sie fingen klein und einfach an, dann wuchsen sie im Laufe der Jahre mit der Ehe und den Kindern, wurden komplexer durch Untreue, durch angehäuften Reichtum, durch geteilte Loyalität. Sein Letzter Wille hatte mittlerweile den Umfang eines kleinen Buches. Eine ganz normale Familiengeschichte.

Doch sein Leben war mehr als eine ganz normale Familiengeschichte gewesen.

»Eine Romanze«, sagte er laut.

»Verzeihung?«, sagte Neil Cooper.

»Nichts«, sagte Ralph und schüttelte den Kopf. »Ein Nachtrag. Ja. Und kann ich das hier und jetzt aufsetzen?«

»Selbstverständlich«, sagte der Anwalt und klickte erwartungsvoll mit seinem Kugelschreiber. »Wenn Sie mir zuerst den Namen des Begünstigten nennen wollen?«

Es blieb still. Ralph schloss die Augen, dann schlug er sie auf und atmete scharf aus.

»Die Begünstigte heißt Roxanne«, sagte er, und seine Hand schloss sich um die Armlehne seines Sessels. »Miss Roxanne Miller.«

Maggie saß an einem Plastiktisch in einem Café im Bahnhof Waterloo und nahm noch einen Schluck von ihrem Tee. Ihr Zug war vor einer Stunde in London angekommen, und eigentlich hatte sie gedacht, sie könnte die Gelegenheit nutzen, um shoppen zu gehen. Doch nachdem sie sich den Weg aus dem vollen Zug gebahnt hatte, war ihr schon der bloße Gedanke an Läden und Menschenmengen zu viel. Stattdessen war sie hier eingekehrt, hatte sich ein Kännchen Tee bestellt und saß seitdem regungslos da. Sie war richtig erschüttert, wie sehr es sie angestrengt hatte hierherzukommen. Sie konnte kaum glauben, dass sie die lange Fahrt früher jeden Tag gemacht hatte.

Sie nahm die Modezeitschrift, die sie am Kiosk gekauft hatte, dann legte sie sie weg, konnte sich nicht konzentrieren. Sie war ganz benommen, beinah euphorisch vor Erschöpfung. Lucia war fast die ganze Nacht wach gewesen, was eigentlich nur auf eine Kolik hindeuten konnte. In dem Schlafzimmer, das am weitesten von Giles entfernt lag, war Maggie auf und ab gelaufen und hatte versucht, das schreiende Baby zu beruhigen, die Augen halb geschlossen, fast im Stehen schlafend. Dann war Giles zur Arbeit gegangen, und statt wieder ins Bett zu kriechen, hatte sie sich den ganzen Rest des Tages auf ihren freien Abend vorbereitet. Ein Ereignis, dem sie früher keinen weiteren Gedanken gewidmet hätte.

Sie hatte beschlossen, sich die Haare zu waschen, in der Hoffnung, dass die Dusche sie munter machen würde. Lucia war aufgewacht, als Maggie sich gerade die Haare trocknete, und so musste sie gleichzeitig den Fön in der Hand und Lucias Babywippe in Bewegung halten. Ausnahmsweise hatte sie die Situation komisch gefunden und sich vorgenommen, den anderen beiden abends davon zu erzählen. Dann hatte sie vor ihrem Schrank gestanden und überlegt, was sie anziehen sollte – und augenblicklich den Mut verloren. Nach wie vor passte sie in keines ihrer Kleider aus der Zeit vor der Schwangerschaft. Sie hatte einen ganzen Schrank voller Designerklamotten und konnte rein gar nichts damit anfangen.

Es war ihre eigene Entscheidung gewesen, keine größeren Sachen zu kaufen, wie Giles es ihr vorgeschlagen hatte. Erstens wäre es einer Kapitulation gleichgekommen, und außerdem hatte sie ernstlich geglaubt, dass sie in einem Monat etwa wieder schlank sein würde. In ihrem Handbuch stand, sie würde beim Stillen Gewicht verlieren, was sie dahingehend ausgelegt hatte, dass sie in wenigen Wochen wieder normal sein würde.

Davon war sie sieben Wochen nach der Geburt allerdings immer noch weit entfernt. Ihr Bauch war schwabbelig, ihre Hüften waren gewaltig, und ihre Brüste – voller Milch – waren sogar noch praller als während der Schwangerschaft. Als sie sich im Spiegel betrachtete – groß, pummelig und blass vor Erschöpfung –, war ihr plötzlich danach zumute, die ganze Sache abzublasen. Wie konnte sie in die Manhattan Bar spazieren, wenn sie so aussah? Die Leute würden sie auslachen. Sie sank aufs Bett und schlug die Hände vors Gesicht, weil ihr die Tränen kamen.

Es dauerte eine Weile, bis sie sich die Tränen von den Wangen wischte und versuchte, vernünftig zu sein. Sie fuhr nicht nach London, um zu posieren. Sie wollte sich mit ihren beiden besten Freundinnen treffen. Denen wäre es egal, wie sie aussah. Sie holte tief Luft, stand auf und trat noch einmal vor ihren Schrank. Ohne ihre alten Sachen zu beachten, stellte sie ein abgetragenes Outfit in unauffälligem Schwarz zusammen und legte es aufs Bett. Anziehen würde sie es erst später. Sie wollte schließlich nicht riskieren, dass Lucia sie vollkleckerte.

Um zwei Uhr klingelte Paddy an der Tür, und Maggie ließ sie mit höflichem Gruß herein. Seit dem Tag, als Paddy ins Zimmer geplatzt war, bestand eine gewisse Distanz zwischen ihnen. Sie gingen höflich miteinander um, mehr aber auch nicht. Paddy hatte angeboten, an Maggies freiem Abend den Babysitter zu spielen, und Maggie war höflich darauf eingegangen – doch war keine Wärme zwischen ihnen.

Als Paddy eintrat, musterte sie Maggie stirnrunzelnd, dann sagte sie: »Du siehst sehr müde aus, meine Liebe. Bist du sicher, dass du den ganzen Weg nach London fahren willst, nur wegen ein paar Cocktails?«

Zähl bis zehn, sagte sich Maggie. Zähl einfach bis zehn. Nur die Ruhe bewahren.

»Ja«, sagte sie schließlich und zwang sich zu einem Lächeln. »Es ist mir … es ist mir wirklich wichtig. Alte Freundinnen.«

»Na, für mich siehst du aus, als solltest du lieber früh zu Bett gehen«, sagte Paddy und schnaubte schon wieder dieses kleine Lachen heraus. Augenblicklich hatte Maggie gespürt, wie sie sich am ganzen Leib verspannte.

»Es ist wirklich nett von dir, dass du Lucia hüten willst«, sagte sie und starrte das Treppengeländer an. »Ich bin dir sehr dankbar.«

»Ach, das macht doch keine Mühe!«, hatte Paddy sofort gesagt. »Ich freue mich, wenn ich helfen kann.«

»Okay.« Maggie hatte tief Luft geholt und versucht, freundlich zu bleiben. »Ich muss dir nur noch was erklären. Die abgepumpte Milch steht in Flaschen im Kühlschrank. Sie muss im Topf aufgewärmt werden. Ich hab dir alles in der Küche bereitgestellt. Wenn sie weint, könnte es sein, dass sie ihre Koliktropfen braucht. Die stehen auf dem …«

»Maggie.« Lächelnd hatte Paddy ihre Hand gehoben. »Maggie, ich habe drei Kinder großgezogen. Ich bin mir sicher, dass ich der kleinen Lucia gewachsen bin.«

Maggie hatte sie nur angestarrt, wie vor den Kopf gestoßen, wollte etwas erwidern, konnte aber nicht.

»Gut«, hatte sie schließlich mit bebender Stimme gesagt. »Ich zieh mich um.« Und damit war sie die Treppe hinaufgerannt, wollte gar nicht mehr nach London. Wollte Paddy am liebsten sagen, dass sie verschwinden solle, damit Maggie den Abend allein – mit ihrem Baby im Arm – verbringen konnte.

Selbstverständlich hatte sie nichts dergleichen getan. Sie

hatte sich die Haare gebürstet, ihren Mantel angezogen und das Gefühl gehabt, sie hörte Lucia schreien, was natürlich albern war. Doch als sie die Treppe herunterkam, war das Geschrei lauter geworden. Sie war in die Küche gelaufen, und fast blieb ihr das Herz stehen, als sie die heulende Lucia sah, die in Paddys unbarmherzigen Armen lag.

»Was ist denn?«, hatte sie sich atemlos fragen hören, als es eben an der Tür klingelte.

»Nichts!«, hatte Paddy gesagt und gelacht. »Das wird dein Taxi sein. Geh du nur und amüsier dich. Lucia wird sich bestimmt gleich beruhigen.«

Hin- und hergerissen hatte Maggie dagestanden und das zerknautschte, rote Gesicht ihrer Tochter angestarrt.

»Vielleicht nehme ich sie mal kurz …«, hatte sie angefangen.

»Glaub mir, Liebes, sie wird schon zurechtkommen! Es hat keinen Sinn, zu bleiben und sie noch mehr durcheinanderzubringen. Wir machen gleich erst mal einen hübschen Spaziergang ums Haus, nicht wahr, Lucia? Guck mal, es geht ihr schon viel besser!«

Und tatsächlich hatte Lucia aufgehört zu schreien. Sie gähnte gewaltig und stierte Maggie mit blauen, feuchten Augen an.

»Geh einfach«, hatte Paddy sanft gesagt. »Solange sie ruhig ist.«

»Okay«, hatte Maggie benommen geantwortet. »Okay, ich gehe.«

Irgendwie hatte sie es aus der Küche durch die Diele bis zur Haustür geschafft. Als die hinter ihr ins Schloss fiel, meinte sie, Lucia schluchzen zu hören. Aber sie war nicht umgekehrt. Sie hatte sich gezwungen weiterzugehen, ins Taxi zu steigen und sich zum Bahnhof bringen zu lassen.

Sie hatte es sogar fertiggebracht, den Schaffner freundlich anzulächeln, als sie ihre Fahrkarte kaufte. Erst als der Zug im Bahnhof Waterloo einfuhr, kamen ihr die Tränen, ruinierten ihr sorgsam aufgetragenes Make-up und tropften auf die Seiten ihrer Modezeitschrift.

Nun stützte sie den Kopf mit beiden Händen, lauschte den fernen Lautsprecherdurchsagen und staunte, wie vieles sich in ihrem Leben verändert hatte. Unmöglich konnte sie Candice und Roxanne vermitteln, wie anstrengend es gewesen war, heute Abend herzukommen. Man musste schon selbst Mutter sein, um das zu begreifen, um zu glauben, was sie durchgemacht hatte. Und in gewisser Weise bedeutete es, dass die beiden nie ganz verstehen würden, wie viel Maggie diese Freundschaft bedeutete. Wie wichtig ihr diese Dreisamkeit war.

Maggie seufzte und holte eine kleine Puderdose hervor, um sich im Spiegel zu betrachten. Sie erschrak, als sie die dunklen Schatten unter ihren Augen sah. Heute Abend wollte sie sich um jeden Preis amüsieren. Der heutige Abend würde alles wiedergutmachen. Heute Abend würde sie mit ihren liebsten Freundinnen plaudern und lachen und – vielleicht – wieder die Maggie sein, wie sie früher mal war.

Candice stand vor dem Spiegel in der Damentoilette und schminkte sich für den Abend. Ihre Hand zitterte ein wenig, als sie die Wimpern tuschte, und im grellen Licht sah ihr Gesicht abgespannt aus. Sie hätte sich auf den Abend freuen sollen – auf die Gelegenheit, Maggie und Roxanne wiederzusehen und etwas zu entspannen. Aber sie konnte sich unmöglich entspannen, solange sie noch dermaßen verstört war, was Heather anging. Eine weitere Woche war vergangen, und noch immer hatte Candice nichts gesagt. Sie hatte nichts von dem erwähnt, was sie bedrückte – Heather aber auch nicht. Und so blieb die Situation ungeklärt, und auch das beklemmende Gefühl im Bauch blieb ihr erhalten.

Oberflächlich betrachtet waren Heather und sie noch immer beste Freundinnen. Sie war sicher, dass Heather nichts ahnte, und ganz bestimmt hatte auch niemand im Büro etwas gemerkt. Maggie und Roxanne jedoch hatten einen schärferen Blick dafür. Sie würden ihr das Unbehagen ansehen. Sie würden merken, dass irgendwas nicht stimmte. Sie würden Candice ausfragen, bis sie alles zugab – und sie dann dafür tadeln, dass sie den Rat der beiden ignoriert hatte. Am liebsten wollte sie kneifen.

Die Tür ging auf, und Heather kam herein, in einem adretten, violetten Kostüm.

»Hi, Heather«, sagte sie und lächelte sie unwillkürlich an.

»Candice.« Heathers Stimme klang angespannt. »Candice, du musst mich hassen. Ich fühle mich schrecklich!«

»Weshalb?«, sagte Candice halb lachend. »Wovon redest du?«

»Von deiner Idee natürlich!«, sagte Heather und sah sie mit ihren ernsten, grauen Augen an. »Deinem Artikel übers Late Night Shopping!«

Candice starrte sie an und spürte einen leisen Schock. Sie strich ihr Haar zurück und schluckte.

»W-was meinst du?«, fragte sie, um Zeit zu schinden.

»Ich habe gerade die Liste für Juli gesehen. Justin stellt es so dar, als wäre dieser Artikel meine Idee.« Heather nahm Candice' Hände und drückte sie ganz fest. »Candice, ich habe ihm gesagt, dass es eigentlich deine Idee war. Ich weiß gar nicht, wie er darauf kommt, dass es meine Idee sein soll.«

»Wirklich?« Candice musterte Heather mit pochendem Herzen.

»Ich hätte überhaupt nichts sagen sollen«, meinte Heather entschuldigend. »Aber ich habe es auch eigentlich nur nebenbei erwähnt, und Justin war spontan begeistert. Ich habe ihm gesagt, dass die Idee von dir kam ... doch offenbar hat er mir nicht zugehört.«

»Verstehe«, sagte Candice. Ihr wurde ganz heiß vor Scham, vor schlechtem Gewissen. Wie hatte sie an Heather zweifeln können? Wie hatte sie zu einer falschen Schlussfolgerung kommen können, ohne vorher die Fakten zu prüfen? Es lag an Maggie und Roxanne, dachte sie mit leiser Abscheu. Die beiden hatten sie gegen Heather aufgehetzt.

»Weißt du, ich hab schon gemerkt, dass irgendwas nicht stimmt«, sagte Heather blinzelnd, »dass zwischen uns keine gute Stimmung war. Aber ich wusste nicht, worum es ging. Ich dachte, vielleicht habe ich irgendwas in der Wohnung gemacht, was dich nervt, oder du hast einfach genug von mir ... aber dann habe ich die Liste gesehen und wusste gleich Bescheid.« Heather sah Candice tief in die Augen. »Du dachtest, ich hätte dir deine Idee geklaut, stimmt's?«

»Nein!«, sagte Candice sofort und lief rot an. »Na ja, vielleicht ...« Sie biss sich auf die Lippe. »Ich wusste nicht, was ich denken sollte.«

»Du musst mir glauben, Candice. So etwas würde ich dir nie antun. Niemals!« Heather beugte sich vor und umarmte Candice. »Du hast so viel für mich getan. Ich stehe tief in deiner Schuld ...« Als sie sich löste, schimmerten ihre Augen ein wenig, und Candice spürte, wie ihr vor Mitgefühl selbst die Tränen kamen.

»Ich schäme mich so«, flüsterte sie. »Ich hätte dich nie verdächtigen dürfen. Ich hätte wissen sollen, dass Justin, dieser Fiesling, schuld an allem ist!« Sie lachte unsicher, und Heather grinste sie an.

»Lass uns heute Abend was zusammen unternehmen«, sagte sie.

»Das wäre zu schön«, sagte Candice. Sie wischte sich die Augen und grinste reumütig ihr verschmiertes Spiegelbild an. »Aber ich treffe mich mit den anderen in der Manhattan Bar.«

»Ach so«, sagte Heather leichthin. »Na, dann vielleicht ein andermal …«

»Nein, hör zu«, sagte Candice, getrieben von plötzlicher Zuneigung. »Komm doch mit. Komm einfach mit und schließ dich unserer Gang an.«

»Wirklich?«, fragte Heather argwöhnisch. »Meinst du nicht, die anderen hätten was dagegen?«

»Natürlich nicht! Du bist meine Freundin … also bist du auch ihre Freundin.«

»Da bin ich mir nicht so sicher«, sagte Heather. »Roxanne …«

»Roxanne mag dich sehr! Ehrlich, Heather!« Candice sah sie an. »Bitte komm mit. Ich fände das wirklich schön.« Heather waren die Zweifel anzusehen.

»Candice, bist du dir deiner Sache ganz sicher?«

»Na klar!« Candice umarmte Heather, ungestüm. »Die werden sich freuen, dich zu sehen.«

»Okay.« Heather strahlte. »Wir treffen uns unten, ja? In ungefähr … fünfzehn Minuten?«

»Gut«, lächelte Candice. »Bis gleich.«

Heather verließ die Damentoilette und sah sich um. Dann ging sie direkt zu Justins Büro und klopfte an.

»Ja?«, sagte er.

»Könnte ich Sie kurz sprechen?«, fragte Heather.

»Ach ja?« Justin lächelte. »Noch mehr wunderbare Ideen für unsere Zeitschrift?«

»Nein, diesmal nicht.« Heather strich ihre Haare zurück und zögerte. »Ehrlich gesagt … geht es um eine etwas unangenehme Sache.«

»Aha?«, sagte Justin überrascht und deutete auf einen Stuhl. »Kommen Sie rein.«

»Ich möchte kein großes Ding daraus machen«, sagte Heather kleinlaut und setzte sich. »Im Grunde ist es mir schon peinlich, überhaupt davon anzufangen. Aber ich muss mal mit jemandem sprechen …« Sie rieb an ihrer Nase herum und schniefte kurz.

»Armes Mädchen!«, sagte Justin. »Was ist denn los?« Er stand von seinem Sessel auf, trat hinter Heather und schloss die Tür. Dann kehrte er an seinen Schreibtisch zurück. Hinter ihm, in der Fensterscheibe, spiegelten sich die Lichter des Büros: eine geschwungene Reihe heller Rauten vor dem dunklen Hintergrund.

»Sollten Sie irgendwelche Probleme haben, möchte ich davon erfahren«, sagte Justin und lehnte sich zurück. »Egal, worum es sich dabei handelt.« Er nahm einen Bleistift und hielt ihn mit beiden Händen, als wollte er etwas vermessen. »Dafür bin ich doch da.«

Es wurde ganz still in dem kleinen Büro.

»Können wir das vertraulich behandeln?«, sagte Heather schließlich.

»Selbstverständlich!«, sagte Justin. »Was Sie mir erzählen, wird in diesen vier Wänden …«, er machte eine Geste, »und zwischen uns beiden bleiben.«

»Na gut … okay«, sagte Heather zweifelnd. »Wenn Sie absolut sicher sind …« Tief und bebend holte sie Luft, strich ihr Haar noch mal zurück und blickte Justin flehend an. »Es ist wegen Candice.«

Kapitel Dreizehn

Die Manhattan Bar feierte an diesem Abend die berühmtesten Hollywood-Legenden, und Maggie wurde von einer strahlenden Marilyn-Monroe-Doppelgängerin hereingelassen. Sie tat ein paar Schritte ins Foyer, betrachtete das bunte Treiben, dann schloss sie die Augen und ließ die Atmosphäre einen Moment lang auf sich wirken. Das Stimmengewirr der plaudernden Gäste, die jazzige Musik im Hintergrund, der Duft brutzelnder Schwertfischsteaks, der Zigarettenrauch und die Designerdüfte, die an ihr vorüberwehten. Gesprächsfetzen, plötzlich kreischendes Gelächter – und durch die geschlossenen Augenlider das grelle Licht, der Glanz, die Farben. Großstädter amüsierten sich. Als sie die Augen wieder aufschlug, stieg ein Glücksgefühl in ihr auf, bei dem ihr fast die Tränen kamen. Ihr war gar nicht bewusst gewesen, wie sehr sie das alles vermisst hatte. Nach der Stille und dem Matsch der Felder, nach dem ständigen Geschrei von Lucia fühlte sie sich in dieser Bar, als käme sie nach Hause.

Sie gab ihren Mantel an der Garderobe ab, nahm ihren Silberknopf und wandte sich der Menge zu. Anfangs dachte sie, sie sei die Erste. Doch dann entdeckte sie Roxanne. Sie saß allein an einem Tisch in der Ecke, und vor ihr stand bereits ein Drink. Als Roxanne sich umsah, ohne zu merken, dass sie beobachtet wurde, wollte sich Maggie schier der Magen umdrehen. Sie sah schrecklich aus. Dunkle Schatten lagen um ihre geröteten Augen, und ihre Mundwinkel deuteten grimmig abwärts. Verkatert, hätte Maggie gedacht, oder Jetlag – wäre da nicht der traurige Ausdruck in Roxannes Augen gewesen. Diese wachen, leuchtenden Augen, sonst so voller Witz und Lebensfreude, waren heute Abend matt und blind, als interessierte sie sich für nichts von dem, was um sie herum geschah. Maggie sah, wie Roxanne nach ihrem Glas griff und einen großen Schluck nahm. Offenbar war der Drink ziemlich stark, was Maggie mit einiger Sorge bemerkte.

»Roxanne!«, rief sie und bahnte sich einen Weg zu dem Tisch hinüber, schob sich durch die Leute. »Roxanne!«

»Maggie!« Roxannes Gesicht erstrahlte, und sie stand auf und breitete die Arme aus. Die beiden umarmten sich etwas länger als üblich. Als Maggie sich von ihr löste, sah sie, dass in Roxannes Augen Tränen glitzerten.

»Roxanne, ist bei dir alles okay?«, fragte sie vorsichtig.

»Mir geht's gut!«, sagte Roxanne sofort. Sie lächelte und holte ihre Zigaretten aus der Handtasche. »Aber wie geht es *dir*? Was macht das Baby?«

»Bei uns ist alles in Ordnung«, sagte Maggie langsam. Sie setzte sich und sah Roxannes zitternde Finger, die am Feuerzeug herumfummelten.

»Und Giles? Wie macht er sich denn so als Vater?«

»Na, er ist begeistert«, sagte Maggie trocken. »In den zehn Minuten täglich, die er mit der Kleinen zu tun hat.«

»Nicht gerade der Neue Mann, unser Giles, was?«, sagte Roxanne und zündete die Zigarette an.

»Könnte man so sagen«, meinte Maggie. »Roxanne …«

»Ja?«

»Geht es dir auch wirklich gut? Im Ernst jetzt.«

Roxanne betrachtete sie durch eine Rauchwolke. Schmerz sprach aus ihren blauen Augen. Es schien, als kämpfte sie darum, nicht die Fassung zu verlieren.

»Es ging mir schon mal besser«, sagte sie schließlich. »Danke übrigens für deine Nachrichten auf meinem Anrufbeantworter. Die haben mir gutgetan.«

»Gutgetan?« Bestürzt starrte Maggie sie an. »Roxanne, was ist passiert? Wo warst du denn?«

»Ich war nirgendwo.« Roxanne lächelte zittrig und zog an ihrer Zigarette. »Ich war zu Hause und habe Unmengen Wodka getrunken.«

»Roxanne, was zum Teufel ist passiert?« Maggies Augen wurden schmal. »Ist es Mr Verheiratet?«

Einen Moment betrachtete Roxanne das brennende Ende ihrer Zigarette, dann drückte sie es mit ärgerlicher Geste aus.

»Weißt du noch, dass ich angedeutet habe, es könnte sich etwas ändern? Da war wohl der Wunsch Vater des Gedankens.« Sie blickte auf. »Mr Verheiratet hat sich erledigt. Seine Entscheidung.«

»Mein Gott«, flüsterte Maggie. Sie nahm Roxannes Hände auf dem Tisch. »Du Ärmste. Dieser Scheißkerl!«

»Hallo zusammen!« Eine fröhliche Stimme unterbrach sie, und beide blickten auf. Scarlett O'Hara lächelte sie an, mit einem Notizbuch in der Hand. »Darf ich Ihre Bestellung aufnehmen?«

»Noch nicht«, sagte Maggie. »Lassen Sie uns noch einen Moment Zeit.«

»Nein, warten Sie«, sagte Roxanne. Sie trank aus und reichte ihr leeres Glas an Scarlett weiter. »Ich möchte noch einen doppelten Wodka Lime.« Sie lächelte Maggie an. »Wodka ist mein neuer bester Freund.«

»Roxanne …«

»Keine Sorge! Ich bin keine Alkoholikerin. Ich bin Alkoholiebhaberin. Das ist ein Riesenunterschied.«

Scarlett verschwand, und die beiden Freundinnen sahen sich an.

»Ich weiß gar nicht, was ich sagen soll«, meinte Maggie. »Am liebsten würde ich auf der Stelle zu ihm gehen und ...«

»Nicht ...«, ging Roxanne dazwischen. »Es ist ... es ist okay – ehrlich.« Doch dann blickte sie mit einem Funkeln in den Augen auf. »Was würde dir da denn so vorschweben?«

»Sein Auto zerkratzen«, sagte Maggie böse. »Das tut ihnen am meisten weh.« Roxanne warf ihren Kopf in den Nacken und lachte lauthals.

»Mein Gott, hab ich dich vermisst, Maggie!«

»Ich dich auch«, sagte Maggie. »Euch beide.« Sie seufzte und sah sich in der geschäftigen Bar um. »Wie ein kleines Kind habe ich mich auf diesen Abend gefreut. Hab sogar die Tage gezählt!«

»Ich hätte gedacht, dass in deinem hochherrschaftlichen Landleben kein Platz mehr für uns ist«, sagte Roxanne und grinste hinterhältig. »Bist du nicht vollauf damit beschäftigt, auf Jagdbällen zu tanzen und Tiere totzuschießen?« Maggie lächelte matt, und Roxanne runzelte die Stirn. »Im Ernst, Maggie. Ist alles okay? Du siehst ziemlich mitgenommen aus.«

»Na, vielen Dank auch.«

»Gern geschehen.«

»Und da ist er auch schon!« Scarlett O'Haras Stimme unterbrach sie. »Ein doppelter Wodka Lime.« Sie stellte das Glas ab und lächelte Maggie an. »Kann ich Ihnen auch etwas bringen?«

»Ach, ich weiß nicht«, sagte Maggie, nahm die Cocktail-Karte und legte sie gleich wieder weg. »Ich möchte lieber warten, bis wir vollzählig sind.«

»Wo bleibt Candice eigentlich?«, sagte Roxanne, während

sie sich die nächste Zigarette anzündete. »Kommt sie auch ganz bestimmt?«

»Ich denke schon«, sagte Maggie. »Ach ... ich mag nicht mehr warten. Ich möchte bitte einen Jamaican Rumba.«

»Und für mich eine Margarita«, sagte Roxanne. »Du kannst doch nicht ohne mich mit den Cocktails anfangen«, fügte sie bei Maggies Blick hinzu. Als die Kellnerin gegangen war, beugte sie sich auf ihrem Stuhl vor und sah Maggie herausfordernd an. »Also, erzähl schon: Wie lebt es sich so als Lady Drakeford auf Schloss Pines?«

»Ach, ich weiß nicht«, sagte Maggie nach einer Pause. Sie nahm einen silbernen Untersetzer und betrachtete ihn, drehte ihn zwischen den Fingern. Im Grunde wollte sie sich dringend jemandem anvertrauen. Von ihrer Erschöpfung und Einsamkeit erzählen, von ihrer angespannten Beziehung zu Giles' Mutter, und ein Bild der monotonen Plackerei zeichnen, die ihr Leben neuerdings zu bestimmen schien. Irgendwie brachte sie es jedoch nicht fertig, diese Niederlage einzugestehen, nicht einmal einer engen Freundin wie Roxanne gegenüber. Sie war es gewohnt, Maggie Phillips zu sein, Chefredakteurin des *Londoner*, die klug und organisiert war und immer alles im Griff hatte. Nicht Maggie Drakeford, die farblose, müde, desillusionierte Mutter, die sich nicht mal zum Shoppen durchringen konnte.

Und wie sollte sie erklären, in welcher Form diese Müdigkeit, diese Depression untrennbar mit einer Liebe verstrickt war, einer derart intensiven Freude, dass ihr dabei ganz schwindlig wurde? Wie konnte sie das Staunen beschreiben, das sie jedes Mal ergriff, wenn sie in Lucias Augen sah, dass die Kleine sie erkannte, wenn diese winzige, runzlige Miene ein Lächeln zeigte? Wie sollte sie den Umstand erklären, dass ihr während ihrer glücklichsten Momente dennoch Tränen der Erschöpfung in den Augen standen?

»Es ist anders«, sagte sie schließlich. »Nicht ganz so, wie ich es mir vorgestellt hatte.«

»Aber du genießt es.« Roxannes Augen wurden schmal. »Oder?«

Maggie blieb still. Sie legte den Untersetzer auf den Tisch zurück und fing an, mit dem Finger Kreise darauf zu zeichnen.

»Natürlich genieße ich es«, begann sie nach einer Weile. »Lucia ist wunderbar, und … ich liebe sie. Aber gleichzeitig …« Sie stockte und seufzte. »Man kann sich gar nicht vorstellen, was es …«

»Hey, da ist Candice«, unterbrach Roxanne. »Entschuldige, Maggie. Candice!« Sie stand auf und spähte durch das Gedränge. »Was macht sie?«

Maggie drehte sich auf ihrem Stuhl um und folgte Roxannes Blick.

»Sie unterhält sich mit jemandem«, sagte sie stirnrunzelnd. »Ich kann nicht richtig erkennen, wer …« Entsetzt stutzte sie. »Oh, nein.«

»Ich fass es nicht«, sagte Roxanne langsam. »Ich fasse es einfach nicht! Sie hat diese falsche Schlange mitgebracht.«

Als Candice durch die Menge zu dem Tisch hinüberstrebte, an dem Maggie und Roxanne saßen, spürte sie, dass Heather an ihrem Ärmel zupfte, und wandte sich um.

»Was ist?«, fragte sie, als sie Heathers ängstliche Miene bemerkte.

»Hör mal, Candice, ich weiß nicht mehr, ob die Idee so gut ist«, sagte Heather. »Ich bin mir nicht sicher, ob ich hier willkommen bin. Vielleicht sollte ich lieber wieder gehen.«

»Bloß nicht!«, sagte Candice. »Ehrlich, sie werden sich freuen, dich zu sehen. Und es wäre nett, wenn du die beiden mal richtig kennenlernen würdest.«

»Na ... okay«, sagte Heather nach einer Pause.

»Komm schon!« Candice lächelte Heather an und nahm ihre Hand, um sie mitzuziehen. Heute Abend war Candice bester Dinge, platzte förmlich vor guter Laune und Zuneigung. Für Heather, für Maggie und Roxanne, sogar für die Kellnerin, die als Doris Day verkleidet war und ihren Weg kreuzte, sodass sie kurz stehen bleiben mussten. »Ist das nicht lustig?«, sagte sie, als sie sich zu Heather umwandte. »Vor ein paar Wochen hättest du dich noch verkleiden müssen.«

»Bis du mich aus meinem traurigen Kellnerinnendasein errettet hast«, sagte Heather und drückte Candice' Hand. »Meine edle Ritterin.« Candice lachte und schob sich weiter durch die Menge.

»Hi!«, sagte sie, als sie zum Tisch kam. »Ganz schön was los heute!«

»Ja«, sagte Roxanne mit Blick auf Heather. »Überbevölkert, könnte man sagen.«

»Ihr erinnert euch an Heather, oder?«, sagte Candice fröhlich und sah von Roxanne zu Maggie. »Ich dachte mir, ich bring sie einfach mit.«

»Offensichtlich«, murmelte Roxanne.

»Selbstverständlich!«, sagte Maggie. »Hallo, Heather. Schön, dich wiederzusehen.« Sie zögerte, dann schob sie ihren Stuhl herum, um an dem kleinen Tisch Platz zu schaffen.

»Hier ist noch ein Stuhl«, sagte Candice. »Platz genug!« Sie setzte sich und strahlte ihre beiden Freundinnen an. »Und wie geht es euch? Was macht das Leben, Roxanne?«

»Das Leben ist super«, sagte Roxanne nach einem kurzen Moment und nahm einen Schluck von ihrem Wodka.

»Und du, Maggie? Und das Baby?«

»Ja, super«, sagte Maggie. »Alles super.«

»Gut!«, rief Candice.

Es folgte betretenes Schweigen. Maggie warf Roxanne einen Blick zu, die mit steinerner Miene an ihrem Wodka nippte. Candice lächelte Heather ermutigend an, die das Lächeln nervös erwiderte. Da stimmte die Jazz-Band in der Ecke der Bar »Let's Face the Music« an, und plötzlich erschien ein Mann mit Frack und Zylinder, am Arm eine Frau im weißen Ginger-Rogers-Kleid. Als die Menge ihnen Platz machte, fingen die beiden an zu tanzen, und es wurde applaudiert. Der Applaus schien der kleinen Gruppe wieder Leben einzuhauchen.

»Und gefällt dir die Arbeit beim *Londoner*, Heather?«, fragte Maggie höflich.

»Und wie!«, sagte Heather. »Es ist toll, da zu arbeiten. Und Justin ist ein wunderbarer Chefredakteur.« Abrupt hob Roxanne den Kopf.

»Findest du, ja?«

»Ja!«, sagte Heather. »Ich finde ihn fantastisch!« Dann sah sie Maggie an. »Entschuldige, ich wollte nicht …«

»Nein«, sagte Maggie nach einer Pause. »Sei nicht albern. Ich bin mir sicher, dass er seine Sache gut macht.«

»Übrigens herzlichen Glückwunsch zur Geburt deines Kindes!«, sagte Heather. »Die Kleine ist bestimmt total süß. Wie alt ist sie?«

»Sieben Wochen«, sagte Maggie lächelnd.

»Ach so?«, sagte Heather. »Und du hast sie zu Hause gelassen?«

»Ja, bei meiner Schwiegermutter.«

»Darf man sie denn schon allein lassen, wenn sie noch so klein sind?« Abwehrend hob Heather die Hände. »Nicht dass ich irgendwas von Babys verstehen würde, aber ich habe mal einen Bericht gesehen, in dem es hieß, man sollte sie in den ersten drei Monaten nicht allein lassen.«

»Ach wirklich?« Maggies Lächeln wurde etwas starr. »Na, ich glaube, es wird schon gehen.«

»Oh, ganz bestimmt!« Heather blinzelte unschuldig. »Ich verstehe ja gar nichts davon, wirklich. Schau mal, da kommt eine Kellnerin. Wollen wir bestellen?« Sie nahm die Cocktail-Karte, warf einen kurzen Blick darauf, dann sah sie Roxanne in die Augen.

»Und du, Roxanne?«, sagte sie zuckersüß. »Meinst du, dass du jemals Kinder haben wirst?«

Als die anderen ihren zweiten Cocktail bestellten, war Roxanne schon bei ihrem fünften Drink des Abends angekommen. Sie hatte seit dem Mittag nichts gegessen, und vom Wodka und von den Margaritas wurde ihr langsam duselig. Aber sie konnte nur weitertrinken und versuchen, ihre innere Spannung irgendwie abzubauen – oder schreien. Jedes Mal, wenn sie Heathers Unschuldsmiene sah, kam ihr die Galle hoch. Wie konnte Candice nur auf diese Schleimerei hereinfallen? Wie konnte Candice – einer der sensibelsten, aufmerksamsten Menschen, die sie kannte – in diesem Fall dermaßen blind sein? Es war doch verrückt.

Sie blickte auf, sah Maggie über ihren Cocktail hinweg an und rollte mit den Augen. Maggie sah genauso begeistert aus, wie sie sich fühlte. Was für ein grausames Desaster.

»Ehrlich gesagt finde ich diesen Laden gar nicht so besonders«, meinte Heather abschätzig. »Es gibt da eine wirklich tolle Bar in Covent Garden, in der ich früher oft war. Die solltet ihr mal ausprobieren.«

»Ja, wieso nicht?«, sagte Candice und sah sich am Tisch um. »Vielleicht würde uns ein kleiner Tapetenwechsel guttun.«

»Mal sehen«, sagte Maggie und nahm einen Schluck von ihrem Cocktail.

»Da fällt mir was ein!«, sagte Heather und musste plötzlich lachen. »Erinnerst du dich noch an diesen Schulausflug nach Covent Garden, Candice? Warst du dabei? Als wir uns alle verlaufen haben und Anna Staples sich die Schulter tätowieren ließ?«

»Nein!«, sagte Candice, aber ihre Miene hellte sich auf. »Hat sie wirklich?«

»Sie hat sich eine winzige Blume stechen lassen«, sagte Heather. »Echt süß. Aber sie hat furchtbar Ärger bekommen. Mrs Lacey hat sie zu sich bestellt, und Anna hatte ein Pflaster daraufgeklebt. Also sagte Mrs Lacey: ›Ist irgendwas mit deiner Schulter, Anna?‹« Heather und Candice kicherten gemeinsam los, während Roxanne und Maggie ungläubige Blicke tauschten.

»Entschuldigt«, sagte Candice mit glänzenden Augen. »Wir langweilen euch.«

»Überhaupt nicht«, sagte Roxanne. Sie nahm ihre Zigaretten und bot sie Heather an.

»Nein danke«, sagte Heather. »Ich finde ja, Rauchen lässt die Haut altern.« Sie lächelte bedauernd. »Aber vielleicht täusche ich mich auch.«

Alle schwiegen, als Roxanne sich eine anzündete, den Rauch ausblies und Heather mit gefährlich funkelnden Augen durch die Wolke hindurch betrachtete.

»Ich glaube, ich muss mal eben zu Hause anrufen, um

zu hören, ob mit Lucia alles in Ordnung ist«, sagte Maggie und schob ihren Stuhl zurück. »Wird nicht lange dauern.«

Der ruhigste Ort für einen Anruf war das Foyer. Maggie stand bei der Glastür und blickte auf die Straße hinaus, sah ein paar Leute in Abendgarderobe und Smoking draußen vorüberhetzen. Sie fühlte sich aufgeheizt, überdreht von diesem Abend, und doch war sie erschöpft. Trotz aller Vorbereitungen und Anstrengungen amüsierte sie sich nicht so, wie sie es sich erhofft hatte. Zum Teil lag es daran, dass Candice die vertraute Dreisamkeit zerstört hatte, indem sie ihre schreckliche Freundin mitbrachte. Aber zum Teil lag es auch daran, dass sie sich selbst erschreckend hirntot fühlte, als könnte sie der Konversation nicht folgen. Mehrmals musste sie feststellen, dass sie nach dem richtigen Wort suchte und es schließlich aufgab. Sie – intelligent und wortgewandt, wie sie war. Als sie sich gegen die Wand lehnte und ihr Handy hervornahm, warf sie einen flüchtigen Blick in den Spiegel und erschrak darüber, wie dick sie aussah, wie grau ihr Gesicht war, trotz des Make-ups, das sie sorgsam aufgetragen hatte. Trübsinnig blickten ihre Augen sie an, und plötzlich wünschte sie, sie wäre zu Hause, weit weg von Candice' nerviger Freundin und deren unsensiblen Kommentaren, weit weg vom grellen Licht und von dem Druck, das blühende Leben sein zu müssen.

»Hallo?«

»Hi! Paddy, hier ist Maggie.« Ein Pulk von Gästen drängte ins Foyer, und Maggie wandte sich ein wenig ab, hielt mit einer Hand ihr Ohr zu. »Ich wollte nur mal eben hören, wie es läuft.«

»Alles in Ordnung«, sagte Paddy kurz angebunden. Ihre Stimme klang dünn und blechern, als wäre sie meilenweit entfernt. Was sie natürlich auch war, wie Maggie unglücklich dachte. »Lucia hustet ein bisschen, aber es ist sicher nichts, worüber man sich Sorgen machen müsste.«

»Sie hustet?«, sagte Maggie besorgt.

»Mach dir keine Gedanken«, sagte Paddy. »Giles kommt bald zurück, und sollte es ein Problem geben, können wir immer noch den Arzt rufen.« Im Hintergrund hörte man ein leises Schreien, und im nächsten Augenblick spürte Maggie eine verräterische Feuchtigkeit in ihrem BH. Mist, dachte sie trübsinnig. Mist, Mist, Mist.

»Meinst du denn, es wird gehen?«, fragte sie mit bebender Stimme.

»Wirklich, Liebes, mach dir keine Sorgen. Amüsier dich!«

»Ja«, sagte Maggie, den Tränen nah. »Danke. Ich melde mich später noch mal.« Sie steckte ihr Handy ein und lehnte sich an die Wand, versuchte, tief durchzuatmen, sich nicht verrückt zu machen. Ein kleiner Husten war kein Grund zur Sorge. Lucia ging es bei Paddy gut. Heute war ihr freier Abend. Es stand ihr zu, sich zu amüsieren und ihre Pflichten zu vergessen.

Urplötzlich jedoch hatte das alles keine Bedeutung mehr. Plötzlich war Lucia der einzige Mensch auf der Welt, bei dem sie wirklich sein wollte. Eine Träne lief ihr über die Wange, und barsch wischte sie sie weg. Sie musste sich zusammenreißen. Sie musste wieder reingehen und sich ein bisschen um Geselligkeit bemühen.

Wären sie zu dritt gewesen, hätte sie sich den anderen vielleicht anvertraut. Aber solange Heather da war, ging das nicht. Heather mit ihrer glatten, jungen Haut und ihren unschuldigen Augen und dauernd diesen abfälligen kleinen Bemerkungen. Sie gab Maggie das Gefühl, schwer von Begriff und nicht mehr die Jüngste zu sein – eine Vogelscheuche zwischen Glamour Girls.

213

»Hi!« Eine Stimme unterbrach sie in ihren Gedanken, und sie blickte erschrocken auf. Heather stand vor ihr, wirkte amüsiert. »Baby okay?«

»Ja«, murmelte Maggie.

»Gut.« Heather lächelte sie herablassend an und verschwand auf der Damentoilette. Gott, wie ich dich hasse, dachte Maggie. Ich *hasse* dich, Heather Trelawney.

Seltsamerweise fühlte sie sich bei dem Gedanken etwas besser.

Sobald Heather zur Damentoilette verschwunden war, drehte sich Roxanne zu Candice um und sagte: »Warum um alles in der Welt hast du sie mitgebracht?«

»Wie meinst du das?«, sagte Candice überrascht. »Ich dachte einfach, es könnte lustig werden, wenn wir alle zusammen sind.«

»Lustig? Du findest es lustig, dieser Schlange zuzuhören?«

»Was?« Ungläubig starrte Candice sie an. »Roxanne, bist du betrunken?«

»Gut möglich«, sagte Roxanne und drückte ihre Zigarette aus. »Aber ich bin morgen früh wieder nüchtern, und sie wird immer noch eine Schlange sein. Hast du sie denn nicht *gehört*? ›Ich finde ja, Rauchen lässt die Haut altern. Aber vielleicht täusche ich mich ja auch.‹« Roxannes Stimme wurde zu einer bösen Parodie. »Die blöde Kuh.«

»Sie hat sich doch gar nichts dabei gedacht!«

»Doch, das hat sie! Meine Güte, Candice, merkst du denn nicht, wie sie drauf ist?«

Candice rieb ihre Wangen und atmete ein paarmal tief durch, um die Ruhe zu bewahren. Dann blickte sie auf.

»Du konntest Heather vom ersten Tag an nicht leiden, stimmt doch, oder?«

»Keine Spur.«

»Wohl! Du hast gesagt, ich soll mich nicht auf sie einlassen, du hast ihr im Büro böse Blicke zugeworfen ...«

»Um Himmels willen!«, sagte Roxanne ungeduldig.

»Was hat sie dir denn getan?« Bebend erhob sich Candice' Stimme über das Geschnatter. »Du hast dir doch überhaupt nicht die Mühe gemacht, sie richtig kennenzulernen ...«

»Candice?« Maggie kam zum Tisch zurück und blickte von einer zur anderen. »Was ist los?«

»Heather«, sagte Roxanne.

»Oh«, sagte Maggie und verzog das Gesicht. Candice starrte sie an.

»Was? Magst du sie denn auch nicht?«

»Das habe ich nicht gesagt«, sagte Maggie wie aus der Pistole geschossen. »Und darum geht es auch nicht. Ich finde nur, es wäre nett gewesen, wenn wir drei ...« Sie stutzte, als Roxanne hüstelte.

»Hi, Heather«, sagte Candice betreten.

»Hi«, sagte Heather freundlich und ließ sich auf ihren Stuhl gleiten. »Alles in Ordnung?«

»Ja«, sagte Candice mit puterroten Wangen. »Ich glaub, ich muss mal eben ... aufs Klo. Bin gleich wieder da.«

Als sie weg war, herrschte Schweigen am Tisch. In der Ecke war Marilyn Monroe ans Mikrofon getreten und sang ein heiseres »Happy Birthday« für einen selig wirkenden Mann mit verschwitztem Gesicht und Bierbauch. Als sie zu seinem Namen kam, jubelten die Leute um ihn herum und reckten die Siegerfaust.

»Also«, sagte Maggie. »Noch eine Runde für uns?«

»Gern«, sagte Roxanne. »Es sei denn, Heather meint, Cocktails lassen die Haut altern ...«

»Davon verstehe ich nichts«, sagte Heather höflich.

»Ach wirklich?«, sagte Roxanne und lallte leicht. »Das ist komisch. Es machte den Eindruck, als wüsstest du sonst alles.«

»Tatsächlich?«

»Jedenfalls …«, sagte Maggie eilig. »Hier steht noch ein voller Cocktail.« Sie zeigte auf das Glas mit der bernsteinfarbenen Flüssigkeit und dem zerstampften Eis, dekoriert mit gezuckerten Trauben. »Wessen ist das?«

»Ich glaube, der war für mich gedacht«, sagte Heather. »Aber ich möchte nicht. Möchtest du ihn haben, Roxanne?«

»Haben deine Lippen das Glas berührt?«, fragte Roxanne. »Falls ja: nein danke.«

Einen angespannten Augenblick lang starrte Heather sie an, dann schüttelte sie den Kopf und lachte beinah.

»Du kannst mich echt nicht leiden, was?«

»Ich mag keine Leute, die andere ausnutzen«, sagte Roxanne unmissverständlich.

»Ach wirklich?«, sagte Heather freundlich lächelnd. »Na, und ich mag keine traurigen alten Schnapsdrosseln, aber ich bin trotzdem höflich zu ihnen.«

Maggie hielt die Luft an und warf Roxanne einen Blick zu.

»Wie hast du mich genannt?«, fragte Roxanne ganz langsam.

»Eine traurige alte Schnapsdrossel«, sagte Heather und betrachtete ihre Fingernägel. Sie blickte auf und lächelte. »Eine traurige – alte – Schnapsdrossel.«

Ein paar Sekunden lang starrte Roxanne sie zitternd an. Dann – ganz langsam und vorsichtig – nahm sie das Glas mit der bernsteinfarbenen Flüssigkeit. Sie stand auf und hielt es einen Moment ins glitzernde Licht.

»Das wagst du nicht«, sagte Heather scharf, doch der Anflug eines Zweifels strich über ihr Gesicht.

»Oh, doch«, sagte Maggie und verschränkte die Arme. Es folgte ein Augenblick lautloser Spannung, während Heather ungläubig zu Roxanne aufblickte. Dann schüttete Roxanne mit einer abrupten Drehung ihres Handgelenks Heather den eiskalten Cocktail ins Gesicht. Heather stöhnte auf, schnaubte wütend und wischte sich das zerstampfte Eis aus den Augen.

»Spinnst du!?«, keifte sie und sprang auf. »Du bist ja … völlig durchgeknallt!« Maggie sah Roxanne an und fing an zu kichern. Am Nachbartisch stellten die Leute ihre Cocktails ab und stießen sich mit den Ellenbogen an.

»Hoffentlich altert deine Haut davon nicht«, nuschelte Roxanne, als Heather wütend an ihr vorbeidrängte. Die beiden sahen Heather hinterher, als sie durch die Tür zu den Toiletten verschwand, dann sahen sie sich an und prusteten los.

»Roxanne, du bist die Größte«, sagte Maggie und wischte sich die Augen.

»Das hätte ich schon längst tun sollen«, sagte Roxanne. Sie betrachtete das Chaos auf dem Tisch – leere Gläser, Pfützen und zerstampftes Eis – und sah Maggie an. »Es scheint, als wäre die Party vorbei. Lass uns die Rechnung bezahlen.«

Candice wusch sich gerade die Hände, als Heather in die Damentoilette hereingestürmt kam. Haare, Gesicht und Jacke waren klatschnass, und sie sah aus, als wollte sie jemanden ermorden.

»Heather!«, sagte Candice entsetzt. »Was ist passiert?«

»Deine beschissene Freundin Roxanne … wer sonst?«

»Bitte?« Candice starrte sie an. »Was soll das heißen?«

»Das soll heißen«, sagte Heather mit zusammengebissenen Zähnen, »dass mir Roxanne einen randvollen Cocktail ins Gesicht geschüttet hat. Die hat sie doch nicht mehr alle!« Sie trat vor den hell erleuchteten Spiegel, nahm ein Papiertuch und fing an, ihre Haare abzutupfen.

»Sie hat dir einen *Cocktail* ins Gesicht geschüttet?«, sagte Candice ungläubig. »Wieso das denn?«

»Weiß der Geier!«, sagte Heather. »Ich hab nur gesagt, dass sie für heute vielleicht genug getrunken hat. Hat sie heute Abend denn nicht schon mehr gehabt, als gut für sie ist? Ich dachte nur, sie sollte vielleicht mal was Antialkoholisches trinken. Aber als ich das vorschlug, ist sie ausgerastet!« Heather hörte einen Moment lang auf zu tupfen und fing Candice' Blick im Spiegel auf. »Weißt du, ich glaube, sie ist Alkoholikerin.«

»Ich fass es nicht!«, sagte Candice bestürzt. »Ich kann mir überhaupt nicht vorstellen, was sie sich dabei gedacht haben mag. Heather, das ist ja schrecklich! Und deine schöne Jacke …«

»Ich muss nach Hause und mich umziehen«, sagte Heather. »In einer halben Stunde bin ich mit Ed verabredet.«

»Oh«, sagte Candice etwas geknickt. »Wirklich? Für ein …« Sie schluckte. »Für ein Date?«

»Ja«, sagte Heather und warf ein nasses Papiertuch in den Abfalleimer. »Großer Gott, sieh dir mein Gesicht an!« Heather betrachtete ihr ramponiertes Spiegelbild, dann seufzte sie. »Ach, ich weiß nicht, vielleicht war ich auch taktlos.« Sie wandte sich um und sah Candice in die Augen. »Vielleicht hätte ich lieber den Mund halten sollen.«

»Nein!«, rief Candice empört. »Gib dir nicht selbst die

Schuld! Du hast dir alle Mühe gegeben, Heather. Roxanne ist nur …«

»Sie mochte mich von Anfang an nicht«, sagte Heather und sah Candice dabei traurig an. »Ich habe mich so bemüht, freundlich zu sein …«

»Ich weiß«, sagte Candice und biss die Zähne zusammen. »Ich werde mal ein Wörtchen mit Roxanne reden.«

»Bitte keinen Streit!«, sagte Heather, als Candice auf dem Weg zur Tür war. »Bitte streitet euch nicht meinetwegen!« Doch ihre Worte blieben ungehört, als Candice die Tür hinter sich zuknallte.

Draußen im Foyer sah sie, dass Roxanne und Maggie vom Tisch aufstanden. Sie wollten gehen!, dachte Candice ungläubig. Ohne sich zu entschuldigen, ohne sich in irgendeiner Form zu bemühen …

»Okay …«, sagte sie, als sie auf die beiden zukam. »Wie ich höre, wart ihr zu Heather besonders reizend, während ich auf der Toilette war.«

»Candice, sie hat es sich selbst zuzuschreiben«, sagte Maggie. »Sie ist wirklich ein Biest.«

»Die reinste Verschwendung! Schade um den schönen Drink«, sagte Roxanne. Sie deutete auf die grüne Ledermappe mit der Rechnung, die auf dem Tisch lag. »Unser Anteil ist da drinnen. Ich habe für uns drei bezahlt. Für sie nicht.«

»Ich fasse es nicht, Roxanne!«, sagte Candice wütend. »Tut es dir nicht leid? Willst du dich denn nicht bei ihr entschuldigen?«

»Will sie sich denn bei mir entschuldigen?«

»Das muss sie nicht! Du hast ihr einen Drink ins Gesicht geschüttet! Verdammt noch mal, Roxanne!«

»Vergiss es einfach«, sagte Roxanne. »Offenbar findest du deine neue beste Freundin völlig in Ordnung …«

»Na, wenn ihr euch etwas mehr um sie bemüht hättet und nicht von Anfang an ohne jeden Grund voreingenommen gewesen wärt …«

»Ohne jeden Grund?«, rief Roxanne empört. »Soll ich anfangen, dir die zahllosen Gründe aufzuzählen?«

»Nicht, Roxanne«, sagte Maggie. »Das bringt doch nichts.« Sie seufzte und nahm ihre Tasche. »Candice, begreifst du denn nicht? Wir sind hergekommen, um *dich* zu treffen, nicht sie.«

»Ach, damit wir eine hübsche kleine Clique sind, ja? In die kein anderer reindarf.«

»Nein! Das ist es nicht. Aber …«

»Ihr seid wild entschlossen, sie nicht zu mögen, stimmt's?« Zitternd starrte Candice die beiden an. »Ich weiß nicht, wieso wir uns überhaupt treffen, wenn ihr meine Freunde nicht akzeptiert.«

»Und ich weiß nicht, wieso wir uns überhaupt treffen, wenn du nur dasitzt und den ganzen Abend mit jemandem, den ich nicht kenne, über alte Zeiten quatschst!«, sagte Maggie aufgebracht. »Ich musste einiges auf die Beine stellen, um hier sein zu können, Candice, und ich habe den ganzen Abend kaum ein Wort mit dir gesprochen!«

»Wir können uns auch ein anderes Mal sprechen!«, sagte Candice trotzig. »Ehrlich …«

»Ich nicht!«, schrie Maggie. »Für mich gibt es kein anderes Mal. Das *war* mein Mal!«

»Na, vielleicht würde ich noch etwas lieber mit dir sprechen, wenn du nicht so verdammt trübsinnig wärst!«, hörte Candice sich sagen. »Ich möchte mich amüsieren, wenn ich ausgehe, und nicht den ganzen Abend finster dasitzen!«

Einen Moment herrschte Schweigen.

»Mach's gut«, sagte Roxanne abweisend. »Komm, Maggie.« Sie griff sich Maggies Arm und nahm sie mit, ohne Candice noch einmal anzusehen.

Candice sah ihnen hinterher, als sie sich durch das lärmende Gedränge der Leute schoben, und merkte, wie brennende Scham von ihr Besitz ergriff. Verdammt, dachte sie. Wie hatte sie so etwas Schreckliches zu Maggie sagen können? Wie hatte es dazu kommen können, dass sie sich am Ende derart wütend anschrien?

Plötzlich wurden ihre Beine ganz zittrig, und sie sank auf einen Stuhl, starrte den nassen Tisch an, das Chaos von Eis und Cocktailgläsern und – wie ein Tadel – die Rechnung im grünen Ledermäppchen.

»Hallihallo!«, sagte eine Kellnerin, die wie Dorothy im *Zauberer von Oz* aussah. Eilig wischte sie den Tisch ab und nahm die Gläser, dann lächelte sie Candice an. »Darf ich Ihre Rechnung mitnehmen? Oder sind Sie noch nicht fertig?«

»Doch, ich bin fix und fertig«, sagte Candice matt. »Moment.« Sie nahm ihr Portemonnaie aus der Tasche und zählte drei Scheine ab. »Bitte schön«, sagte sie und reichte der Kellnerin die Rechnung. »Das müsste reichen.«

»Hi, Candice?« Heather stand vor ihr, sauber und gepflegt, die Haare glatt gekämmt und neues Make-up aufgetragen. »Sind die anderen gegangen?«

»Ja«, sagte Candice steif. »Sie ... sie mussten los.« Heather sah sie sich eingehender an.

»Ihr habt euch zerstritten, stimmt's?«

»Mehr oder weniger«, sagte Candice und probierte ein Lächeln.

»Das tut mir wirklich leid«, sagte Heather. »Ehrlich.« Sie drückte Candice' Schulter, dann warf sie einen Blick auf ihre Uhr. »Ich fürchte, ich muss gehen.«

»Natürlich«, sagte Candice. »Viel Spaß. Und grüß Ed von mir«, fügte sie hinzu, als Heather ging, doch sie schien sie nicht zu hören.

»Ihr Beleg«, sagte die Kellnerin und gab ihr das grüne Mäppchen zurück.

»Danke«, sagte Candice. Sie steckte den Zettel ein und stand auf, erschöpft vor Enttäuschung. Wie hatte das alles dermaßen schiefgehen können?

»Kommen Sie gut nach Hause. Bis zum nächsten Mal«, strahlte die Kellnerin.

»Ja«, sagte Candice mutlos. »Vielleicht.«

Kapitel Vierzehn

Am nächsten Morgen wachte Candice mit einem unangenehmen Gefühl im Magen auf. Sie starrte an die Decke,
versuchte es zu ignorieren, dann drehte sie sich um und
vergrub den Kopf unter der Decke. Doch das Unbehagen
blieb, wollte nicht verschwinden. Unablässig erinnerte ihr
Hirn sie daran, dass sie sich mit Maggie und Roxanne gestritten hatte. Ihre beiden besten Freundinnen hatten sie
sitzen lassen. Der bloße Gedanke daran schickte ihr einen
eisigen Schauer über den Rücken. Am liebsten hätte sie sich
für alle Ewigkeit unter ihrer Decke verkrochen.

Während sie den Abend in ihrer Erinnerung noch einmal
durchlebte, kniff sie die Augen zusammen und hielt sich die
Ohren zu. Doch wurde sie die Bilder nicht los – die Eiseskäl-
te in Roxannes Augen, der Schock in Maggies Gesicht. Wie
hatte sie sich derart danebenbenehmen können? Wie hatte
sie die beiden gehen lassen können, ohne etwas zu klären?

Während die Details des Abends langsam Form annah-
men, spürte sie gleichzeitig, wie ein gewisser Widerwille in
ihr heranwuchs. Sie begann ihr Verhalten vor sich selbst zu
rechtfertigen. Was hatte sie denn verbrochen? Sie hatte eine
Freundin mitgebracht, mehr nicht. Vielleicht verstanden
sich Heather und Roxanne nicht besonders, vielleicht war
Candice auch zu blauäugig gewesen. Aber konnte man ihr
das zum Vorwurf machen? Wenn es anders gelaufen wäre,
wenn sie Heather in ihr Herz geschlossen hätten, würden sie
Candice dann nicht jetzt anrufen und ihr zu einer so netten

Mitbewohnerin gratulieren? Es war nicht ihre Schuld, dass es nicht geklappt hatte. Sie hätte Maggie nicht anschnauzen sollen, andererseits hätte Maggie Heather auch nicht als Biest beschimpfen sollen.

Leicht genervt schwang Candice ihre Beine aus dem Bett und setzte sich auf, überlegte, ob Heather wohl schon geduscht hatte. Und da merkte sie es erst. Es war totenstill in der Wohnung. Candice kaute auf ihrer Lippe und ging zur Tür ihres kleinen Zimmers. Sie stieß sie auf und wartete, lauschte. Doch da war nichts – und Heathers Schlafzimmertür stand offen. Bevor Candice in die Küche ging, warf sie noch einen kurzen Blick in Heathers Zimmer. Es war leer und das Bett ordentlich gemacht. Auch das Badezimmer war leer. Die ganze Wohnung war leer.

Candice warf einen Blick auf die Küchenuhr. Zwanzig nach sieben. Möglicherweise war Heather einfach früher also sonst aufgestanden, sagte sie sich, als sie den Wasserkocher anstellte. Möglicherweise litt sie unter Amnesie, oder sie war dabei, völlig neue Saiten aufzuziehen.

Oder sie war über Nacht bei Ed geblieben.

Ihr Magen krampfte sich zusammen, und ärgerlich schüttelte sie den Kopf. Was Ed und Heather miteinander trieben, ging sie nichts an. Wenn er mit ihr ausgehen wollte, gut. Und wenn Heather so verzweifelt war, dass sie den Abend mit einem Mann verbringen wollte, der dachte, »Gourmet« bedeute »drei Pizzabeläge«, auch gut.

Eilig lief sie ins Bad, schälte sich aus ihrem Nachthemd und stieg unter die Dusche – wobei ihr auffiel, dass heute Morgen noch niemand geduscht hatte. Hastig schäumte sie sich mit einem Rosen-Gel namens »Uplifting« ein, dann drehte sie die heiße Dusche voll auf, um den Schaum, ihr Unbehagen und ihre brennende Neugier abzuwaschen. Am liebsten wollte sie alles abspülen und erfrischt und sorgenfrei wieder aus der Dusche steigen.

Als sie im Bademantel die Küche ansteuerte, lag ein Stapel Post auf der Matte, und das Wasser hatte gekocht. In aller Ruhe brühte sie sich einen Becher Kamillentee, wie es der *Londoner* im letzten Monat zur Entgiftung empfohlen hatte, und fing an, ihre Briefe zu öffnen, wobei sie sich den malvenfarbenen Umschlag ganz unten im Stapel bewusst bis zum Schluss aufhob.

Eine Kreditkartenabrechnung, höher als üblich. Seit Heather bei ihr wohnte, hatte sie sich mehr Vergnügungen gegönnt, war öfter ausgegangen und hatte mehr ausgegeben. Ein Kontoauszug. Ihr Kontostand kam ihr irgendwie höher vor als sonst. Eine Weile starrte sie ihn verwundert an und fragte sich, woher das Geld wohl kommen mochte. Dann steckte sie den Auszug achselzuckend wieder in den Umschlag und nahm den nächsten. Ein eingeschweißter Möbelkatalog. Ein Brief, der sie eindringlich dazu aufforderte, an einer Gewinnauslosung teilzunehmen. Und dann – ganz unten – der violette Umschlag, die vertraute, kringelige Handschrift. Einen Moment lang starrte sie ihn an, dann riss sie ihn auf, wusste schon, was sie erwartete.

Liebe Candice, schrieb ihre Mutter. *Hoffe, es geht Dir gut. Das Wetter ist hier so weit ganz schön. Kenneth und ich machen einen kurzen Ausflug nach Cornwall. Kenneths Tochter erwartet noch ein Baby …*

Schweigend las Candice den Brief zu Ende, dann schob sie ihn wieder in den Umschlag. Dieselben nichtssagenden Worte wie immer, derselbe neutrale, distanzierte Tonfall. Der Brief einer Frau, die aus Angst vor der Vergangenheit wie gelähmt und zu feige war, den Kontakt zu ihrer Tochter zu suchen.

Kurz flammte ein vertrauter Schmerz in Candice auf und erstarb. Sie hatte schon zu viele solcher Briefe gelesen, um sich darüber aufzuregen. Und heute Morgen war ihr friedlich zumute, beinah gefühllos. Nichts konnte ihr etwas anhaben. *Es ist mir egal*, blitzte es in ihrem Kopf auf, als sie die Briefe ordentlich auf dem Küchentresen stapelte. *Es ist mir egal*. Sie nahm einen Schluck Kamillentee, dann noch einen. Gerade wollte sie einen dritten nehmen, als es an der Wohnungstür klingelte, was sie so sehr erschreckte, dass sie ihren Tee auf dem Tisch vergoss.

Sie zog den Bademantel fester, ging vorsichtig zur Tür und machte auf.

»Okay«, sagte Ed, als setzte er ein Gespräch fort, das sie vor drei Minuten begonnen hatten. »Ich habe gehört, dass eine deiner Freundinnen Heather gestern Abend einen Cocktail ins Gesicht geschüttet hat.« Bewundernd schüttelte er den Kopf. »Candice, ich wusste ja gar nicht, dass du dich mit so einer wilden Truppe herumtreibst.«

»Was willst du?«, sagte Candice.

»Vor allem diese Roxanne kennenlernen«, sagte er. »Aber eine Tasse Kaffee wäre auch okay.«

»Was ist los mit dir?«, sagte Candice. »Wieso kannst du dir nicht deinen eigenen Kaffee kochen? Und wo ist Heather überhaupt?« Im selben Moment, in dem die Worte heraus waren, bereute sie sie schon.

»Interessante Frage«, sagte Ed und lehnte sich an den Türrahmen. »Womit du … *was* genau implizieren möchtest? Dass Heather mir meinen Kaffee kochen sollte?«

»Nein!«, fuhr Candice ihn an. »Ich hab mich nur …« Sie schüttelte den Kopf. »Egal.«

»Du hast dich nur gewundert? Nun …« Ed sah auf seine Uhr. »Um ehrlich zu sein, habe ich keine Ahnung. Wahrscheinlich dürfte sie inzwischen auf dem Weg zur Arbeit sein, meinst du nicht?« Er grinste unschuldig.

Candice starrte ihn an, dann machte sie auf dem Absatz kehrt und marschierte wieder in die Küche. Sie setzte Wasser auf, wischte den Tee vom Tisch, dann setzte sie sich hin und nahm noch einen Schluck Kamillentee.

»Ich bin dir übrigens zu Dank verpflichtet«, sagte Ed, als er ihr in die Küche folgte. »Für deinen guten Rat.« Er nahm den Kaffeebereiter und löffelte Pulver hinein. »Möchtest du auch?«

»Nein danke«, sagte Candice kalt. »Ich bin beim Entgiften. Und wozu habe ich dir geraten?«

»Zu Heather natürlich. Du hast doch vorgeschlagen, dass ich mit ihr ausgehen soll.«

»Ja«, sagte Candice. »Das habe ich.«

Sie schwiegen, während Ed Wasser in die Kanne gab und Candice in ihren Becher mit unattraktivem, lauwarmem Kamillentee starrte. Frag ihn nicht, sagte sie sich inständig. Frag ihn nicht. Er ist nur hergekommen, um damit anzugeben.

»Und … wie war's?«, hörte sie sich sagen.

»Wie war was?«, fragte Ed grinsend. Candice merkte, wie ihre Wangen rot anliefen.

»Wie war der Abend?«, fragte sie vorsichtig.

»Ach, der *Abend*«, sagte Ed. »Der Abend war wundervoll. Danke der Nachfrage.«

»Gut.« Desinteressiert zuckte Candice mit den Schultern.

»Heather ist wirklich attraktiv«, fuhr Ed nachdenklich fort. »Hübsche Haare, hübsche Kleider, hübsche Art …«

»Freut mich zu hören.«

»Natürlich völlig durchgeknallt.«

»Was meinst du damit?«, fragte Candice ärgerlich. Typisch Ed. »Was meinst du mit ›völlig durchgeknallt‹?«

»Sie hat einen Knall«, sagte Ed. »Das musst du doch schon mal gemerkt haben.«

»Sei nicht blöd.«

»Da sie doch eine alte Freundin von dir ist«, sagte Ed, nahm einen Schluck von seinem Kaffee und musterte Candice verwundert über den Rand seines Bechers hinweg. »Aber vielleicht hast du es ja noch gar nicht gemerkt.«

»Da gibt es nichts zu merken!«, sagte Candice.

»Wenn du meinst«, sagte Ed, und Candice starrte ihn frustriert an. »Natürlich weißt du das besser als ich. Aber wenn man mich nach meiner Meinung fragt …«

»Deine Meinung interessiert mich nicht!«, ging Candice dazwischen. »Was verstehst du schon von Menschen? Du interessierst dich doch nur für … für Fast Food und Geld.«

»Ist das so?«, sagte Ed mit hochgezogenen Augenbrauen. »Die Candice-Brewin-Analyse. Und in welcher Reihenfolge stehen diese beiden Kernfragen des Lebens? Bedeutet mir Geld mehr als Fast Food? Fast Food mehr als Geld? Halbe-halbe?«

»Sehr witzig«, schmollte Candice. »Du weißt, was ich meine.«

»Nein, eben nicht«, sagte Ed nach einem Moment.

»Ach, vergiss es«, sagte Candice.

»Ja«, sagte Ed mit seltsamer Miene. »Ich glaube, das werde ich tun.« Er stellte seinen Kaffeebecher ab und ging langsam zur Tür, dann blieb er stehen. »Aber eins will ich dir sagen, Candice: Du weißt über mich genauso wenig wie über deine Freundin Heather.«

Damit verließ er die Küche, ging den Flur entlang. Bestürzt machte Candice den Mund auf, um etwas zu sagen, um ihn zurückzurufen. Doch da knallte schon die Wohnungstür, und es war zu spät.

Als sie zwei Stunden später bei der Arbeit erschien, blieb Candice in der Tür zum Redaktionsbüro stehen und sah zu Heathers Schreibtisch hinüber. Er war leer, der Stuhl druntergeschoben. Offenbar war Heather noch nicht da.

»Guten Morgen, Candice«, sagte Justin, der gerade vorbeikam, auf dem Weg zu seinem Büro.

»Hi«, sagte Candice abwesend, mit Blick auf Heathers Schreibtisch. Dann sah sie ihn an. »Justin, weißt du, wo Heather ist?«

»Heather?«, sagte Justin und blieb stehen. »Nein. Wieso?«

»Ach, nur so«, sagte Candice sofort. »Ich überlege gerade was.« Sie lächelte Justin an, in der Erwartung, dass er ihr Lächeln erwidern oder weiter Konversation betreiben würde. Stattdessen sah er sie fragend an.

»Du hast Heather ganz schön unter deiner Fuchtel, was, Candice?«

»Bitte?« Candice runzelte die Stirn. »Was soll das denn heißen?«

»Du kontrollierst ihre Arbeit, nicht?«

»Na ja«, sagte Candice nach kurzer Überlegung. »Manchmal … überprüfe ich ihre Sachen.«

»Mehr nicht?«

Candice starrte ihn an und merkte, wie ihr das schlechte Gewissen die Schamesröte ins Gesicht trieb. Hatte Justin gemerkt, dass sie Heather den Großteil ihrer Arbeit abnahm? Vielleicht hatte er sie an ihrem Schreibstil erkannt. Vielleicht hatte er gesehen, wie sie an den Artikeln arbeitete, für die Heather verantwortlich war. Vielleicht hatte er gemerkt, dass sie Heather ständig Dokumente mailte.

»Vielleicht ein bisschen mehr«, sagte sie schließlich. »Ich bin manchmal so was wie eine helfende Hand. Du weißt schon.«

»Verstehe«, sagte Justin. Er musterte sie eingehend, ließ seinen Blick über ihr Gesicht schweifen, als suchte er nach Tippfehlern. »Nun, ich denke, Heather kommt von jetzt an vermutlich auch ohne deine kleine helfende Hand aus. Meinst du nicht auch?«

»Ich … ich glaube schon«, sagte Candice, erschrocken über seinen scharfen Ton. »Ich lasse sie in Ruhe.«

»Das freut mich zu hören«, sagte Justin und sah sie lange an. »Ich behalte dich im Auge, Candice.«

»Schön!«, sagte Candice verdattert. »Tu, was du nicht lassen kannst.«

Ein Telefon klingelte in Justins Büro, und nach einem letzten Blick auf Candice marschierte er weiter. Bestürzt sah Candice ihm hinterher. Wie war Justin daraufgekommen, dass sie Heather geholfen hatte? Und wieso war er deswegen so sauer? Sie hatte doch schließlich nur helfen wollen. Sie runzelte die Stirn und ging langsam zu ihrem Schreibtisch. Als sie sich setzte und ihren leeren Computerbildschirm betrachtete, kam ihr ein neuer, beunruhigender Gedanke. Litt ihre eigene Leistung darunter, dass sie Heather half? Verwendete sie vielleicht wirklich zu viel Zeit auf Heathers Arbeit?

»Alle mal herhören!« Justins Stimme unterbrach sie in ihren Gedanken, und sie drehte sich auf ihrem Stuhl um. Justin stand in der Tür zu seinem kleinen Büro, mit seltsamer Miene. »Ich habe eine schockierende Mitteilung zu machen.« Er wartete, bis sich alle von dem abwendeten, was sie gerade taten, und ihn ansahen. »Ralph Allsopp ist todkrank«, sagte er. »Krebs.«

Schweigen. Dann stöhnte jemand: »Oh Gott.«

»Ja«, sagte Justin. »Es ist ein ziemlicher Schock. Offenbar ist er schon eine Weile krank, ohne dass jemand davon wusste. Und inzwischen ist der Krebs …« Er wischte sich übers Gesicht. »Die Krankheit ist weit fortgeschritten. Ich fürchte, es steht schlecht um ihn.«

Keiner sagte ein Wort.

»Also … also deshalb hat er sich zur Ruhe gesetzt«, hörte Candice sich leise sagen. »Er wusste, dass er krank war.« Als sie die Worte aussprach, fiel ihr plötzlich die Nachricht vom Charing Cross Hospital ein, die sie neulich für ihn entgegengenommen hatte, und es lief ihr eiskalt über den Rücken.

»Er liegt im Krankenhaus«, sagte Justin. »Aber offenbar hat der Krebs sich ausgebreitet. Sie tun, was sie können, doch …« Seine Stimme verklang, und er blickte in die Runde. Die Nachricht schien ihm wirklich nahzugehen, und plötzlich empfand Candice direkt leises Mitgefühl für ihn. »Ich denke, eine Karte wäre nett«, fügte er hinzu, »von uns allen unterschrieben. Am besten etwas Unbeschwertes …«

»Was glaubt man, wie lange ihm noch bleibt?«, fragte Candice betreten. »Ist es …« Sie stockte, biss sich auf die Lippe.

»Offenbar nicht mehr lange«, sagte Justin. »Wenn so was erst mal da ist, dann …«

»Monate? Wochen?«

»Ich glaube …« Er zögerte. »Ich glaube, nach dem, was Janet gesagt hat, ist es nur noch eine Frage von Wochen. Oder sogar …« Er schwieg.

»Oh Gott«, sagte Alicia bebend. »Aber er sah doch so …« Sie stockte und schlug die Hände vors Gesicht.

»Ich rufe Maggie an und sag ihr Bescheid«, sagte Justin nüchtern. »Und überlegen Sie alle mal, ob Ihnen noch jemand einfällt, der informiert werden sollte … Freie Mitarbeiter beispielsweise. David Gettins wird es sicher gern wissen wollen.«

»Roxanne«, sagte jemand.

»Genau«, sagte Justin. »Wenn jemand so nett wäre, Roxanne anzurufen.«

Roxanne drehte sich auf ihrem Liegestuhl um und streckte die Beine aus. Die warme Abendsonne war wie ein freundliches Lächeln auf ihrer Haut. Morgens um zehn war sie auf dem Flughafen von Nizza angekommen und hatte sich von einem Taxi auf direktem Weg zum Paradin Hotel bringen lassen. Gerhard, der Direktor, war ein alter Freund und hatte ihr mit einem kurzen Anruf bei der Pressestelle der Hotelkette ein Zimmer zu einem erheblich günstigeren Preis besorgt. Sie bräuchte nicht viel, hatte sie gesagt. Ein Bett, eine Dusche, einen Platz am Pool. Irgendetwas, wo sie einfach nur daliegen und die heilende, wärmende Sonne auf ihrer Haut spüren konnte. Wo sich alles vergessen ließ.

Den ganzen Tag hatte sie in der grellen Sonne gelegen, sich sporadisch eingeölt und manchmal einen Schluck Wasser getrunken. Um halb sieben warf sie einen Blick auf die Uhr und konnte kaum glauben, dass sie erst vor vierundzwanzig Stunden in der Manhattan Bar gesessen hatte.

Wenn sie die Augen schloss, spürte Roxanne nach wie vor die tiefe Befriedigung, die sie empfunden hatte, als dem kleinen Biest das zerstampfte Eis übers Gesicht lief. Doch hatte die Begeisterung einen schalen Beigeschmack, war schon gestern überschattet gewesen von Enttäuschung. Sie hatte sich mit Candice nicht streiten wollen. Sie hatte nicht in der kalten Abendluft stehen wollen, betrunken und einsam und elend.

Maggie hatte sie allein gelassen. Nachdem die beiden aus der Bar gekommen waren, aufgebracht und ganz benommen nach dem Streit, hatte Maggie auf ihre Uhr gesehen und etwas unsicher gesagt: »Roxanne …«

»Geh nicht«, hatte Roxanne gesagt, Panik in der Stimme. »Komm schon, Maggie«, hatte Roxanne gesagt. »Dieser Abend war eine Katastrophe. Das müssen wir doch irgendwie ausgleichen.«

»Ich muss zurück«, hatte Maggie gesagt. »Es ist schon spät …«

»Ist es nicht!«

»Ich muss noch ganz bis nach Hampshire.« Maggie hatte ehrlich empört geklungen. »Das weißt du doch. Und ich muss Lucia stillen, sonst platze ich.« Sie hatte Roxannes Hand genommen. »Roxanne, wenn ich könnte, würde ich bleiben …«

»Du könntest, wenn du wolltest.« Da war ein so kindisches Zittern in Roxannes Stimme gewesen. Plötzlich hatte sie panische Angst gehabt, von allen verlassen zu werden. Erst Ralph, dann Candice. Jetzt Maggie. Alle wandten sich anderen in ihrem Leben zu. Ihren Freunden, ihren Familien. Zogen andere Menschen ihr vor. Sie hatte Maggies warme Hand betrachtet, mit dem riesigen Verlobungs-Saphir, und war plötzlich neidisch geworden. »Okay, dann geh doch!«, hatte sie gebellt. »Geh zurück zu deinem Kerl. Mir doch egal.«

»Roxanne«, hatte Maggie sie angefleht. »Roxanne, warte!« Doch Roxanne hatte sich losgerissen und war fluchend die Straße entlanggestampft. Sie hatte gewusst, dass Maggie ihr nicht hinterherlaufen würde. Tief in ihrem Inneren war ihr klar gewesen, dass Maggie keine Wahl hatte.

Nach ein paar Stunden Schlaf war sie im Morgengrauen aufgewacht und hatte die spontane Entscheidung getroffen wegzufliegen, irgendwohin, der Sonne entgegen. Ralph hatte sie verlassen. Und vielleicht hatten auch ihre Freundinnen sie aufgegeben. Aber sie war ungebunden und hatte

Kontakte und machte im Bikini eine gute Figur. Sie würde so lange bleiben, wie sie wollte, und dann weiterziehen. Vielleicht sogar über Europas Grenzen hinaus. Scheiß auf Großbritannien, scheiß auf alles. Sie würde ihre Nachrichten nicht abhören, sie würde nicht mal ihren monatlichen Artikel abliefern. Sollte Justin ruhig ein bisschen schwitzen. Sollten sie alle ein bisschen schwitzen.

Roxanne setzte sich auf, hob die Hand und beobachtete zufrieden, wie ein weiß livrierter Kellner zu ihr herüberkam. Das nenne ich Service, dachte sie. Manchmal war ihr, als könnte sie ihr ganzes Leben in einem Fünf-Sterne-Hotel verbringen.

»Hallo«, sagte sie mit strahlendem Lächeln. »Ich möchte bitte ein Club-Sandwich. Und einen frisch gepressten Orangensaft.« Der Kellner notierte die Bestellung auf seinem Block, dann entfernte er sich wieder, und sie machte es sich auf ihrer Sonnenliege bequem.

Roxanne blieb zwei Wochen im Paradin. Die Sonne schien jeden Tag, der Pool glitzerte, und wenn ihr Club-Sandwich kam, war es dick, knusprig und lecker. An dieser Routine hielt sie fest, mied die anderen Gäste und verließ das Hotelgelände nur einmal. Die Tage reihten sich aneinander wie Perlen auf einer Schnur. Sie fühlte sich teilnahmslos, alles war weit weg, bis auf das Gefühl von Sonne und Sand und den scharfen Geschmack der ersten Margarita am Abend. Irgendwo in England gingen die Menschen, die sie kannte und liebte, ihrem Alltag nach, aber in ihrer Erinnerung waren sie wie Schatten, wie Menschen aus ihrer Vergangenheit.

Nur gelegentlich blitzte der Schmerz auf, so heftig, dass sie nur die Augen schließen und warten konnte, bis es vorbei war. Als sie eines Abends an ihrem Ecktisch in der Bar saß, stimmte die Band einen Song an, den sie mit Ralph immer gehört hatte, und aus heiterem Himmel spürte sie einen Stich in ihrem Herzen, dass ihr die Tränen kamen. Doch sie saß ganz ruhig da, ließ die Tränen auf ihren Wangen trocknen, ohne sie wegzuwischen. Und dann ging der Song zu Ende, und der nächste begann, und ihre Margarita kam. Und als sie ausgetrunken hatte, dachte sie an etwas völlig anderes.

Nach zwei Wochen wachte sie auf, trat an ihr Fenster und spürte einen ersten Anflug von Langeweile. Sie war rastlos, voller Energie. Plötzlich kam ihr das Hotel eng und beschränkt vor. Es hatte ihr Schutz geboten, doch nun war es wie ein Gefängnis. Sie wollte nur noch weg. Weit, weit weg. Ohne nachzudenken, nahm sie ihren Koffer und fing an zu packen. Sie wollte gar nicht erst still sitzen und überlegen, welche Möglichkeiten ihr blieben. Nachdenken tat weh. Reisen war Hoffnung und Abenteuer.

Als sie Gerhard im Hotelfoyer zum Abschied einen Kuss gab, hatte sie bereits einen Flug nach Nairobi gebucht und ihre Freunde im Hilton angerufen. Eine Woche zum halben Preis und ein Nachlass auf die zweiwöchige Safari. Sie würde für den *Londoner* darüber schreiben, und noch für viele andere. Sie würde Elefanten fotografieren und die Sonne über dem Horizont aufgehen sehen. Sie wollte in die Weite der afrikanischen Steppe eintauchen und sich darin verlieren.

Der Flug war nur halb voll, und nach einer kurzen Auseinandersetzung mit der Frau am Check-in gewährte man Roxanne ein Upgrade. Zufrieden grinsend schlenderte sie an Bord und machte es sich auf ihrem breiten Sitz bequem. Als die Flugbegleiter die Sicherheitsanweisungen vorführten, nahm sie einen kostenlosen *Daily Telegraph* zur Hand und fing an, die Titelseite zu lesen, ließ die vertrauten Namen und Themen wie Regen auf ihren ausgedörrten Geist niederregnen. Es schien ihr eine Ewigkeit her zu sein, seit sie in England gewesen war. Sie blätterte ein paar Seiten weiter und sah sich einen Artikel über Ferienmode an.

Inzwischen war die Maschine auf der Startbahn und rollte immer schneller. Das Gebrüll der Turbinen wurde immer lauter, fast ohrenbetäubend. Die Maschine nahm Geschwindigkeit auf, bis es schien, als ginge es nicht mehr schneller, und dann – mit einem kleinen Ruck – erhob sie sich in die Luft. In diesem Moment blätterte Roxanne die Seite um und war kurz überrascht. Da blickte Ralph sie an, in strengem Schwarzweiß. Automatisch überlegte sie, ob er größere Veränderungen plante oder sonst bei etwas Interessantem mitmischte.

Dann – als sie merkte, welche Seite sie vor sich hatte – erstarrte sie.

Ralph Allsopp, lautete die Überschrift des Nachrufs – *Verleger, der dem Magazin »Londoner« neues Leben einhauchte.*

»Nein«, sagte Roxanne mit einer Stimme, die nicht wie ihre klang. »Nein.« Ihre Hände zitterten so sehr, dass sie den Text kaum lesen konnte.

Ralph Allsopp, der am Montag verstarb …

»Nein«, flüsterte sie, suchte die Seite verzweifelt nach einer anderen Möglichkeit, nach einer lustigen Pointe ab.

Er hinterlässt eine Frau und drei Kinder.

Der Schmerz traf Roxanne mit voller Wucht. Sie starrte sein Foto an und spürte, dass sie würgen musste. Mit nutzlosen Händen riss sie an ihrem Gurt herum. »Nein«, hörte sie sich sagen. »Ich muss hier raus.«

»Madam, ist alles in Ordnung?« Eine Stewardess tauchte vor ihr auf, mit eisigem Lächeln.

»Halten Sie das Flugzeug an«, sagte Roxanne zu der Stewardess. »Bitte, ich muss hier raus. Ich muss zurück.«

»Madam …«

»Nein! Sie verstehen nicht. Ich muss zurück. Das ist ein Notfall.« Sie schluckte, versuchte, äußerlich die Ruhe zu bewahren. Doch irgendetwas blubberte unkontrolliert in ihr hoch, nahm ihren Körper in Besitz.

»Ich fürchte …«

»Bitte. Lassen Sie die Maschine einfach umkehren!«

»Ich fürchte, das wird nicht gehen«, sagte die Stewardess lächelnd.

»Wagen Sie es ja nicht, mich auszulachen!« Roxannes Stimme wurde zu einem Kreischen. Plötzlich konnte sie nicht mehr an sich halten. »Lachen Sie mich nicht aus!« Heiße Tränen liefen über ihre Wangen.

»Aber ich lache doch gar nicht!«, sagte die Stewardess verblüfft. Sie sah die zerknüllte Zeitung in Roxannes Hand, und ihre Miene wandelte sich. »Ich lache nicht«, sagte sie sanft. Sie ging in die Hocke und legte ihre Arme um Roxanne. »Sie können von Nairobi zurückfliegen«, sagte sie Roxanne ins Ohr. »Wir kümmern uns darum.« Und während die Maschine immer höher und höher in die Wolken aufstieg, kniete sie am Boden, ignorierte die anderen Passagiere und streichelte Roxannes schmalen, schluchzenden Rücken.

Kapitel Fünfzehn

Die Beerdigung fand neun Tage später in St. Bride's an der Fleet Street statt. Als Candice früh dort eintraf, warteten davor bereits Leute und tauschten fassungslose Blicke – wie schon seit einer Woche. Dem gesamten Verlag hatte es die Sprache verschlagen, als Ralph nur zwei Wochen nach seiner Einlieferung ins Krankenhaus gestorben war. Manch einer hatte mit leerem Blick vor dem Computer gesessen und konnte es nicht fassen. Viele hatten geweint. Ein hysterisches Mädchen hatte gelacht, als sie die Nachricht bekam – dann war sie vor Scham in Tränen ausgebrochen. Während noch alle am Boden zerstört waren, fingen die Telefone an zu klingeln, und die Blumen trafen ein. Und so hatten sie tapfere Mienen aufsetzen und die eingehenden Nachrichten bearbeiten müssen, die Beileidsbekundungen, die neugierigen Anfragen zur Zukunft der Firma, verborgen hinter einem Schleier von Mitgefühl.

Ralphs Sohn Charles war ein paarmal gesehen worden, wie er mit ernster Miene durch die Korridore lief. Er war erst so kurz beim *Londoner*, dass niemand wusste, wie er eigentlich war, abgesehen davon, dass er gut aussah und teure Anzüge trug. Sein Gesicht kannte man von den Fotos an Ralphs Wand, aber dennoch war er ein Fremder. Als er kurz nach dem Tod seines Vaters durch alle Büros gegangen war, hatten die Mitarbeiter ihr Beileid genuschelt und scheu angemerkt, welch wunderbarer Mensch Ralph gewesen war, doch niemand hatte es gewagt, auf Charles Allsopp zuzugehen. Niemand hatte gewagt, ihn zu fragen, was er mit der Zeitschrift vorhatte. Nicht vor der Beerdigung. Und so lief alles weiter wie bisher, mit hängenden Köpfen, gedämpften Stimmen und einem etwas unwirklichen Gefühl.

Candice schob ihre Hände in die Taschen und suchte sich draußen eine Bank, wo sie allein war. Die Nachricht von Ralphs Tod hatte die Erinnerung an den Tod ihres Vaters schmerzlich wachgerufen. Noch immer konnte sie sich genau in diese Situation hineinversetzen, noch immer den Schock, die Trauer spüren. Jeden Morgen diese Hoffnung, dass alles nur ein böser Traum gewesen war. Die plötzliche Erkenntnis, die ihr eines Morgens beim Anblick ihrer Mutter gekommen war – dass ihre Familie nur noch aus ihnen beiden bestand, dass ihre Familie, statt zu wachsen, nun vorzeitig geschrumpft war. Sie wusste noch genau, wie einsam und verletzbar sie sich gefühlt hatte. Was sollte werden, wenn ihre Mutter starb?, dachte sie. Was sollte werden, wenn sie ganz allein auf der Welt war?

Und dann, als sie gerade ihr Gleichgewicht wiederfand und langsam mit der Situation zurechtkam, hatte der Alptraum begonnen. Die Entdeckungen, die Erniedrigung. Die Erkenntnis, dass der geliebte Ehemann und Vater ein Schwindler, ein Betrüger gewesen war. Grob wischte Candice eine Träne aus ihrem Auge und blickte blinzelnd zu Boden. Es gab niemanden, mit dem sie diese Erinnerungen und Gefühle teilen konnte. Ihre Mutter wechselte sofort das Thema. Und Roxanne und Maggie – die einzigen beiden, die von der Geschichte wussten – standen nicht mehr zur Verfügung. Seit Wochen hatte niemand mehr etwas von Roxanne gehört, und Maggie … Candice verzog das Gesicht. Sie hatte versucht, mit Maggie zu reden, und sie einen Tag nach Ralphs Tod angerufen. Sie hatte sich entschuldigen, sich mit ihr aussöhnen und Schock und Trauer teilen wollen. Doch als sie etwas unsicher gesagt hatte: »Hi, Maggie, hier ist Candice«, hatte Maggie sie nur angeschnauzt: »Ach, bin ich wieder interessant genug? Jetzt möchtest du dich wieder mit mir unterhalten, ja?«

»Ich wollte doch nicht …«, begann Candice hilflos. »Maggie, bitte …«

»Ich will dir mal was sagen«, hatte Maggie gesagt. »Ruf mich am besten erst wieder an, wenn Lucia achtzehn ist, okay?« Und damit hatte sie den Hörer aufgeknallt.

Bei dem Gedanken daran verzog Candice das Gesicht, dann zwang sie sich, den Kopf zu heben. Es wurde Zeit, ihre eigenen Probleme zu vergessen und sich auf Ralph zu konzentrieren. Sie suchte bekannte Gesichter unter den Trauergästen. Alicia stand allein da, trübsinnig. Heather tröstete in einer Ecke die weinende Kelly. Es waren viele Leute gekommen, die sie zu kennen meinte, und sogar ein paar mittelmäßig Prominente. Ralph Allsopp hatte sich im Laufe der Jahre viele Freunde gemacht und einige verloren.

Candice stand auf, strich ihren Mantel glatt und machte sich bereit, zu Heather hinüberzugehen, doch bei einem Blick hinüber zum Tor stutzte sie. Herein kam dort – braun gebrannter als je zuvor, die blonden Haare wallend über einem schwarzen Mantel – Roxanne. Sie trug eine dunkle Sonnenbrille und ging langsam, fast als wäre sie krank. Ihr Anblick brach Candice fast das Herz, und plötzlich brannten Tränen in ihren Augen. Vielleicht wollte sich Maggie nicht mit ihr vertragen, aber Roxanne bestimmt.

»Roxanne!«, sagte sie und rannte auf sie zu, dass sie fast stolperte. »Roxanne, das mit neulich Abend tut mir leid! Können wir nicht einfach vergessen, was passiert ist?«

Sie wartete darauf, dass Roxanne ihr zustimmte, dass die

beiden sich umarmten und ein paar sentimentale Tränen vergossen. Doch Roxanne blieb still, dann sagte sie – wie unter großen Mühen – heiser: »Wovon redest du, Candice?«

»Von der Manhattan Bar«, sagte Candice. »Wir haben Sachen gesagt, die wir nicht so meinten …«

»Candice, die Manhattan Bar interessiert mich einen Dreck«, sagte Roxanne grob. »Findest du das jetzt wichtig?«

»Also … nein«, sagte Candice erschrocken. »Wahrscheinlich nicht. Aber ich dachte …« Sie stockte. »Wo warst du?«

»Ich war weg«, sagte Roxanne. »Nächste Frage?« Ihr Gesicht war undurchschaubar, fast unfreundlich hinter ihrer Sonnenbrille. Verunsichert starrte Candice sie an.

»Wie … wie hast du die Nachricht bekommen?«

»Ich habe die Todesanzeige gelesen«, sagte Roxanne. »Im Flugzeug.« Mit schroffer, eckiger Geste klappte sie ihre Handtasche auf und holte ihre Zigaretten hervor. »Im beschissenen Flugzeug.«

»Mein Gott, das war bestimmt ein Schock!«, sagte Candice.

Roxanne sah sie lange an, dann sagte sie nur: »Ja, das war es.« Mit zitternden Händen versuchte sie, ihre Zigarette anzuzünden, doch das Feuerzeug verweigerte den Dienst. »Scheißding«, fluchte sie und fing fast an zu schnaufen. »Gottverdammtes Scheißding …«

»Roxanne, lass mich mal«, sagte Candice und nahm ihr die Zigarette weg. Roxannes offensichtlicher Mangel an Haltung erschreckte sie – Roxanne, die Schicksalsschläge normalerweise mit einem Grinsen und einer bissigen Bemerkung abtat. Heute schien es ihr näherzugehen als allen anderen. Hatte sie Ralph denn so nahegestanden? Candice runzelte die Stirn, als sie die Zigarette anzündete und Roxanne wieder zurückgab.

»Hier, bitte sehr«, sagte sie, dann stutzte sie. Roxanne starrte regungslos eine nicht mehr ganz junge Frau mit blondem Bob und dunklem Mantel an, die eben einer schwarzen Limousine entstiegen war. Ein kleiner Junge von vielleicht zehn Jahren folgte ihr auf den Bürgersteig, dann eine junge Frau und einen Moment später Charles Allsopp.

»Oh«, sagte Candice neugierig. »Das muss seine Frau sein. Ja, natürlich. Ich erkenne sie wieder.«

»Cynthia«, sagte Roxanne. »Und Charles. Und Fiona. Und der kleine Sebastian.« Sie nahm einen tiefen Zug von ihrer Zigarette. Auf dem Bürgersteig strich Cynthia Sebastians Mantel glatt und inspizierte sein Gesicht.

»Wie alt ist er?«, fragte Candice mit Blick auf die trauernde Familie. »Der Kleine?«

»Ich weiß es nicht«, antwortete Roxanne und stieß ein seltsames kleines Lachen aus. »Ich hab … ich hab aufgehört zu zählen.«

»Der Ärmste«, sagte Candice betrübt. »Stell dir vor, deinen Vater in so jungen Jahren zu verlieren. Schlimm genug, dass …« Sie stockte und holte tief Luft.

Die Allsopps wandten sich um und gingen, angeführt von Cynthia und Charles, langsam zur Kirche. Als sie Roxanne passierten, fiel Cynthias Blick auf sie, und Roxanne hob entschlossen das Kinn.

»Kennst du sie?«, fragte Candice verdutzt, als sie vorüber waren.

»Ich habe noch nie ein Wort mit ihr gewechselt«, sagte Roxanne.

»Oh«, sagte Candice und versank in ratlosem Schweigen. Die Leute um sie herum machten sich auf den Weg in die Kirche. »Na gut … wollen wir reingehen?«, sagte Candice schließlich. Sie blickte auf. »Roxanne?«

»Ich kann nicht«, sagte Roxanne. »Ich kann da nicht rein.«

»Wie meinst du das?«

»Ich kann es nicht.« Roxannes Stimme war ein Flüstern, und ihr Kinn bebte. »Ich kann da nicht sitzen. Bei all den anderen. Bei ... ihr.«

»Bei wem?«, sagte Candice. »Bei Heather?«

»Candice«, sagte Roxanne mit zitternder Stimme und riss sich die Sonnenbrille von den Augen. »Will es eigentlich nicht in deinen verdammten Schädel gehen, dass mir deine dumme kleine Freundin scheißegal ist?«

Erschrocken starrte Candice sie an. Roxannes Augen waren blutunterlaufen, mit dunklen Schatten, erfolglos verborgen unter noch dunklerem Make-up.

»Roxanne, was ist denn los?«, fragte sie verzweifelt. »Von wem redest du?« Sie folgte Roxannes Blick und sah, wie Cynthia Allsopp in der Kirche verschwand. »Redest du von *ihr*?«, sagte sie und runzelte verständnislos die Stirn. »Du willst nicht bei Ralphs Frau sitzen? Aber ich dachte, du sagtest – du sagtest ...« Candice sprach nicht weiter, sah nur in Roxannes abgespanntes Gesicht. »Du bist doch nicht etwa ...« Sie stockte. »Nein.«

Sie trat einen Schritt zurück und rieb ihre Wangen, versuchte, ruhig zu atmen, ihre Gedanken zu bremsen, um nicht zu absurden Schlussfolgerungen zu gelangen.

»Du meinst doch nicht ...« Sie blickte Roxanne in die Augen, und als sie den Ausdruck darin sah, wollte sich ihr der Magen umdrehen. »Oh, mein Gott.« Sie schluckte. »Ralph.«

»Ja«, sagte Roxanne, ohne sich zu rühren. »Ralph.«

Maggie saß auf dem Sofa in ihrem Wohnzimmer und sah sich an, wie die Frau vom Gesundheitsamt etwas in Lucias kleines Büchlein schrieb. Die anderen waren jetzt sicher alle bei der Beerdigung. Ralphs Beerdigung. Sie konnte es nicht fassen. Es war bestimmt eine der schlimmsten Zeiten in ihrem Leben, dachte sie teilnahmslos, während sie sah, wie die Frau vom Gesundheitsamt sorgfältig Lucias Gewicht in eine Tabelle eintrug. Ralph war tot. Und sie hatte sich mit ihren beiden besten Freundinnen überworfen.

Sie konnte die Erinnerung an diesen Abend in der Manhattan Bar kaum ertragen. Sie hatte sich so große Hoffnungen gemacht – und er hatte ein so schlimmes Ende genommen. Noch immer war sie verletzt, wenn sie an die abfälligen Bemerkungen dachte, die Candice ihr an den Kopf geworfen hatte. Nach der ganzen Mühe, die sie sich gemacht hatte, nach all den Opfern und all den Schuldgefühlen – sich sagen lassen zu müssen, dass sie nicht interessant genug war, um sich mit ihr abzugeben. Dermaßen abgetan zu werden. Völlig erschöpft und unter Tränen war sie an jenem Abend zurück nach Hampshire gefahren. Als sie zu Hause ankam, hatte sie Giles vorgefunden, der eine quengelige Lucia im Arm hielt und offenbar mit seinem Latein am Ende war. Lucia musste dringend gestillt werden. Ihr war, als hätte sie die beiden im Stich gelassen – als hätte sie die ganze Welt im Stich gelassen.

»Und wie war's?«, hatte Giles gefragt, während Lucia hungrig nuckelte. »Mum meinte, du hättest dich angehört, als würdest du dich gut amüsieren.« Benommen hatte Maggie ihn angestarrt, brachte es nicht übers Herz, ihm die Wahrheit zu sagen und zuzugeben, dass der Abend, dem ihre ganze Hoffnung gegolten hatte, eine Katastrophe gewesen war. Also hatte sie gelächelt, »Super!« gesagt und sich in ihren Sessel sinken lassen, dankbar, wieder zu Hause zu sein.

Seitdem war sie nur gelegentlich draußen gewesen. Sie gewöhnte sich daran, mit sich selbst allein zu sein, und ließ tagsüber den Fernseher laufen. An dem Tag, an dem sie von Ralphs Tod erfahren hatte, hatte sie eine Weile weinend in der Küche gesessen, dann hatte sie das Telefon genommen und Roxannes Nummer gewählt. Es ging aber niemand ran. Am nächsten Tag hatte Candice angerufen, und Maggie hatte unwillkürlich um sich getreten, ohne es eigentlich zu wollen, doch sie konnte nicht anders. Sie musste ihr etwas von dem Schmerz zurückzahlen, den sie nach wie vor empfand. Noch immer fühlte sie sich zutiefst gedemütigt, wenn sie an Candice' Worte dachte. Offensichtlich hielt Candice sie für eine traurige, langweilige Vogelscheuche. Offensichtlich bevorzugte sie Heathers aufregende Gesellschaft. Sie hatte den Hörer aufgeknallt und gespürt, wie eine mächtige Adrenalinwoge sie dabei ergriff. Doch schon im nächsten Moment kamen ihr die Tränen. Arme Lucia, dachte Maggie. Sie lebt unter einem salzigen Wasserfall.

»Feste Nahrung mit vier Monaten«, sagte die Frau vom Gesundheitsamt gerade. »Babyreisbrei ist überall erhältlich. Aus ökologischem Anbau, wenn Sie wollen. Dann gehen Sie über zu Äpfeln, Birnen, irgendwas Einfachem. Gut gekocht und püriert.«

»Ja«, sagte Maggie. Sie fühlte sich wie ein Roboter, saß da und nickte und lächelte in regelmäßigen Abständen.

»Und wie ist es mit Ihnen?«, fragte die Frau. Sie ließ ihr Notizbuch sinken und sah Maggie an. »Fühlen Sie sich denn wohl in Ihrer Haut?« Maggie starrte sie an und spürte, dass ihre Wangen heiß wurden. Solche Fragen hatte sie nicht erwartet.

»Ja«, sagte sie schließlich. »Ja, es geht mir gut.«

»Ist Ihr Mann nett und hilfsbereit?«

»Er tut sein Bestes«, sagte Maggie. »Er hat ... er hat bei der Arbeit viel zu tun, aber er gibt sich Mühe.«

»Gut«, sagte die Frau. »Und Sie ... kommen Sie denn auch mal vor die Tür?«

»Ja ... genug«, sagte Maggie trotzig. »Es ist schwierig, mit dem Baby ...«

»Ja«, sagte die Frau. Sie lächelte verständnisvoll und nahm einen Schluck von dem Tee, den Maggie ihr gemacht hatte. »Was ist mit Freundinnen?«

Das Wort traf Maggie wie ein Blitz. Zu ihrem Entsetzen spürte sie, dass ihr die Tränen kamen.

»Maggie?«, sagte die Frau und beugte sich besorgt vor. »Ist alles in Ordnung?«

»Ja«, sagte Maggie und spürte, dass schon wieder Tränen über ihre Wangen liefen. »Nein.«

Im fahlen Frühlingssonnenschein saßen Roxanne und Candice auf dem Kirchhof von St. Bride's und lauschten den fernen Klängen von »Hills of the North, Rejoice«. Roxanne starrte mit leerem Blick geradeaus, und Candice betrachtete die ziehenden Wolken und überlegte, ob Maggie und sie unfassbar blind oder ob Roxanne und Ralph unfassbar diskret gewesen waren. Sechs Jahre lang. Es war unglaublich. Sechs Jahre absoluter Geheimhaltung.

Am meisten hatte Candice schockiert, als Roxanne ihr erzählte, wie sehr sich die beiden offenbar geliebt hatten. Wie tiefgehend ihr Verhältnis gewesen war, bei allen Witzen, die Roxanne so riss, ihrer Leichtfertigkeit, ihrer vermeintlichen Herzlosigkeit. »Aber was ist mit deinen vielen Affären?« Einmal hatte Candice nachgefragt – um mit einem bohrenden Blick belohnt zu werden. »Candice«, hatte Roxanne gesagt, fast müde, »ich *hatte* keine Affären.«

Nun, in der Stille, sog sie den Rauch ihrer Zigarette tief ein und blies ihn in die Luft.

»Ich dachte, er wollte mich nicht mehr«, sagte sie, ohne den Kopf zu bewegen. »Er hat gesagt, ich soll nach Zypern gehen. Ein neues Leben anfangen. Ich war … am Boden zerstört. Der ganze Quatsch davon, dass er sich zur Ruhe setzen wollte.« Sie drückte ihre Zigarette aus. »Wahrscheinlich dachte er, er tut mir einen Gefallen. Wahrscheinlich wusste er, dass er sterben würde.«

»Ja, er wusste es«, sagte Candice, ohne nachzudenken.

»Wie?« Roxanne drehte sich um und starrte sie an. »Was meinst du damit?«

»Nichts«, sagte Candice und wünschte, sie hätte den Mund gehalten. Roxanne starrte sie an.

»Candice, was meinst du damit? Willst du etwa sagen …« Sie machte eine Pause, als versuchte sie, sich zu beherrschen. »Willst du etwa sagen, du wusstest, dass Ralph krank war?«

»Nein«, sagte Candice nicht schnell genug. »Ich … ich habe einmal eine Nachricht für ihn entgegengenommen, vom Charing Cross Hospital. Es hatte keine Bedeutung. Es könnte alles gewesen sein …«

»Wann war das?«, fragte Roxanne mit zitternder Stimme, während drinnen in der Kirche das Lied auf einem gemeinsamen Akkord endete. »Candice, wann war das?«

»Ich weiß nicht mehr«, sagte Candice und merkte, dass sie rot wurde. »Es ist eine Weile her. Ein paar Monate.« Sie sah Roxanne an und schreckte vor ihrer Miene zurück.

»Und du hast kein Wort darüber verloren …«, sagte Roxanne entgeistert. »Du hast mir nichts gesagt, und auch Maggie nicht.«

»Ich wusste ja nicht, dass es wichtig ist!«

»Konntest du es dir nicht denken?« Roxannes Stimme wurde harsch. »Hast du dich denn nicht *gewundert*?«

»Ich … ich weiß nicht. Vielleicht habe ich mich kurz gewundert …«

Candice schwieg und fuhr sich mit der Hand durchs Haar. Aus der Kirche hörte man Stimmen im Gebet.

»Du wusstest, dass Ralph sterben würde, und ich nicht.« Roxanne schüttelte den Kopf, als versuchte sie, verwirrende Fakten zu ordnen.

»Ich wusste es nicht!«, sagte Candice verzweifelt. »Roxanne …«

»Du wusstest es!«, schrie Roxanne. »Und seine Frau wusste es. Und die ganze Welt wusste es. Und wo war ich, als er starb? Ich war in Frankreich und lag an einem gottverfluchten Swimmingpool.«

Roxanne schluchzte auf, und ihre Schultern bebten. Schweigend, entsetzt sah Candice sie an.

»Ich hätte es wissen müssen«, sagte Roxanne mit tränenerstickter Stimme. »Ich habe gemerkt, dass mit ihm irgendwas nicht stimmt. Er wurde immer dünner, und er …« Ihr Satz erstarb, und sie wischte unwirsch an ihren Augen herum. »Aber weißt du, was ich dachte? Ich dachte, er war gestresst, weil er seine Frau verlassen wollte. Ich dachte, er wollte mit mir zusammenleben. Und dabei war er todkrank gewesen. Und …« Sie stutzte ungläubig. »Und du wusstest es.«

Bestürzt versuchte Candice, sie in den Arm zu nehmen, doch Roxanne schüttelte sie ab.

»Ich kann es nicht ertragen!«, sagte sie verzweifelt. »Ich kann es nicht ertragen, dass alle außer mir Bescheid wussten. Du hättest es mir sagen müssen, Candice.« Ihre Stimme wurde zu einem kindlichen Heulen. »Du hättest mir sagen müssen, dass er krank war!«

»Aber ich wusste doch gar nichts von dir und Ralph!« Candice merkte, dass ihr selbst die Tränen kamen. »Woher hätte ich wissen können, was ich dir erzählen soll?« Sie versuchte, Roxannes Hand zu nehmen, doch Roxanne stand auf.

»Ich kann nicht bleiben«, flüsterte sie. »Ich kann dich nicht um mich haben. Ich kann es nicht ertragen … dass du es wusstest und ich nicht.«

»Roxanne, es ist nicht meine Schuld«, flehte Candice, und Tränen liefen über ihr Gesicht. »Es ist nicht meine Schuld!«

»Ich weiß«, sagte Roxanne heiser. »Das weiß ich. Aber ich kann es trotzdem nicht ertragen.« Und ohne Candice noch einmal in die Augen zu sehen, ging sie eilig davon.

Maggie wischte sich die Augen und nahm einen Schluck heißen, frischen Tee.

»So ist es besser«, sagte die Frau vom Gesundheitsamt freundlich. »Machen Sie sich keine Gedanken. Viele junge Mütter leiden anfangs unter Depressionen. Das ist ganz normal.«

»Aber ich habe keinen Grund, deprimiert zu sein«, sagte Maggie schaudernd. »Ich habe einen liebevollen Mann und ein großes, schönes Haus, und ich muss nicht arbeiten. Ich habe wirklich Glück.«

Sie sah sich in ihrem imposanten Wohnzimmer um: der Flügel voller Fotos, der Kamin mit dem Holz, die Terrassentüren, die hinaus auf den Rasen führten. Die Frau folgte ihrem Blick.

»Sie sind hier draußen ziemlich isoliert, nicht wahr?«, sagte sie nachdenklich. »Haben Sie Familie in der Nähe?«

»Meine Eltern wohnen in Derbyshire«, sagte Maggie, schloss die Augen und spürte den heißen Dampf des Tees in ihrem Gesicht. »Aber meine Schwiegermutter wohnt nur ein paar Meilen entfernt.«

»Und ist das eine Hilfe?«

Maggie machte den Mund auf, um Ja zu sagen.

»Nicht wirklich«, hörte sie sich stattdessen sagen.

»Verstehe«, sagte die Frau taktvoll. »Sie kommen nicht besonders gut miteinander aus?«

»Doch, schon … aber sie gibt mir das Gefühl, eine völlige Versagerin zu sein«, sagte Maggie, und als die Worte heraus waren, empfand sie plötzlich schmerzliche Erleichterung. »Sie macht alles so gut, und ich mache alles so …« Wieder liefen Tränen über ihre Wangen. »So schlecht«, flüsterte sie.

»Das stimmt gewiss nicht.«

»Doch! Ich kann einfach nichts richtig machen!« Maggie schüttelte sich. »Ich habe nicht mal gemerkt, dass ich richtige Wehen hatte. Paddy musste mir *sagen*, dass ich Wehen hatte. Ich habe mich so … so dumm gefühlt. Und ich halte das Haus nicht sauber, und ich backe keine Scones – und ich war ungeduldig, als ich Lucia einmal die Windel wechseln musste, und Paddy kam rein und hat mitbekommen, wie ich sie angeschrien habe …« Maggie wischte ihre Augen und schniefte. »Sie hält mich für eine schlechte Mutter.«

»Das glaube ich nicht …«

»Doch, das tut sie! Ich sehe es ihr an. Sie hält mich für unfähig!«

»Ich halte dich doch nicht für unfähig!«

Maggie und die Frau vom Gesundheitsamt zuckten zusammen und sahen sich um. Paddy stand in der Wohnzimmertür, mit hochrotem Kopf. »Maggie, wie kannst du nur so etwas Schreckliches denken?«

Paddy war gekommen, um Maggie zu fragen, ob sie etwas aus dem Laden brauchte, und hatte die Haustür unverschlossen vorgefunden. Als sie durch die Diele ging, hatte sie Maggies aufgebrachte Stimme gehört und dann plötzlich ihren Namen. Sie hatte sich gesagt, sie sollte lieber wieder gehen – doch stattdessen war sie dem Wohnzimmer immer näher gekommen, konnte nicht glauben, was sie da hörte.

»Maggie, mein liebes Mädchen, du bist eine wunderbare Mutter!«, sagte sie nun mit zitternder Stimme. »Natürlich bist du das!«

»Ich bin mir sicher, es ist alles nur ein Missverständnis«, sagte die Frau vom Gesundheitsamt vermittelnd.

»Niemand versteht es!«, sagte Maggie und wischte über ihr feuchtes Gesicht. »Alle halten mich für ein gottverdammtes Superweib, das alles auf die Reihe kriegt. Dabei schläft Lucia nie und …«

»Ich dachte, Sie sagten, sie schläft gut«, sagte die Frau vom Gesundheitsamt stirnrunzelnd mit einem Blick in ihre Notizen.

»Ich weiß!«, heulte Maggie verzweifelt. »Das habe ich nur gesagt, weil alle meinen, dass es so sein sollte. Aber sie schläft nicht. Und ich schlafe auch nicht. Giles ahnt nichts … niemand ahnt etwas.«

»Ich habe versucht zu helfen!«, sagte Paddy, als müsste sie sich verteidigen. »Ich habe angeboten, Lucia zu hüten, ich habe die Küche geputzt …«

»Ich weiß«, sagte Maggie. »Und jedes Mal, wenn du sie putzt, fühle ich mich noch schlechter. Jedes Mal, wenn du herkommst …« Sie sah Paddy an. »Jedes Mal mache ich was anderes falsch. Als ich nach London gefahren bin, hast du mir erklärt, ich sollte lieber früh ins Bett gehen.« Wieder liefen ihr die Tränen übers Gesicht. »Das war der einzige Abend, den ich mal für mich hatte.«

»Ich habe mir Sorgen um dich gemacht!«, sagte Paddy.

»Ich habe dir deine Erschöpfung angesehen. Ich wollte nicht, dass du dich krank machst!«

»Na, so hast du das aber nicht gesagt.« Bekümmert blickte Maggie auf. »Du hast mir das Gefühl gegeben, als wäre ich kriminell.« Paddy starrte sie einige schweigende Augenblicke an, dann sank sie schwer auf einen Stuhl.

»Vielleicht hast du recht«, sagte sie langsam. »Da habe ich wohl nicht nachgedacht.«

»Ich bin dir dankbar für alles, was du getan hast«, murmelte Maggie. »Bin ich wirklich. Aber ...«

»Es klingt, als könnten Sie etwas mehr emotionale Unterstützung brauchen«, sagte die Frau vom Gesundheitsamt und blickte von Paddy zu Maggie. »Sie sagen, Ihr Mann hat einen sehr anspruchsvollen Job?«

»Er hat viel zu tun«, sagte Maggie und putzte sich die Nase. »Es wäre nicht fair, von ihm zu erwarten ...«

»Unsinn!«, fuhr Paddy dazwischen. »Giles ist Lucias Vater, oder etwa nicht? Dann kann er die Last auch mittragen.« Sie sah Maggie offen an. »Eigentlich dachte ich, ihr jungen Frauen wünscht euch den Neuen Mann.«

Maggie stieß ein zittriges Lachen aus. »Tu ich auch, im Prinzip. Aber er arbeitet doch so hart ...«

»Genau wie du! Maggie, du musst aufhören, Wunder von dir zu erwarten.«

Maggie bekam rote Wangen. »Andere Frauen schaffen es auch«, sagte sie mit starrem Blick zu Boden. »Ich komme mir einfach so unzulänglich vor ...«

»Andere Frauen schaffen es *mit Hilfe*«, sagte Paddy. »Ihre Mütter fassen mit an. Ihre Männer nehmen sich frei. Ihre Freunde machen sich nützlich.« Sie sah die Frau vom Gesundheitsamt an. »Ich glaube, noch ist kein Mann daran gestorben, wenn er mal eine Nacht nicht geschlafen hat, oder?«

»Nicht dass ich wüsste«, sagte die Frau vom Gesundheits-amt grinsend.

»Du musst nicht alles allein schaffen«, sagte Paddy zu Maggie. »Du machst deine Sache großartig. Viel besser, als ich je war.«

»Wirklich?«, sagte Maggie und lächelte unsicher. »Ob-wohl ich keine Scones backe?«

Paddy schwieg. Sie betrachtete die kleine Lucia, die in ihrem Körbchen schlief, dann blickte sie Maggie an.

»Ich backe Scones, weil ich eine unausgefüllte alte Frau bin«, sagte sie. »Aber du hast doch viel mehr in deinem Le-ben. Das weißt du, oder?«

Als die Leute aus der Kirche strömten, blickte Candice auf. Ihre Glieder waren steif, ihre Wangen waren salzig, und sie war tief verletzt von Roxannes heiligem Zorn. Sie wollte niemanden sehen und stand eilig auf, um zu gehen. Doch als sie gerade dabei war, tauchte aus heiterem Himmel plötzlich Justin auf und tippte ihr an die Schulter.

»Candice«, sagte er kalt. »Auf ein Wort.«

»Oh«, sagte Candice und wischte ihr Gesicht. »Kann das nicht warten?«

»Ich möchte, dass du morgen zu mir kommst. Neun Uhr dreißig.«

»Okay«, sagte Candice. »Worum geht's?«

Justin sah sie lange an, dann sagte er: »Wir reden mor-gen, okay?«

»Na gut«, sagte Candice verwundert. Justin nickte kurz, dann verschwand er in der Menge.

Candice starrte ihm hinterher und fragte sich, wovon um alles in der Welt er redete. Im nächsten Augenblick stand Heather neben ihr.

»Was wollte Justin?«, fragte sie beiläufig.

»Keine Ahnung. Er will mich morgen sprechen. Scheint wohl irgendwas wahnsinnig Wichtiges zu sein.« Candice verdrehte die Augen. »Er tut so geheimnisvoll. Wahrscheinlich hat er mal wieder eine ganz geniale Idee.«

»Wahrscheinlich«, sagte Heather. Einen Moment lang sah sie Candice nachdenklich an, dann grinste sie und drückte sie an sich. »Ich sag dir was: Lass uns heute Abend was zusammen machen«, sagte sie. »Irgendwo was Nettes essen. Nach der ganzen Trauer können wir ein bisschen Spaß vertragen, meinst du nicht?«

»Absolut«, sagte Candice erleichtert. »Ehrlich gesagt bin ich ganz schön fertig.«

»Ach«, sagte Heather nachdenklich. »Ich hab dich vorhin mit Roxanne gesehen. Hattet ihr wieder Streit?«

»Mehr oder weniger«, sagte Candice. Vor ihrem inneren Auge sah sie Roxannes kummervolle Miene und zuckte zusammen. »Aber das … ist egal.« Sie sah Heathers freundliches Lächeln und fühlte sich plötzlich schon viel besser – getröstet und ermutigt. »Es ist wirklich ganz egal.«

Kapitel Sechzehn

Als Candice sich am nächsten Morgen für die Arbeit bereitmachte, war von Heather nichts zu sehen. Sie lächelte in sich hinein, als sie sich in der Küche einen Becher Kaffee machte. Am Abend hatten sie bis spät in einem Restaurant gesessen, Pasta gegessen, Rotwein getrunken und geredet. Die beiden waren so entspannt miteinander, empfanden gegenseitig eine so natürliche, unaufgeregte Zuneigung, die Candice viel bedeutete. Sie schienen das Leben ganz ähnlich zu sehen, dieselben Werte zu haben, denselben Sinn für Humor.

Heather hatte mehr getrunken als Candice, und als die Rechnung kam, hatte sie sich fast unter Tränen noch einmal für alles bedankt, was Candice für sie tat. Dann hatte sie die Augen gerollt und über sich selbst gelacht. »Sieh mich an, ich bin mal wieder etwas drüber. Candice, wenn ich morgen früh nicht wach werde, lass mich einfach schlafen. Ich brauch bestimmt den ganzen Tag, bis ich wiederhergestellt bin!« Sie hatte einen Schluck Kaffee genommen, Candice über ihre Tasse hinweg angesehen und dann hinzugefügt: »Und viel Glück mit deinem Termin bei Justin. Hoffen wir, dass es was Positives ist!«

Der Abend hatte ihr gutgetan, dachte Candice. Nach Ralphs Beerdigung konnte sie die Ereignisse des Tages Revue passieren lassen und abhaken. Nach wie vor war sie verletzt, weil Roxanne einfach so abgedampft war, nach wie vor konnte sie das mit ihr und Ralph nicht fassen. Doch heute Morgen war sie gestärkt, konnte in die Zukunft blicken und sich auf andere Dinge in ihrem Leben konzentrieren. Auf ihre Freundschaft mit Heather, ihren heißgeliebten Job.

Candice trank ihren Kaffee aus, schlich auf Zehenspitzen zu Heathers Zimmertür und lauschte. Es war nichts zu hören. Sie lächelte, nahm ihre Tasche und verließ die Wohnung. Es war ein klarer Morgen, ein Hauch von Sommer lag in der Luft, und sie spazierte munter vor sich hin und überlegte, warum Justin sie wohl sprechen wollte.

Als sie bei der Arbeit ankam, sah sie, dass sein Büro leer war. Sie ging zu ihrem Schreibtisch und stellte erst mal den Computer an, bestätigte ihr Passwort und drehte sich um, weil sie sehen wollte, mit wem sie plaudern konnte. Doch Kelly war die Einzige im Büro; sie saß an ihrem Tisch und tippte wie wild, ohne auch nur eine Sekunde aufzublicken.

»Ich habe dich bei der Beerdigung gesehen«, sagte Candice freundlich. »Es schien dir sehr nahezugehen.« Kelly blickte auf und warf Candice einen seltsamen Blick zu.

»Ja«, sagte sie und tippte weiter.

»Ich konnte am eigentlichen Gottesdienst nicht teilnehmen«, fuhr Candice fort. »Aber ich habe gesehen, wie du mit Heather reingegangen bist.«

Zu ihrer Überraschung lief Kelly rot an.

»Ja«, sagte sie wieder. Sie tippte noch etwas weiter, dann stand sie abrupt auf. »Ich muss nur mal kurz …«, sagte sie betreten und ging hinaus. Erstaunt sah Candice ihr nach, dann wandte sie sich ihrem Computer zu. Sie schrieb kurz etwas, dann drehte sie sich wieder um. Es hatte keinen Sinn, mit der Arbeit anzufangen, wenn sie um halb zehn bei Justin sein sollte.

Wieder fragte sie sich, was er wohl von ihr wollte. Früher

hätte sie vielleicht gedacht, er bräuchte einen Rat oder wollte zumindest ihre Meinung hören. Doch seit er die Leitung der Zeitschrift übernommen hatte, benahm sich Justin zunehmend, als wäre er etwas Besseres als Candice und alle anderen in der Redaktion. Es hätte sie geärgert, wäre es nicht so lächerlich gewesen.

Um fünf vor halb zehn erschien Justin in der Tür des Redaktionsbüros, noch in ein Gespräch mit jemandem auf dem Flur vertieft.

»Okay, Charles«, sagte er. »Vielen Dank dafür. Ich weiß es zu schätzen. Ja, ich sag Bescheid.« Er hob seine Hand zum Gruß, dann kam er herein und sah Candice an.

»Okay«, sagte er. »Rein mit dir.«

Er führte Candice zu einem Stuhl, dann schloss er die Tür und sogar die Jalousie. Langsam ging er um seinen Schreibtisch herum, setzte sich und sah sie an.

»Also, Candice«, sagte er schließlich, hielt inne und seufzte. »Sag mal: Wie lange arbeitest du schon für den *Londoner*?«

»Das weißt du doch!«, sagte Candice. »Fünf Jahre.«

»Stimmt«, sagte Justin. »Fünf Jahre. Und du warst hier glücklich? Du wurdest gut behandelt?«

»Ja!«, sagte Candice. »Natürlich. Justin …«

»Also sollte man doch meinen, dass sich in der langen Zeit ein gewisses Maß an … Vertrauen herausgebildet hätte, nicht wahr? Man sollte meinen, dass sich eine zufriedene Angestellte nicht zu einer … Unaufrichtigkeit hinreißen lassen würde.« Feierlich schüttelte Justin den Kopf, und Candice starrte ihn an, hätte am liebsten laut gelacht über seine herablassende Art, während sie überlegte, worauf er wohl hinauswollte. War im Büro eingebrochen worden? War jemand beklaut worden?

»Justin«, sagte sie ganz ruhig. »Wovon redest du?«

»Okay, Candice, du machst es mir verdammt schwer.«

»Was denn?«, sagte Candice ungeduldig. »Wovon redest du?« Justin starrte sie an, als könnte er es nicht fassen, dann seufzte er.

»Ich spreche von Spesen, Candice. Ich spreche von gefälschten Spesenabrechnungen.«

»Ach ja?«, sagte Candice. »Wer macht denn so was?«

»Du machst so was!«

Die Worte trafen Candice wie eine Ohrfeige.

»Was?«, sagte sie und hörte sich ungläubig lachen. »Ich?«

»Findest du das auch noch komisch?«

»Nein! Natürlich nicht. Es ist nur … lächerlich! Ist das dein Ernst? Das kann doch nicht dein Ernst sein!«

»Ach, komm schon!«, sagte Justin. »Hör auf mit dem Theater. Man hat dich erwischt, Candice.«

»Aber ich hab doch gar nichts getan!«, sagte Candice, und ihre Stimme klang schriller als beabsichtigt. »Ich weiß nicht, wovon du redest!«

»Dann weißt du also nicht, was das hier ist?« Justin griff in seine Schreibtischschublade und holte einen Stapel Spesenformulare mit angehefteten Quittungen hervor. Er blätterte darin herum, und erschrocken sah Candice darauf ihren Namen. »Haarschnitt bei Michaeljohn«, las er auf dem obersten Beleg. »Willst du mir erzählen, das wäre eine legitime Spesenforderung?«

»Bitte?«, sagte Candice sprachlos. »Das habe ich nicht eingereicht! So was würde ich doch nie einreichen!« Justin blätterte weiter. »Ein Beauty-Morgen im Manor Graves Hotel.« Er blätterte weiter. »Lunch für drei im Ritz.«

»Das war Sir Derek Cranley mit seinem Pressemann«, sagte Candice sofort. »Ich musste sie zum Essen einladen, um ein Interview zu bekommen. Sie haben sich geweigert, woanders hinzugehen.«

»Und das Manor Graves Hotel?«

»Aber ich war noch nie im Manor Graves Hotel!«, sagte Candice beinah lachend. »Und so etwas würde ich auch nicht einreichen! Das Ganze ist ein Irrtum!«

»Dann hast du diese Hotelrechnung also nicht unterschrieben und dieses Formular auch nicht ausgefüllt.«

»Selbstverständlich nicht!«, sagte Candice fassungslos.

»Lass mal sehen!«

Sie nahm das Blatt Papier, betrachtete es eingehend und spürte, wie sich ihr der Magen umdrehen wollte. Ihre eigene Unterschrift stand auf einer Quittung, von der sie sicher wusste, dass sie diese niemals unterschrieben hatte. Das Spesenformular war ordentlich ausgefüllt – offensichtlich in ihrer Handschrift. Ihre Hände fingen an zu zittern.

»Eine Gesamtsumme von hundertsechsundneunzig Pfund«, sagte Justin. »Nicht schlecht für einen Monat.«

Plötzlich lief es Candice eiskalt über den Rücken, und ihr fiel der letzte Kontoauszug ein, das Geld, dessen Herkunft sie nicht näher erkundet hatte. Sie warf einen kurzen Blick auf das Datum der Hotelquittung – ein Samstag vor sechs Wochen – und dann noch mal auf die Unterschrift. Es sah aus, als wäre es ihre. Aber es war nicht ihre.

»Du meinst vielleicht, das sei keine große Sache«, sagte Justin. Candice blickte auf und sah, dass er am Fenster stand und sie betrachtete. Er war nur eine Silhouette, und sie konnte seinen Gesichtsausdruck nicht erkennen, doch die Stimme klang ernst. »Spesen manipulieren.« Er machte eine wegwerfende Handbewegung. »Eines dieser kleinen Vergehen, die nichts ausmachen. Aber weißt du, Candice: Es macht sehr wohl was aus.«

»Das weiß ich doch!«, rief Candice frustriert. »Hör auf, mich wie ein kleines Kind zu behandeln! Ich weiß, dass es was ausmacht. Aber ich habe das nicht getan, okay?«

Sie holte tief Luft, versuchte, die Ruhe zu bewahren – doch sie kam sich vor wie ein Fisch an Deck, der sich in Panik hin und her warf, um zu begreifen, wie er dorthin gekommen war.

»Und was ist das hier?« Justin deutete auf die Spesenformulare.

»Die muss jemand anders ausgefüllt haben. Und dann hat er meine Unterschrift gefälscht.«

»Aber warum sollte jemand so was tun?«

»Ich … ich weiß nicht. Aber guck doch mal genau hin, Justin! Das ist nicht meine Handschrift. Sie sieht nur so aus!« Eilig blätterte sie weiter. »Vergleich doch mal dieses Formular mit … dem hier!« Sie hielt Justin die beiden Vordrucke hin, doch er schüttelte den Kopf.

»Du willst mir also weismachen, dass irgendjemand – aus Gründen, die noch zu klären wären – deine Unterschrift gefälscht hat.«

»Ja!«

»Und du hast nichts davon gewusst.«

»Nein!«, sagte Candice. »Natürlich nicht!«

»Gut«, sagte Justin. Er seufzte, als wäre er enttäuscht von ihrer Antwort. »Und als dir die Spesen vor einer Woche überwiesen wurden – Spesen, von denen du angeblich nichts weißt – und unerklärlicherweise ein Batzen Geld auf deinem Konto auftauchte, hast du selbstverständlich auf den Irrtum hingewiesen und es umgehend zurückgezahlt.«

Ungerührt sah er sie an, und Candice konnte ihn nur anglotzen und spürte, wie ihre Wangen rot anliefen. Wieso hatte sie sich nicht nach dem Geld erkundigt? Wieso war sie nicht ehrlich gewesen? Wie hatte sie so … so dumm sein können?

»Mein Gott, Candice, du könntest es genauso gut zugeben«, sagte Justin müde. »Du hast versucht, den Verlag zu hintergehen, und dich dabei erwischen lassen.«

»Hab ich nicht!«, sagte Candice und merkte, wie sich ihr die Kehle zusammenschnürte. »Justin, du *weißt*, dass ich so etwas nie tun würde.«

»Wenn ich ehrlich sein soll, Candice, habe ich momentan nicht das Gefühl, als würde ich dich sonderlich gut kennen«, sagte Justin.

»Was soll das denn heißen?«

»Heather hat mir von deinen kleinen Machtspielchen mit ihr erzählt«, sagte Justin mit leicht feindseligem Unterton. »Offen gesagt bin ich überrascht, dass sie keine offizielle Beschwerde einlegt.«

»Bitte?«, sagte Candice erstaunt. »Justin, wovon zum Teufel redest du?«

»Schon wieder gänzlich ahnungslos?«, sagte Justin sarkastisch. »Komm schon, Candice. Wir haben sogar neulich darüber gesprochen. Du gibst doch zu, dass du Heathers Arbeit überwachst. Dass du deine Macht über sie nutzt, um sie einzuschüchtern.«

»Ich habe ihr *geholfen*!«, sagte Candice empört. »Mein Gott! Wie kannst du …«

»Wahrscheinlich kamst du dir ziemlich wichtig vor, als du Heather einen Job besorgt hast, hm?« Justin verschränkte die Arme. »Dann fing sie an, Fortschritte zu machen, und das hat dir nicht gefallen.«

»Nein! Justin …«

»Sie hat mir erzählt, wie schlecht du sie behandelt hast, nachdem sie mir ihre Idee für einen Artikel präsentiert hatte.« Justins Stimme wurde scharf. »Du kannst einfach nicht ertragen, dass sie Talent hat ... ist es das?«

»Natürlich nicht!«, sagte Candice erschrocken. »Justin, du verstehst das alles völlig falsch! Es ist total verdreht! Es ist ...«

Candice starrte Justin an, versuchte, ihre rasenden Gedanken zu bremsen. Das ergab doch alles keinen Sinn. Das war doch alles ...

Sie stutzte, war wie vor den Kopf gestoßen. Die Quittung für den Haarschnitt bei Michaeljohn. Das war ihre – vom Stapel auf der Frisierkommode in ihrem Schlafzimmer. Ihrem eigenen Schlafzimmer, in ihrer eigenen Wohnung. Niemand anders hätte ...

»Oh, mein Gott«, sagte sie langsam.

Sie nahm eines der Spesenformulare, sah es sich nochmals an und merkte, wie ihr am ganzen Körper kalt wurde. Als sie es genauer betrachtet hatte, erkannte sie eine fremde Handschrift in ihrer eigenen. Heathers Handschrift. Sie blickte auf, fühlte sich krank.

»Wo ist Heather?«, sagte sie mit bebender Stimme.

»Im Urlaub«, sagte Justin. »Für zwei Wochen. Hat sie dir nichts davon gesagt?«

»Nein«, sagte Candice. »Nein, hat sie nicht.« Sie holte tief Luft und strich ihre Haare aus dem feuchten Gesicht. »Justin, ich glaube ... ich glaube, Heather hat diese Formulare ausgefüllt.«

»Ach wirklich?« Justin lachte. »Na, das ist ja eine Überraschung.«

»Nein.« Candice schluckte. »Nein, Justin, wirklich. Du musst mich anhören ...«

»Candice, vergiss es«, sagte Justin ungeduldig. »Du bist suspendiert.«

»Was?« Candice wurde totenblass vor Schreck.

»Der Verlag wird eine interne Untersuchung anstellen, und zu gegebenem Zeitpunkt wird es eine Disziplinaranhörung geben«, sagte Justin barsch, als würde er den Satz ablesen. »Bis dahin, bis die Sache geklärt ist, wirst du bei vollem Lohn zu Hause bleiben.«

»Das … das kann nicht dein Ernst sein.«

»Ich würde sagen, du hast Glück, dass du nicht auf der Stelle gefeuert wirst. Candice, was du getan hast, war Betrug«, sagte Justin und hob sein Kinn ein wenig. »Hätte ich keine stichprobenartigen Überprüfungen des Spesensystems eingerichtet, wäre es vielleicht gar nicht aufgefallen. Ich hatte heute Morgen eine kleine Unterredung mit Charles, und wir sind beide der Ansicht, dass man gegen den Missbrauch streng vorgehen sollte. Wir werden diesen Vorfall nutzen, um …«

»Charles Allsopp.« Plötzlich begriff Candice. »Oh, mein Gott«, sagte sie leise. »Du machst das alles nur, um Charles Allsopp zu beeindrucken, stimmt's?«

»Mach dich nicht lächerlich«, sagte Justin böse und lief rot an. »Es ist eine Verlagsentscheidung.«

»Du tust mir das tatsächlich an.« Tränen ungläubigen Zorns brannten in Candice' Augen. »Du behandelst mich wie eine Kriminelle, nachdem … nach allem. Ich meine, wir haben sechs Monate zusammengelebt, oder nicht? Zählt das denn *überhaupt* nichts?«

Bei diesen Worten riss Justin den Kopf hoch und sah sie beinah triumphierend an.

Er hat nur darauf gewartet, dass ich das sage, dachte Candice erschrocken. Er hat nur darauf gewartet, dass ich zu Kreuze krieche.

»Du meinst also, ich sollte für dich eine Ausnahme machen, weil wir früher mal zusammen waren«, sagte Justin.

»Du meinst, ich könnte dir ruhig einen kleinen Gefallen tun und ein Auge zukneifen. Meinst du das?«

Candice starrte ihn an, fühlte sich elend.

»Nein«, sagte sie, so ruhig sie konnte. »Natürlich nicht.« Sie machte eine Pause. »Aber du könntest … mir vertrauen.«

Es war ganz still, als die beiden einander anstarrten, und einen Moment lang glaubte Candice, sie sähe den alten Justin wieder, der sie betrachtete – den Justin, der ihr geglaubt hätte, sie möglicherweise sogar verteidigt hätte. Dann, als käme er zu sich, griff er in seine Schreibtischschublade.

»Was mich angeht«, sagte er eisig, »so hast du mein Vertrauen missbraucht. Und das aller anderen auch. Hier.« Er blickte auf und hielt ihr einen schwarzen Müllbeutel hin. »Pack deine Sachen und geh.«

Eine halbe Stunde später stand Candice draußen vor den Glastüren auf dem Bürgersteig, mit ihrem Müllbeutel in der Hand, und wich den neugierigen Blicken der Passanten aus. Es war zehn Uhr morgens. Für die meisten Menschen fing der Tag gerade erst an. Alle hasteten in die Büros, alle mussten irgendwohin. Candice schluckte und tat noch einen Schritt, versuchte, den Eindruck zu vermitteln, als stünde sie aus einem bestimmten Grund mit einem Müllbeutel in der Hand mitten auf dem Bürgersteig. Da sie merkte, wie die gleichmütige Miene ihr entglitt, wie die Gefühle aus ihr hervorzubrechen drohten. Noch nie im Leben hatte sie sich so verletzlich gefühlt, so entsetzlich allein.

Als sie wieder ins Redaktionsbüro gekommen war, hatte sie zumindest ein Mindestmaß an Würde gewahrt. Sie hatte es geschafft, hoch erhobenen Hauptes zu gehen, und vor allem hatte sie sich geweigert, den Eindruck zu vermitteln, als hätte sie ein schlechtes Gewissen. Es war ihr nicht leicht gefallen. Offensichtlich wussten alle, was passiert war. Sie merkte, dass man sie ansah und sich dann schnell wieder abwandte, neugierige Mienen, erleichtert, dass es nicht sie betraf. Da nun ein neues Mitglied der Familie Allsopp an der Spitze des Verlages stand, blickten alle in eine unsichere Zukunft. Einmal hatte sie Alicias Blick aufgefangen und ein kurzes Aufblitzen von Mitgefühl gesehen, bevor auch Alicia sich abwandte. Candice konnte ihr keinen Vorwurf machen. Keiner konnte es sich leisten, etwas zu riskieren.

Mit zitternden Fingern hatte sie angewidert den Müllbeutel aufgeschüttelt, angeekelt vom glitschigen Plastik. Noch nie war sie sich so schäbig vorgekommen, so erniedrigt. Die gesamte Redaktion arbeitete schweigend, was bedeutete, dass alle lauschten. Es fühlte sich direkt unwirklich an, als sie die oberste Schreibtischschublade aufzog und deren vertrauten Inhalt betrachtete. Notizbücher, Stifte, alte Disketten, eine Packung Himbeertee.

»Dass du mir keine Disketten mitnimmst«, sagte Justin im Vorübergehen. »Und lass die Finger vom Computer. Wir wollen nicht, dass verlagseigene Informationen das Haus verlassen.«

»Lass mich in Ruhe!«, hatte Candice ihn wütend angeschnauzt, mit Tränen in den Augen. »Ich werde schon nichts *klauen*.«

Als sie nun draußen auf dem Gehweg stand, kamen ihr schon wieder die Tränen. Alle hielten sie für eine Diebin. Und wieso auch nicht? Die Beweise waren erdrückend. Candice schloss die Augen. Ihr wurde ganz schwindlig bei dem Gedanken, dass Heather Beweise gegen sie gefälscht haben sollte. Dass Heather die ganze Zeit gegen sie intrigiert hatte. Ihre Gedanken schossen hin und her, versuchten, logisch zu bleiben, sich das alles zu erklären. Aber sie konnte nicht geradeaus denken, wenn sie mit den Tränen kämpfte, wenn ihr Gesicht hochrot war und irgendetwas ihr die Kehle zusammenschnürte.

»Alles okay?«, fragte ein Mann mit einer Jeansjacke, und Candice riss den Kopf hoch.

»Ja, danke«, murmelte sie und spürte, wie eine kleine Träne über ihre Wange lief. Bevor er noch etwas sagen konnte, lief sie schon den Bürgersteig entlang, ohne zu wissen, wohin sie wollte, während ihre Gedanken wild umherjagten. Der Müllbeutel schlug gegen ihre Beine, das Plastik war feucht in ihren Händen. Sie hatte das Gefühl, jeder, der an ihr vorüberkam, musterte sie mit wissendem Blick. In einem Schaufenster betrachtete sie ihr Spiegelbild und erschrak bei dem Anblick. Ihr Gesicht war kalkweiß, ihr Kostüm zerknittert, ihre Haare hatten sich gelöst. Sie versuchte, die Tränen zu unterdrücken. Sie musste nach Hause, dachte sie in Panik. Sie wollte raus aus dem Kostüm, ein Bad nehmen und sich verkriechen wie ein kleines Tier im Bau, bis sie wieder in der Lage war, daraus hervorzukommen.

An der Ecke kam sie zu einer Telefonzelle. Sie zog die schwere Tür auf und zwängte sich hinein. Drinnen war es kühl und still, eine kurze Zuflucht. Maggie, dachte sie verzweifelt und nahm den Hörer in die Hand. Oder Roxanne. Die würden ihr helfen. Eine von beiden würde ihr helfen. Roxanne oder Maggie. Sie streckte die Hand nach der Wählscheibe aus, dann hielt sie inne.

Nicht Roxanne. Nicht, nachdem sie bei Ralphs Beerdigung so auseinandergegangen waren. Und auch nicht Maggie. Nicht nach dem, was sie zu ihr gesagt hatte, nicht nach diesem schrecklichen Telefonat.

Eiskalt lief es Candice über den Rücken, und sie lehnte sich an das kühle Glas der Zelle. Keine von beiden konnte sie anrufen. Sie hatte sie verloren. Irgendwie hatte sie ihre beiden allerbesten Freundinnen verloren.

Ein Klopfen an der Scheibe ließ sie aufschrecken, und entsetzt riss sie die Augen auf.

»Wollen Sie telefonieren?«, rief eine Frau mit einem kleinen Kind an der Hand.

»Nein«, sagte Candice benommen. »Nein, will ich nicht.«

Sie trat aus der Telefonzelle auf die Straße, nahm ihren Müllbeutel in die andere Hand und sah sich ratlos um, als wäre sie gerade einem Tunnel entstiegen. Dann lief sie weiter, in einem Nebel des Unglücks, merkte kaum, wohin sie ging.

Als Roxanne die Treppe heraufkam, mit einem Brot und einer Zeitung in der Hand, hörte sie drinnen in ihrer Wohnung das Telefon klingeln. Soll es doch, dachte sie. Lass es läuten. Es gab niemanden, den sie sprechen wollte. Langsam kramte sie ihren Schlüssel hervor, schob ihn ins Schloss der Wohnungstür und machte auf. Sie zog die Tür hinter sich zu, legte Brot und Zeitung weg und starrte das klingelnde Telefon böse an.

»Du gibst nicht auf, oder?«, sagte sie und nahm den Hörer ab. »Ja?«

»Spreche ich mit Miss Roxanne Miller?«, fragte eine fremde, männliche Stimme.

»Ja«, sagte Roxanne. »Die bin ich.«

»Gut«, sagte die Stimme. »Ich möchte mich Ihnen zunächst vorstellen. Mein Name ist Neil Cooper, und ich rufe im Namen der Kanzlei Strawson & Co. an.«

»Ich besitze kein Auto«, sagte Roxanne. »Ich brauche keine Autoversicherung. Und ich habe auch keine Fenster, die zu Bruch gehen könnten.«

Neil Cooper lachte etwas angestrengt. »Miss Miller, ich sollte mich erklären. Ich bin Rechtsanwalt und Notar. Ich wende mich an Sie im Zusammenhang mit dem Nachlass von Ralph Allsopp.«

»Oh«, sagte Roxanne. Sie starrte die Wand an und blinzelte ein paarmal hektisch. Seinen Namen unerwartet aus dem Mund anderer zu hören überraschte sie noch immer, ließ sie noch immer beben.

»Dürfte ich Sie vielleicht bitten, mich in meinem Büro aufzusuchen?«, sagte der Mann, und Roxanne kam wieder zu sich. Ralph Allsopp. Der Nachlass von Ralph Allsopp.

»Oh, mein Gott«, sagte sie, und die Tränen liefen ihr nur so übers Gesicht. »Er ist tot und hat mir was hinterlassen, stimmt's? Der dumme, sentimentale Mistkerl. Und Sie sollen es mir geben.«

»Wenn wir vielleicht einen Termin vereinbaren könnten …«

»Ist es seine Uhr? Oder seine alte Schreibmaschine?« Unwillkürlich musste Roxanne lachen. »Diese verdammte alte Remington.«

»Wollen wir sagen: Donnerstag um sechzehn Uhr dreißig?«, sagte der Anwalt, und Roxanne atmete scharf aus.

»Hören Sie«, sagte sie. »Ich weiß nicht, ob Sie sich der Tatsache bewusst sind, aber Ralph und ich waren nicht gerade …« Sie stutzte. »Ich würde lieber gar nicht erst in Erscheinung treten. Können Sie es mir nicht einfach schicken? Ich übernehme auch das Porto.«

Einen Moment lang blieb es still in der Leitung, dann sagte der Anwalt etwas energischer: »Sechzehn Uhr dreißig. Ich erwarte Sie.«

Candice merkte, dass ihre Schritte sie instinktiv nach Hause führten. Als sie in ihre Straße einbog, sah sie ein wartendes Taxi vor ihrer Tür und blieb stehen. Sie starrte den Wagen an, ihre Gedanken im Leerlauf, dann tauchte plötzlich Heather in der Haustür auf. Sie trug Jeans und einen Mantel und hielt einen Koffer in der Hand. Ihre blonden Haare federten wie immer, und ihre Augen waren groß und unschuldig – und als Candice sie so sah, wusste sie überhaupt nicht mehr, was sie denken sollte.

Wollte sie tatsächlich Heather – dieses fröhliche, warmherzige Mädchen – beschuldigen, ihr absichtlich etwas angehängt zu haben? Die Logik der Beweise ließ ihr nur diesen einen Schluss zu. Doch als sie sah, wie freundlich sich Heather mit dem Taxifahrer unterhielt, sträubte sich etwas in ihr. Konnte es nicht doch eine andere plausible Erklärung geben?, dachte sie verzweifelt. Irgendetwas, von dem sie nichts ahnte?

Während sie so dastand, drehte sich Heather um, als spürte sie ihren Blick, und wirkte überrascht. Ein paar Augenblicke lang sahen sich die beiden schweigend an. Heather musterte Candice, den Müllbeutel, die aufgewühlte Miene, die verheulten Augen.

»Heather.« Candice klang heiser. »Heather, ich muss mit dir reden.«

»Ach ja?«, sagte Heather ganz ruhig.

»Ich wurde gerade …« Sie brachte die Worte kaum hervor. »Ich wurde gerade von meiner Arbeit suspendiert.«

»Tatsächlich?«, sagte Heather. »Wie schade.« Sie lächelte Candice an, dann wandte sie sich um und stieg ins Taxi.

Candice spürte, wie ihr Herz bis zum Hals schlug.

»Nein«, sagte sie. »Nein.« Keuchend, mit baumelndem Müllbeutel, rannte sie den Bürgersteig entlang. »Heather, ich … ich verstehe das nicht.« Sie erreichte das Taxi, als Heather eben die Tür schließen wollte, und hielt sie fest.

»Lass los!«, fuhr Heather sie an.

»Ich verstehe das nicht«, sagte Candice atemlos. »Ich dachte, du bist meine Freundin.«

»Dachtest du, hm?«, sagte Heather. »Das ist komisch. Mein Vater dachte auch, dein Vater wäre sein Freund.«

Candice blieb das Herz stehen. Sie starrte Heather an und spürte, wie ihr Gesicht ganz heiß wurde. Beinah ließ sie die Tür los, und sie leckte ihre Lippen.

»Wann … wann hast du es herausgefunden?« Ihre Stimme klang erstickt. Es war, als blockierte Watte ihre Atemwege.

»Ich musste es nicht rausfinden«, fauchte Heather. »Ich wusste die ganze Zeit, wer du bist. Schon als ich dich in der Bar gesehen habe.« Ihre Stimme wurde schneidender. »Meine ganze Familie weiß, wer du bist, Candice Brewin.«

Sprachlos starrte Candice sie an. Ihre Beine zitterten. Ihr wurde ganz schwindlig vom Schock.

»Jetzt weißt du wenigstens, wie ich mich gefühlt habe«, sagte Heather. »Jetzt weißt du, wie es für mich war. Wenn einem alles weggenommen wird, ohne Vorwarnung.« Sie lächelte zufrieden und betrachtete Candice' zerzauste Erscheinung. »Und … gefällt es dir? Findest du, es macht Spaß, wenn man über Nacht alles verliert?«

»Ich habe dir vertraut«, sagte Candice benommen. »Du warst meine Freundin.«

»Und ich war vierzehn Jahre alt!«, bellte Heather plötzlich wütend. »Wir haben alles verloren. Mein Gott, Candice! Hast du wirklich geglaubt, wir könnten Freunde sein, nach allem, was dein Vater meiner Familie angetan hat?«

»Aber ich habe doch versucht, es wiedergutzumachen!«,

sagte Candice. »Ich wollte dir etwas Gutes tun!« Heather schüttelte den Kopf und riss Candice die Taxitür aus der Hand. »Heather, hör doch!«, rief Candice in Panik. »Verstehst du nicht?« Sie beugte sich vor, fast erwartungsvoll. »Ich wollte es wiedergutmachen! Ich hab doch bloß versucht, dir zu helfen!«

»Tja, nun«, sagte Heather kühl. »Vielleicht hat das nicht gereicht.«

Sie sah Candice ein letztes Mal an, dann knallte sie die Tür zu.

»Heather!«, rief Candice durch die offene Scheibe, mit rasendem Herzen. »Heather, warte! Bitte. Ich brauche doch meinen Job!« Vor Verzweiflung wurde sie immer lauter. »Du musst mir helfen! Bitte, Heather!«

Doch Heather drehte sich nicht einmal mehr um. Im nächsten Moment raste das Taxi die Straße hinunter.

Ungläubig sah Candice ihm nach, dann sank sie bebend auf den Gehweg, mit der Mülltüte in der Hand. Ein Pärchen mit Hund kam vorbei und musterte sie neugierig, doch sie reagierte nicht. Die Welt um sich herum nahm sie gar nicht wahr, nur ihren dumpfen Schock.

Kapitel Siebzehn

Candice hörte etwas hinter sich und drehte sich um. Ed stand in der Haustür und sah sie an, ausnahmsweise ohne dieses amüsierte Blitzen in den Augen. Er wirkte ernst, fast streng.

»Ich habe gesehen, wie sie ihre Sachen zusammenpackte«, sagte er. »Ich hab versucht, dich bei der Arbeit anzurufen, aber die wollten mich nicht durchstellen.« Er kam ein paar Schritte auf sie zu und betrachtete den Müllbeutel, der neben ihr auf dem Gehweg lag. »Bedeutet es das, was ich denke?«

»Ich wurde … freigestellt«, sagte Candice, brachte die Worte kaum heraus. »Sie halten mich für eine Diebin.«

»Aber … was ist passiert?«

»Ich weiß es nicht«, sagte Candice und wischte müde über ihr Gesicht. »Ich weiß nicht, was passiert ist. Sag du es mir. Ich … dabei wollte ich doch immer nur das Richtige tun. Weißt du?« Sie blickte zu ihm auf. »Ich wollte einfach nur … nett sein. Und was habe ich nun davon?« Ihre Stimme wurde gefährlich rau. »Ich verliere meinen Job, ich verliere meine Freunde … ich habe alles verloren, Ed. Alles.«

Zwei Tränen liefen über ihre Wangen, und sie wischte sic mit dem Ärmel ihrer Jacke ab. Nachdenklich sah Ed sie einen Moment lang an.

»Stimmt doch gar nicht«, sagte er. »Deinen Charme hast du nicht verloren. Falls es für dich von Interesse sein sollte.« Candice starrte ihn an, dann lachte sie beinah. »Und noch etwas hast du nicht verloren, nämlich …« Er stockte.

»Was?«

»Mich hast du nicht verloren«, sagte Ed und sah ihr offen in die Augen. »Wiederum, falls es für dich von Interesse sein sollte.«

Einen Moment lang herrschte angespanntes Schweigen.

»Ich …« Candice schluckte. »Danke.«

»Komm schon.« Ed reichte ihr die Hand. »Lass uns reingehen.«

»Danke«, flüsterte Candice und nahm seine Hand. »Danke, Ed.«

Schweigend stiegen sie die Treppe hinauf. Als sie vor ihrer Wohnungstür ankamen, zögerte Candice, dann machte sie auf. Augenblicklich spürte sie die Leere. Heathers Mantel hing nicht mehr am Garderobenständer im Flur, ihr Notizblock lag nicht mehr auf dem kleinen Telefontischchen, ihre Schlafzimmertür stand weit offen, und der Schrank war offensichtlich ausgeräumt.

»Ist noch alles da?«, fragte Ed hinter ihr. »Wenn sie was geklaut hat, könnten wir die Polizei rufen.«

Candice ging ins Wohnzimmer und sah sich um.

»Ich glaube, es ist alles noch da«, sagte sie. »Meine Sachen jedenfalls.«

»Na, wenigstens das«, sagte Ed. »Oder?«

Candice antwortete nicht. Sie ging hinüber zum Kaminsims und betrachtete schweigend das Foto von ihr mit ihrer Mutter und ihrem Vater. Wie sie in die Sonne lächelte, glücklich und ahnungslos. Ihr Atem ging schneller, dann war ihr, als würde etwas Heißes in ihr aufsteigen, ihr die Kehle verbrennen, das Gesicht, die Augen.

»Ich komme mir so … dumm vor«, sagte sie. »Ich komme mir so was von dumm vor.« Tränen der Erniedrigung liefen über ihre Wangen, und sie vergrub das Gesicht in den

Händen. »Jeden Scheiß habe ich geglaubt, den sie mir erzählt hat. Dabei hat sie gelogen wie gedruckt. Alles, was sie gesagt hat, war … gelogen.«

Ed lehnte sich an den Türrahmen und runzelte die Stirn. »Also … wie jetzt? Sie hatte es auf dich abgesehen?«

»Sie hatte es die ganze Zeit auf mich abgesehen.« Candice wischte sich die Augen. »Das … das ist eine lange Geschichte.«

»Und du hattest keine Ahnung.«

»Ich dachte, sie mochte mich. Ich dachte, wir wären richtig gute Freundinnen. Sie hat mir erzählt, was ich hören wollte, und ich …« Wieder wallte eine Woge der Scham in Candice auf. »Und ich bin darauf reingefallen.«

»Komm schon, Candice«, sagte Ed. »Du darfst dir nicht allein die Schuld geben. Sie hat allen etwas vorgespielt. Aber eins muss man ihr lassen: Sie war überzeugend.«

»Dir konnte sie nichts vormachen, oder?«, erwiderte Candice mit tränenüberströmten Wangen. »Du hast mir gleich gesagt, dass sie einen Knall hat.«

»Ich fand sie ein bisschen seltsam«, sagte Ed achselzuckend. »Mir war aber nicht klar, dass sie total durchgeknallt ist.«

Beide schwiegen. Candice wandte sich vom Kaminsims ab und tat ein paar Schritte zum Sofa. Doch als sie dort ankam, blieb sie stehen, ohne sich hinzusetzen. Das Sofa war nicht mehr so verlockend. Es kam ihr vor, als gehörte es ihr nicht. Plötzlich gefiel ihr die ganze Wohnung nicht mehr.

»Sie muss es von Anfang an geplant haben«, sagte sie und zupfte abwesend am Bezug des Sofas herum. »Von dem Moment an, als sie mit Blumen in der Hand durch die Tür kam. Und so getan hat, als wäre sie mir dankbar.« Candice schloss die Augen, spürte einen scharfen Schmerz. »Immer so nett und dankbar. Immer so …« Sie schluckte schwer. »Abends haben wir zusammen auf dem Sofa vor dem Fernseher gesessen. Wir haben uns gegenseitig die Nägel lackiert. Ich dachte, was sie doch für eine tolle Freundin ist. Ich dachte, ich hätte eine Seelenverwandte gefunden. Und was hat Heather gedacht?« Candice schlug die Augen auf und sah Ed an. »Was hat sie eigentlich gedacht?«

»Candice …«

»Sie hat dagesessen und mich gehasst, oder? Sie hat überlegt, wie sie mir wehtun konnte.« Die Tränen liefen nur so über ihre Wangen. »Wie konnte ich dermaßen blöd sein? Ich habe die ganze Scheißarbeit für sie gemacht, sie hat mir nie einen Penny Miete bezahlt … und trotzdem habe ich immer gedacht, ich stehe in ihrer Schuld! Immer habe ich ihretwegen ein schlechtes Gewissen gehabt. Ein schlechtes Gewissen!« Candice wischte sich die laufende Nase. »Weißt du, was sie denen bei der Arbeit erzählt hat? Sie hat gesagt, ich würde sie schikanieren.«

»Und die haben ihr geglaubt?«, fragte Ed fassungslos.

»Justin hat ihr geglaubt.«

»Na«, sagte Ed. »Das passt.«

»Ich habe versucht, es ihm zu erklären«, sagte Candice, und ihre Stimme wurde lauter. »Ich habe versucht, es ihm begreiflich zu machen. Aber er wollte mir nicht glauben. Er hat mich nur angesehen wie eine … Kriminelle.«

Sie schüttelte sich und schwieg. Draußen hörte man in weiter Ferne Sirenengeheul, als äffte es Candice nach, dann wurde daraus ein Hupen, das bald darauf verklang.

»Du brauchst einen ordentlichen Drink«, sagte Ed schließlich. »Hast du was Trinkbares zu Hause?«

»Einen Rest Weißwein«, sagte Candice nach einiger Überlegung. »Im Kühlschrank.«

»Weißwein? Was habt ihr Frauen bloß immer mit Weißwein?« Ed schüttelte den Kopf. »Warte hier. Ich besorg dir was Vernünftiges.«

Roxanne trank von ihrem Cappuccino und starrte teilnahmslos eine Gruppe verirrter Touristen draußen vor dem Café an. Sie hatte sich vorgenommen, heute wieder loszulegen. Schließlich hatte sie – alles in allem – einen ganzen Monat freigehabt. Langsam wurde es Zeit, wieder ans Telefon zu gehen, ein bisschen zu arbeiten, ihr früheres Leben wieder aufzunehmen.

Doch stattdessen saß sie hier, in einem Café in Covent Garden, und trank ihren vierten Cappuccino, ließ den Morgen an sich vorübertreiben. Sie war nicht in der Lage, sich auf etwas Konstruktives zu konzentrieren, sich vorzumachen, dass sie wieder ihr normales Leben leben würde. Die Trauer war wie ein grauer Nebel, der jede Bewegung, jeden Gedanken durchdrang, der einfach alles sinnlos machte. Wozu noch Artikel schreiben? Wozu sich die Mühe machen? Es kam ihr vor, als hätte alles, was sie in den letzten paar Jahren getan hatte, mit Ralph zu tun gehabt. Ihre Artikel sollten ihn amüsieren, ihre Reisen sollten Anekdoten bieten, die ihn zum Lachen brachten. Ihre Kleider hatte sie gekauft, um ihm zu gefallen. Das war ihr damals natürlich gar nicht bewusst gewesen. Sie hatte sich stets für absolut und vollkommen unabhängig gehalten. Aber jetzt war er nicht mehr da – und ihr Leben schien seinen Sinn verloren zu haben.

Sie griff in ihre Tasche, um die Zigaretten hervorzuholen, und als sie es tat, berührten ihre Finger den Zettel mit dem Namen Neil Cooper und einer Adresse. Roxanne betrachtete den Zettel einige Sekunden lang, dann warf sie ihn angewidert von sich. Der Anruf dieses Anwalts hatte sie aus der Bahn geworfen. Noch immer wurde ihr ganz zittrig, wenn sie daran dachte. In ihrer Erinnerung schien seine Stimme etwas Herablassendes zu haben. Unterschwellig, ach so diskret, aber im Bilde. Eine solche Kanzlei hatte vermutlich tagtäglich mit den Geliebten von Verstorbenen zu tun. Wahrscheinlich hatten sie eine eigene Abteilung dafür.

Tränen brannten in Roxannes Augen, und sie knipste wütend an ihrem Feuerzeug herum. Wieso hatte Ralph einem verdammten *Anwalt* von ihnen erzählen müssen? Wieso hatte er es überhaupt irgendwem erzählen müssen? Sie fühlte sich enttarnt, schutzlos einer plüschigen Kanzlei ausgesetzt, die über sie lachte. Sollte sie dort hingehen, würde man hinter vorgehaltener Hand über sie grinsen, ihren Aufzug und ihre Frisur begutachten, ein leises Lachen ersticken, wenn man sie bat, doch Platz zu nehmen. Oder schlimmer noch: sie mit unverhohlener Missbilligung mustern.

Denn sie waren auf Cynthias Seite, oder? Diese Anwälte gehörten allesamt zu diesem sicheren, etablierten Leben, das Ralph mit seiner Frau gehabt hatte. Diesem Bund, der durch eine Heiratsurkunde, durch Kinder, durch gemeinsamen Besitz legitimiert war. Der durch Freunde der Familie gestützt wurde, durch entfernte Cousins, durch Buchhalter und Anwälte. Ein ganzes System, das nur dazu da war, das juristische Gebilde aufzustellen und abzusegnen, das Ralph und Cynthia darstellten.

Und im Vergleich dazu: Was hatten sie und Ralph gehabt? Roxanne zog an ihrer Zigarette, spürte den beißenden Rauch, der in ihrer Lunge brannte. Was hatten Ralph und sie gehabt? Vergängliches. Flüchtige Erlebnisse, Erinnerungen, Geschichten. Ein paar Tage hier, ein paar Tage dort.

Heimliche Umarmungen, diskret geflüsterte Liebesschwüre. Nichts Öffentliches, nichts Greifbares. Sechs Jahre der Wünsche und Träume.

Da könnte in China ebenso gut ein Sack Reis umfallen, dachte Roxanne und starrte aus dem Fenster. Ein Mann sagt einer Frau, dass er sie liebt. Aber wenn niemand in der Nähe ist, der es hören könnte – hat er es dann auch wirklich gesagt? Ist es wirklich passiert?

Sie seufzte und drückte ihre Zigarette aus. Vergiss Neil Cooper, dachte sie und leerte ihren Cappuccino. Vergiss diesen Termin am Donnerstag. Vergiss es einfach. Am liebsten wollte sie alles vergessen.

Candice saß schweigend auf dem Sofa, das Gesicht in den Händen verborgen, die Augen geschlossen, denn in ihrem Kopf flogen Bilder und Erinnerungen nur so durcheinander. Heathers unschuldiges Lächeln und ihre überschwänglichen Worte. Heather, die sich im Kerzenschein vorbeugte und sie fragte, was ihr auf der Welt am meisten bedeutete. Heather, die sie liebevoll an sich drückte. Und ihr eigener Stolz und die Freude über ihre neue Freundin, ihr idealistischer Glaube daran, dass sie die Untaten ihres Vaters aus der Welt schaffen konnte.

Bei der Erinnerung daran wand sie sich vor Schmerz und Scham. Wie hatte sie jemals glauben können, dass das Leben so einfach war, dass die Leute so leicht zu nehmen waren? Wie hatte sie alles so simpel sehen können? Plötzlich schien ihr der Versuch, irgendetwas wiedergutzumachen, geradezu lächerlich, ihr naives Vertrauen in Heather fast kriminell.

»Ich war ein Idiot«, murmelte sie laut. »Ein leichtgläubiger, dämlicher …«

»Hör auf damit«, hörte sie Eds Stimme über sich, und sie

blickte auf. »Trink lieber«, fügte er hinzu und hielt ihr ein Glas mit klarer Flüssigkeit hin.

»Was ist das?«, fragte sie misstrauisch und nahm das Glas.

»Grappa. Wunderbares Zeug. Trink ruhig.« Er deutete auf das Glas, woraufhin sie einen Schluck nahm und keuchte, als die brennende Flüssigkeit sich in ihrem Mund ausbreitete.

»Verdammt!«, presste sie hervor. Ihr ganzer Mund kribbelte.

»Wie gesagt.« Ed grinste. »Wunderbares Zeug. Mach schon, trink!«

Candice riss sich zusammen und nahm noch einen Schluck. Während der Alkohol ihre Kehle hinunterlief, breitete sich ein warmes Glühen in ihrem Körper aus, und sie merkte, dass sie Ed anlächelte.

»Es ist noch reichlich da«, sagte Ed und schenkte ihr aus der Flasche nach. »Und jetzt«, fügte er hinzu und nahm das Telefon, »bevor du es dir allzu gemütlich machst, hast du noch ein Telefonat zu führen.« Er stellte das Telefon auf ihren Schoß und grinste sie an.

»Wieso?«, sagte Candice verdutzt.

»Ruf Justin an. Erzähl ihm, was Heather zu dir gesagt hat – und dass sie abgehauen ist. Beweis ihm, dass sie nicht ganz richtig tickt.«

Ganz allmählich wurde Candice etwas bewusst. »Mein Gott«, sagte sie langsam. »Du hast recht! Dadurch ändert sich alles, oder? Jetzt muss er mir doch glauben!« Sie nahm noch einen Schluck Grappa, dann griff sie sich den Hörer. »Okay. Los geht's.« Eilig wählte sie die Nummer, und als sie das Freizeichen hörte, wurde sie ganz unruhig.

»Hallo«, sagte sie, als sich jemand meldete. »Ich möchte gern Justin Vellis sprechen.«

»Ich muss sehen, ob er da ist«, sagte die Telefonistin. »Dürfte ich nach dem Namen fragen?«

»Ja«, sagte Candice. »Hier … hier ist Candice Brewin.«

»Ah, ja«, sagte die Telefonistin in einem Ton, aus dem sowohl Verachtung als auch Gleichgültigkeit sprechen mochte. »Ich will versuchen, ob ich ihn an den Apparat bekomme.«

Als sie Justins Telefon klingeln hörte, wurde Candice plötzlich richtig mulmig zumute. Sie sah Ed an, der am Sofa lehnte und beide Daumen hochhielt.

»Justin Vellis.«

»Hi, Justin«, sagte Candice und wickelte das Telefonkabel fest um ihre Finger. »Hier ist Candice.«

»Ja«, sagte Justin. »Was willst du?«

»Hör zu, Justin.« Candice versuchte, schnell zu sprechen und trotzdem ruhig zu bleiben. »Ich kann beweisen, dass alles stimmt, was ich im Büro zu dir gesagt habe. Heather hat zugegeben, dass sie mich in eine Falle gelockt hat. Sie will sich an mir rächen. Sie hat mich auf der Straße angeschrien!«

»Ach ja?«, sagte Justin.

»Ja! Und jetzt ist sie mit Sack und Pack aus der Wohnung verschwunden. Sie ist einfach … abgehauen!«

»Na und?«

»Na, ist das denn nicht verdächtig?«, sagte Candice. »Überleg doch mal!«

Eine Pause entstand, dann seufzte Justin. »Wenn ich mich recht erinnere, wollte Heather Urlaub machen. Nicht sonderlich verdächtig.«

»Sie macht keinen Urlaub!«, schrie Candice frustriert. »Sie hat sich aus dem Staub gemacht! Und sie hat zugegeben, dass sie mich absichtlich in Schwierigkeiten gebracht hat.«

»Sie hat zugegeben, dass sie deine Handschrift gefälscht hat?«

»Nein«, sagte Candice nach kurzer Pause. »Nicht genau mit diesen Worten. Aber sie hat gesagt …«

»Candice, ich fürchte, dafür habe ich keine Zeit«, unterbrach Justin sie kühl. »Du wirst Gelegenheit bekommen, deine Sicht der Dinge bei der Anhörung vorzutragen. Aber ruf mich bitte nicht wieder an. Ich werde der Zentrale sagen, dass sie deine Anrufe nicht mehr durchstellen soll.«

»Justin, wie kannst du nur so blind sein?«, schrie Candice. »Wie kannst du …«

»Mach's gut, Candice.« Es klickte, und Candice starrte fassungslos den Hörer an.

»Lass mich raten«, sagte Ed und nahm einen Schluck Grappa. »Er hat sich entschuldigt und dir eine Gehaltserhöhung angeboten.«

»Er glaubt mir nicht«, sagte Candice. »Er glaubt mir einfach nicht!« Sie kreischte vor Wut. »Wie kann er ihr mehr glauben als mir? Wie kann er das machen?«

Sie stand auf, ließ das Telefon laut zu Boden fallen und trat ans Fenster. Sie bebte vor Zorn, konnte sich gar nicht beruhigen.

»Für wen hält er sich eigentlich?«, sagte sie. »Er kriegt vorübergehend etwas Macht, und plötzlich meint er, er kann sich alles erlauben. Er hat mit mir gesprochen, als wäre ich eine kleine Arbeiterin und er der Fabrikdirektor. Es ist armselig!«

»Offensichtlich hat er einen winzigen Pimmel«, sagte Ed.

»Nicht winzig«, sagte Candice mit einem Blick aus dem Fenster. »Aber ziemlich mickrig.« Sie drehte sich um, sah Ed in die Augen und prustete laut los. »Mein Gott, ich kann nicht fassen, wie wütend ich bin.«

»Ich auch nicht«, sagte Ed und klang beeindruckt. »Die wütende Candice. Gefällt mir.«

»Ich fühle mich, als ob …« Schweigend schüttelte sie den Kopf, lächelte verkniffen, als müsste sie ihr Lachen unterdrücken. Dann lief ihr eine Träne über das Gesicht.

»Und was soll ich jetzt machen?«, sagte sie stiller. Sie wischte die Träne weg und atmete aus. »Bis zur Anhörung sind es noch zwei Wochen. Mindestens. Was mach ich denn so lange?« Sie fuhr mit einer Hand durch ihre zerzausten Haare. »Ich komme ja nicht mal mehr in das Gebäude. Die haben mir meine Schlüsselkarte weggenommen.«

Ein paar Sekunden herrschte Schweigen, dann stellte Ed sein Grappaglas weg und stand auf.

»Komm mit«, sagte er. »Hauen wir hier ab. Fahren wir zum Haus meiner Tante.«

»Wie?« Unsicher sah Candice ihn an. »Das Haus, das du geerbt hast?«

»Tapetenwechsel. Du kannst nicht den ganzen Tag in der Wohnung hocken.«

»Aber, das ist ziemlich weit weg, oder? Wiltshire oder irgendwo.«

»Na und?«, sagte Ed. »Wir haben doch Zeit.« Er sah auf seine Uhr. »Es ist erst elf.«

»Ich weiß nicht.« Candice wischte über ihr Gesicht. »Ich bin mir nicht sicher, ob das so eine gute Idee ist.«

»Na, und was willst du den ganzen Tag lang tun? Rumsitzen und dich verrückt machen? Vergiss es.«

Die Stille hielt eine Weile an.

»Du hast recht«, sagte Candice schließlich. »Ich meine, was soll ich denn sonst machen?« Sie sah zu Ed auf und spürte, wie ein Lächeln über ihr Gesicht strich. Plötzlich war sie hin und weg von dem Gedanken, dem ganzen Elend in London zu entkommen. »Du hast völlig recht. Fahren wir.«

Kapitel Achtzehn

Gegen Mittag klopfte Giles an die Schlafzimmertür und wartete, bis Maggie verschlafen den Kopf hob.

»Da möchte dich jemand besuchen«, sagte er leise. Maggie rieb ihre Augen und gähnte, als er hereinkam, mit Lucia in den Armen. Die Sonne schien ins Zimmer, und es roch nach Kaffee. Und sie war nicht mehr müde. Sie lächelte und streckte die Arme über dem Kopf aus, genoss das Gefühl der weichen Decke auf ihren ausgeruhten Gliedern. Wie schön es doch im Bett war, dachte sie glücklich.

»Ach, ich fühle mich so gut!«, sagte sie, kam hoch und lehnte sich an einen Berg aus Kissen. Sie gähnte gewaltig und strahlte Giles an. »Ich fühle mich fantastisch. Abgesehen davon, dass ich vor Milch fast platze …«

»Das überrascht mich nicht«, sagte Giles, reichte ihr Lucia und sah sich an, wie Maggie ihr Nachthemd aufknöpfte. »Vierzehn Stunden hast du jetzt geschlafen.«

»Vierzehn Stunden«, sagte Maggie staunend, während Lucia zu nuckeln begann. »Vierzehn Stunden! Ich kann mich gar nicht mehr erinnern, wann ich das letzte Mal mehr geschlafen habe als …« Sie schüttelte den Kopf. »Und ich kann gar nicht glauben, dass ich zwischendurch nicht aufgewacht bin!«

»Du warst in einer lärmfreien Zone«, sagte Giles. »Ich habe alle Telefone ausgestellt und mit Lucia einen Spaziergang gemacht. Wir sind erst seit ein paar Minuten wieder da.«

»Wirklich?« Maggie betrachtete Lucias kleines Gesicht und lächelte zärtlich. »Ist sie nicht hübsch?«

»Sie ist wunderbar«, sagte Giles. »Wie ihre Mutter.«

Er kam herüber, setzte sich aufs Bett und sah den beiden schweigend zu. Nach einer Weile blickte Maggie zu ihm auf.

»Und wie war sie heute Nacht? Hast du denn geschlafen?«

»Nicht viel«, sagte Giles etwas betrübt. »Sie scheint ihr Bettchen nicht besonders zu mögen, was?« Er sah Maggie in die Augen. »So war das bisher jede Nacht?«

»Mehr oder weniger«, sagte Maggie nach kurzer Pause.

»Ich verstehe nicht, wieso du mir nie was davon gesagt hast.« Giles fuhr mit der Hand durch seine wirren Haare. »Wir hätten uns Hilfe holen können, wir hätten …«

»Ich weiß.« Maggie biss auf ihre Lippe und sah sich den blauen Himmel draußen vor dem Fenster an. »Ich hatte … ich weiß es nicht. Ich mochte einfach nicht zugeben, wie schlimm es war.« Sie zögerte. »Du dachtest, ich komme so gut zurecht, und du dachtest, Lucia ist so perfekt, und du warst so stolz auf mich … wenn ich dir erzählt hätte, dass es ein Alptraum war …«

»Ich hätte gesagt: Scheiß auf das Baby. Wir schicken es zurück«, sagte Giles wie aus der Pistole geschossen, und Maggie lachte leise.

»Danke, dass du sie letzte Nacht genommen hast«, sagte sie.

»Maggie, hör auf, dich bei mir zu bedanken!«, sagte Giles fast ungeduldig. »Sie ist doch auch mein Kind, oder? Ich habe genauso ein Recht darauf wie du, sie morgens um drei zu verfluchen.«

»Verfluchtes Baby«, sagte Maggie und lächelte die Kleine an.

»Verfluchtes Baby«, wiederholte Giles. »Verfluchte, alberne Mama.« Mit gespielter Missbilligung schüttelte er den Kopf. »Die Frau vom Gesundheitsamt zu belügen. Ich weiß nicht. Dafür könntest du ins Gefängnis kommen.«

»Ich habe nicht gelogen«, sagte Maggie und nahm Lucia an die andere Brust. »Es war …« Sie überlegte einen Moment. »Es war nur eine beschönigende Darstellung der Lage.«

»Gute PR, meinst du.«

»Ganz genau«, sagte Maggie mit gespieltem Lächeln. »Das Leben mit meinem neuen Baby ist die reine Freude‹, erklärte Miss Phillips. ›Ja, sie ist ein Engel, und – nein – ich hatte keinerlei Probleme. Schließlich bin ich die Supermama.‹« Sie starrte Lucias winziges, nuckelndes Gesicht an, dann wandte sie sich wieder Giles zu, ernster jetzt. »Ich dachte, ich müsste wie deine Mutter sein. Aber ich bin kein bisschen wie deine Mutter.«

»Du bist nicht so bestimmend wie meine Mutter«, sagte Giles und verzog das Gesicht. »Sie hat mir eine ordentliche Predigt über meine Pflichten gehalten. Ich kam mir vor, als wäre ich wieder zehn Jahre alt. Sie kann einem ganz schön Angst machen, meine Mum.«

»Gut«, sagte Maggie grinsend.

»Wobei mir was einfällt«, sagte Giles. »Möchte Madame ihr Frühstück im Bett einnehmen?«

»Madame möchte ihr Frühstück *liebend gern* im Bett einnehmen.«

»Und was ist mit Mademoiselle? Soll ich sie mitnehmen oder hierlassen?«

»Mademoiselle kann hierbleiben«, sagte Maggie und streichelte Lucias Kopf. »Ich bin mir nicht sicher, ob sie schon fertig gefrühstückt hat.«

Als Giles gegangen war, sank sie in die Kissen und blickte durchs Fenster hinaus auf die Felder jenseits des Gartens. Auf diese Entfernung sah man weder Matsch noch Brombeerbüsche. Die Sonne schien, und der Wind fuhr durch das lange grüne Gras. Ein kleiner Vogel flatterte aus einer der Hecken hervor. Idyllischer konnte es auf dem Land nicht sein. So hatte sie sich das Landleben in ihren Träumen vorgestellt.

»Was meinst du?«, sagte sie mit einem Blick auf Lucia. »Magst du es ländlich? Magst du Kühe und Schafe? Oder magst du Autos und Geschäfte? Kühe und Schafe oder Autos und Geschäfte. Deine Entscheidung.«

Einen Moment lang sah Lucia sie aufmerksam an, dann verzog sie das Gesicht zu einem Gähnen.

»Genau«, sagte Maggie. »Dir ist es total egal, oder?«

»Voilà!« Giles erschien mit einem Tablett in der Tür, auf dem ein Glas Orangensaft, eine dampfende Kaffeekanne, ein Teller mit warmen Croissants und ein kleiner Topf mit Aprikosenmarmelade standen. Eine Sekunde sah er sie wortlos an, dann stellte er das Tablett auf den Tisch.

»Du bist wunderschön«, sagte er.

»Ach was«, sagte Maggie und wurde ein bisschen rot.

»Doch, bist du.« Er trat ans Bett, nahm Lucia aus Maggies Armen und legte sie vorsichtig auf den Boden. Er setzte sich aufs Bett und streichelte Maggies Haare, ihre Schulter, dann ganz sanft ihre Brust. »Meinst du, für mich ist in deinem Bettchen auch noch Platz?«

Maggie starrte ihn an und spürte, wie ihr ausgeruhter Körper auf seine Berührung reagierte. Fast vergessene Gefühle prickelten auf ihrer Haut. Ihr Atem ging ein wenig schneller.

»Möglich«, sagte sie und lächelte unsicher.

Langsam beugte Giles sich vor und küsste sie. Maggie schloss entzückt die Augen und schlang die Arme um seinen Körper, verlor sich in dem köstlichen Gefühl. Giles' Lippen fanden ihr Ohrläppchen, und sie stöhnte leise vor Wohlbehagen.

»Wir könnten für Lucia ein Geschwisterchen machen«, hörte sie Giles' Stimme an ihrem Ohr. »Wäre das nicht wundervoll?«

»Was?« Maggie erstarrte vor Entsetzen. »Giles …«

»Kleiner Scherz«, sagte Giles. Sie wich zurück, sah ihn lachen. »Nur ein Scherz.«

»Nein!«, sagte Maggie mit hämmerndem Herzen. »Das ist kein Scherz! Das ist nicht mal … nicht mal halbwegs lustig. Das ist … es ist …« Plötzlich merkte sie, dass sie lachen musste. »Du bist ein echter Dreckskerl.«

»Ich weiß«, sagte Giles und schmuste an ihrem Hals herum. »Bist du nicht froh, dass du mich geheiratet hast?«

Eds Auto war ein dunkelblaues Cabrio. Als er es aufpiepte, stand Candice da und sah sich den Wagen staunend an.

»Ich wusste gar nicht, dass du einen … was ist das?«

»BMW«, sagte Ed.

»Wow«, sagte Candice. »Wie kommt es, dass ich dich noch nie damit gesehen habe?«

Ed zuckte mit den Schultern. »Ich fahre nicht so oft.«

Candice runzelte die Stirn.

»Aber … wieso hast du so ein schickes Auto, wenn du es nie fährst?«

»Komm schon, Candice.« Er grinste entwaffnend. »Ich bin ein Junge.«

Unwillkürlich musste Candice lachen und stieg ein. Im selben Moment fühlte sie sich geradezu lächerlich glamourös. Als sie losfuhren, wehten ihr die Haare ins Gesicht. Die Sonne glänzte auf der Windschutzscheibe und den verchromten Außenspiegeln. Sie hielten an einer Ampel, und Candice sah eine junge Frau in etwa ihrem Alter die Straße überqueren. Sie war gut gekleidet und hetzte offensichtlich zurück ins Büro. Zurück zu einem sicheren Job, einer vertrauensvollen Umgebung, einer sicheren Zukunft.

Noch heute Morgen war sie genauso gewesen, dachte Candice. Arglos und vertrauensselig. Sie hatte nicht geahnt, was passieren würde. Und innerhalb von Stunden hatte sich alles verändert.

»Ich werde nie wieder dieselbe sein«, sagte sie, ohne es eigentlich zu wollen. Ed wandte sich auf seinem Sitz um und sah sie an.

»Wie meinst du das?«

»Ich werde nie wieder so ... vertrauensselig sein. Ich war eine gutgläubige, dumme Kuh.« Sie legte den Ellenbogen auf die Tür, stützte den Kopf mit ihrer Hand ab. »Was für eine verdammte Katastrophe. Was für eine gottverdammte ...«

»Candice, hör auf damit«, sagte Ed. Candice drehte den Kopf, um ihn anzusehen.

»Was?«, sagte sie zynisch. »Ich soll mir keine Vorwürfe machen?«

Ed zuckte mit den Schultern. »Du sollst dich nicht fertigmachen. Was du getan hast – Heather zu helfen –, das war sehr großzügig von dir. Wäre Heather ein anderer Mensch, hätte es auch gut gehen können.«

»Könnte sein«, murmelte Candice nach einer Pause.

»Du kannst nichts dafür, dass sie einen Schaden hat, oder? Sie kam ja nicht mit einem Schild um den Hals.«

»Aber ich war so verdammt ... idealistisch.«

»Natürlich warst du das«, sagte Ed. »Deshalb bist du ja auch ... du.«

Plötzlich wurde es ganz still zwischen den beiden. Candice blickte in Eds dunkle, intelligente Augen und merkte, wie ihre Wangen ein wenig wärmer wurden. Da hupte jemand hinter ihnen. Wortlos legte Ed den ersten Gang ein und fuhr an, und Candice lehnte sich in den Sitz zurück und schloss die Augen, mit klopfendem Herzen.

Als sie die Augen wieder aufschlug, fuhren sie auf dem Motorway. Der Himmel hatte sich etwas zugezogen, und es war zu windig, als dass man sich hätte unterhalten können. Candice setzte sich auf und sah sich um. Da waren Felder und Schafe und die typische Landluft. Ihre Beine waren steif, und das Gesicht war vom Wind ganz ausgetrocknet. Sie fragte sich, wie weit es wohl noch sein mochte.

Und als könnte er ihre Gedanken lesen, blinkte Ed und bog von der Schnellstraße ab.

»Sind wir bald da?«, rief Candice. Er nickte, sagte aber nichts. Sie kamen durch ein Dorf, und neugierig sah sie sich die alten Häuser an und fragte sich, wie Eds Haus wohl aussehen mochte. Er hatte nichts weiter darüber erzählt. Sie wusste nicht, ob es groß oder klein war, alt oder neu. Plötzlich schwenkte der Wagen von der Hauptstraße auf einen schmalen Weg. Etwa zwei Meilen weit rumpelten sie darauf entlang, dann bog Ed in eine Einfahrt ein und fuhr durch ein Tor. Der Wagen knirschte eine Auffahrt am Hang hinauf, und Candice starrte ungläubig geradeaus.

Sie näherten sich einem flachen, reetgedeckten Cottage, das ein wenig abgewandt von ihnen stand, als wäre es zu schüchtern, sein Gesicht zu zeigen. Die Mauern waren apricot, die Fensterrahmen türkis. Aus dem Inneren leuchtete es kurz lila auf. Hinter der Ecke sah sie mehrere bunt bemalte Töpfe, die sich draußen vor der Holztür drängten.

»So etwas habe ich noch nie gesehen«, sagte Candice staunend. »Das ist ja wie im Märchen.«

»Wie?«, sagte Ed. Er stellte den Motor ab und sah sich um, mit leuchtenden Augen. »Ach so … hatte ich es nicht erzählt? Meine Tante war Malerin. Sie hatte es gern bunt.« Er machte die Autotür auf. »Komm mit. Sieh es dir von innen an.«

Die Haustür führte in eine niedrige Diele. Strohblumen hingen von einem Deckenbalken.

»Als Warnung für große Unholde«, sagte Ed. Er beobachtete Candice, die sich in der gefliesten Küche umsah. »Was meinst du? Gefällt es dir?«

»Ich bin begeistert«, sagte Candice. Sie ging ein paar Schritte in die warme, rote Küche und fuhr mit der Hand über den Holztisch. »Als du was von einem Haus erzählt hast, dachte ich … ich hatte ja keine Ahnung.«

»Ich war oft hier«, sagte Ed. »Als meine Eltern sich getrennt haben. Ich hab immer vor dem Fenster da gesessen und mit meiner Eisenbahn gespielt. Im Grunde ein trauriger kleiner Kerl.«

»Wie alt warst du?«, fragte Candice.

»Zehn«, sagte Ed. »Im Jahr darauf kam ich auf eine andere Schule.«

Er wandte sich ab, sah aus dem Fenster. Irgendwo im Haus tickte eine Uhr. Draußen war alles ruhig – ländliche Stille. Über Eds Schulter hinweg, vor dem Fenster, sah Candice einen Vogel, der aufgeregt in einem rosaroten Blumentopf herumpickte.

»Tja«, sagte Ed und wandte sich ihr zu. »Was meinst du, was ich dafür kriegen würde?«

»Du willst es doch nicht verkaufen!«, sagte Candice entsetzt.

»Nein«, sagte Ed. »Ich werde Bauer und zieh hier ein.«

»Du müsstest doch nicht immer hier wohnen. Du könntest es behalten für …«

»Die Wochenenden?«, sagte Ed. »Jeden Freitag im Feierabendverkehr hier rausfahren, nur um hier rumzusitzen und mir Frostbeulen zu holen? Das ist nicht dein Ernst, Candice.«

»Na gut«, sagte Candice. »Es ist ja dein Haus.« Sie betrachtete eine gerahmte Stickerei an der Wand. *Die Liebe wächst mit der Entfernung.* Daneben hing eine Kohlezeichnung von einer Muschel und darunter ein Bild von drei fetten Gänsen auf dem Feld, offenbar von einem Kind gemalt. Bei genauerem Hinsehen las Candice den Namen »Edward Armitage« in ordentlicher Schreibschrift in der linken unteren Ecke.

»Du hast mir nie erzählt, wie es hier ist«, sagte sie und drehte sich um. »Du hast mir nie erzählt, dass es so …« Hilflos breitete sie die Arme aus.

»Na ja«, sagte Ed. »Du hast ja auch nie danach gefragt.«

»Und was ist jetzt mit meinem Frühstück?«, murmelte Maggie, die in Giles' Armen lag. Langsam drehte er den Kopf und machte ein Auge auf.

»Frühstück möchtest du also auch noch?«

»Allerdings. So leicht entkommst du mir nicht.« Maggie richtete sich auf, damit Giles sich rühren konnte, dann sank sie wieder in die Kissen und sah, wie er sich hinsetzte und nach seinem T-Shirt griff. Als er es gerade halbwegs über den Kopf gezogen hatte, stutzte er.

»Ich glaub es nicht!«, flüsterte er. »Sieh dir das an!« Maggie folgte seinem Blick. Lucia lag auf dem Teppich und schlief tief und fest, die kleinen Hände zu Fäusten geballt.

»Na, offenbar haben wir sie nicht weiter gestört«, sagte sie leise lachend.

»Wie viel hat dieses Kinderbett gekostet?«, sagte Giles zerknirscht. Auf Zehenspitzen schlich er an Lucia vorbei, nahm das Tablett vom Tisch und reichte es Maggie.

»Madame.«

»Ich möchte bitte frischen Kaffee«, sagte sie sofort. »Der hier ist lauwarm.«

»Die Geschäftsleitung ist am Boden zerstört«, sagte Giles. »Bitte akzeptieren Sie als unterwürfigste Entschuldigung auf Kosten des Hauses dieses Glas Orangensaft und eine Auswahl feiner Croissants.«

»Hm«, machte Maggie und nahm skeptisch einen Schluck. »Plus eine Mahlzeit für zwei in einem Restaurant meiner Wahl?«

»Absolut«, stimmte Giles zu. »Das ist das Mindeste, was die Geschäftsleitung tun kann.«

Er nahm die Kaffeekanne und ging hinaus. Maggie setzte sich auf, brach ein Croissant auseinander und strich die bernsteinfarbene Marmelade dick darauf. Sie nahm einen ordentlichen Bissen, dann noch einen, genoss den butterigen Geschmack, die süße Marmelade. Noch nie hatte ihr etwas so gut geschmeckt. Es kam ihr vor, als wären ihre Geschmacksknospen – wie alles andere auch – vorübergehend betäubt gewesen und lebten nun wieder auf.

»Das dürfte deinen Ansprüchen eher genügen«, sagte Giles, als er mit frischem Kaffee wiederkam. Er setzte sich aufs Bett und lächelte Maggie an. »Oder?«

»Ja«, sagte Maggie und trank von ihrem Orangensaft. Das Sonnenlicht glitzerte im Glas, als sie es wieder aufs Tablett stellte und noch mal von ihrem Aprikosencroissant abbiss. Wieder sah sie aus dem Fenster auf die grünen Weiden, die im Sonnenschein wie eine englische Bilderbuchlandschaft aussahen.

Brombeerbüsche und Unkraut, sagte sie sich. Matsch und Dünger. Kühe und Schafe. Oder Autos und Geschäfte und Taxis. Grelle Lichter. Leute.

»Ich glaube …«, sagte sie beiläufig. »Vielleicht gehe ich wieder arbeiten.« Sie nahm einen Schluck köstlichen Kaffee und blickte zu Giles auf.

»Okay«, sagte er vorsichtig. »In deinem alten Job? Oder …«

»In meinem alten Job«, sagte Maggie. »Als Chefredakteurin beim *Londoner*. Das konnte ich ganz gut, und ich vermisse es.« Sie nahm noch einen Schluck Kaffee und hatte das angenehme Gefühl, genau zu wissen, was sie wollte. »Ich nehme noch ein paar Monate Mutterschaftsurlaub, dann suchen wir uns eine Nanny, und ich kann wieder arbeiten.«

Giles schwieg ein paar Minuten. Fröhlich aß Maggie ihr erstes Croissant auf und begann, das zweite mit Marmelade zu bestreichen.

»Maggie …«, sagte er schließlich.

»Ja?« Sie lächelte ihn an.

»Bist du dir ganz sicher? Das ist eine ziemlich große Belastung.«

»Ich weiß. Das ist mein Job als Vollzeit-Mutter auch.«

»Und du meinst, wir finden eine Nanny … einfach so?«

»Das machen tausende Familien doch genauso«, sagte Maggie. »Ich wüsste nicht, wieso es uns da anders gehen sollte.«

Giles runzelte die Stirn. »Es wäre ein sehr langer Tag. Mit dem Zug hin, den ganzen Tag arbeiten, abends wieder zurück …«

»Ich weiß. Das wäre es, wenn wir hier wohnen blieben.«
Maggie sah Giles an, und ihr Lächeln wurde breiter. »Schon deshalb müssen wir wieder zurück nach London ziehen.«

»Wie bitte?« Giles starrte sie an. »Maggie, das ist nicht dein Ernst.«

»Oh, doch. Lucia ist auch meiner Meinung. Stimmt's nicht, Süße? Sie möchte ein City Girl sein, genau wie ich.« Zärtlich betrachtete sie Lucia, die noch immer auf dem Boden lag und tief und fest schlief.

»Maggie …« Giles schluckte. »Liebling, meinst du nicht, dass du ein wenig überreagierst? Unser Plan war doch immer …«

»Dein Plan«, warf Maggie sanft ein.

»Aber wo doch meine Mutter in der Nähe wohnt und so, ist es doch der helle Wahnsinn …«

»Deine Mutter ist auch meiner Meinung.« Maggie lächelte. »Deine Mutter – falls du es noch nicht wusstest – ist die Größte.«

Sprachlos sah Giles sie an. Dann warf er plötzlich den Kopf in den Nacken und lachte.

»Ihr Weiber! Ihr habt hinter meinem Rücken intrigiert, stimmt's?«

»Möglich.« Maggie lächelte verschlagen.

»Und gleich erzählst du mir, du hast dir schon Wohnungsangebote kommen lassen.«

»Möglich«, sagte Maggie nach einer Pause, und Giles prustete.

»Du bist echt unglaublich. Und hast du auch schon mit den Leuten bei deiner Arbeit gesprochen?«

»Noch nicht«, sagte Maggie. »Aber ich rufe den neuen Chef heute an. Ich wollte sowieso mal sehen, was da so los ist.«

»Und spiele ich in dieser Angelegenheit auch eine Rolle?«, fragte Giles. »Irgendeine?«

»Hmmm.« Nachdenklich sah Maggie ihn an. »Du könntest mir noch einen Kaffee machen, wenn du willst.«

Candice und Ed saßen draußen im Sonnenschein, Seite an Seite auf der Stufe vor der Haustür, tranken Instant-Kaffee aus seltsam getöpferten Bechern. Neben ihnen stand ein Teller mit nicht mehr ganz frischen Keksen, die sie in einer Dose gefunden und nach dem ersten Bissen weggestellt hatten.

»Weißt du, was das Allerdämlichste ist?«, sagte Candice und sah einem Eichhörnchen hinterher, das über das Scheunendach wetzte. »Ich habe immer noch ein schlechtes Gewissen. Ich habe ihr gegenüber immer noch ein schlechtes Gewissen.«

»Heather?«, sagte Ed erstaunt. »Du spinnst. Nach allem, was sie dir angetan hat?«

»Fast *wegen* allem, was sie mir angetan hat. Wenn sie mich so sehr hassen konnte ...« Candice schüttelte den Kopf. »Was sagt mir das darüber, was mein Vater ihrer Familie angetan hat? Er hat ihr Leben zerstört.« Ernst sah sie Ed an. »Jedes Mal, wenn ich daran denke, wird mir ganz kalt.«

Sie schwiegen. In der Ferne rief schrill ein Kiebitz und flatterte aus einem Baum hervor.

»Ich verstehe nicht viel von schlechtem Gewissen«, sagte Ed schließlich. »Als Anwalt.« Er nahm einen Schluck Kaffee. »Aber ich bin mir sicher, dass du kein schlechtes Gewissen haben musst. Du hast Heathers Familie nicht betrogen. Das war dein Vater.«

»Ich weiß. Trotzdem ...«

»Es kann dir also leidtun – wie dir ein Erdbeben leidtut.

Aber du kannst dir dafür nicht die Schuld geben.« Er sah sie offen an. »Du warst es nicht, Candice. Du hast es nicht getan.«

»Ich weiß«, sagte Candice nach einer Pause. »Du hast recht. Im Grunde weiß ich, dass du recht hast. Aber …« Sie nahm einen Schluck Kaffee und seufzte betrübt. »Ich habe alles falsch verstanden, oder? Es war, als hätte ich alles spiegelverkehrt gesehen.« Vorsichtig stellte sie den Becher ab und lehnte sich an den bemalten Türrahmen. »Ich meine, in den letzten Wochen war ich so glücklich. Ich habe wirklich geglaubt, Heather und ich wären …«

»Unzertrennlich?«

»Fast.« Candice lachte beschämt. »Wir haben uns einfach so gut verstanden … es waren alberne, kleine Dinge. Wie etwa …« Sie zuckte mit den Schultern. »Ich weiß nicht. Einmal hat sie mir einen Füller geschenkt.«

»Einen Füller?«, sagte Ed grinsend.

»Ja«, sagte Candice trotzig. »Einen Füller.«

»Mehr braucht man nicht, um dein Herz zu gewinnen? Einen Füller?« Ed stellte den Kaffee ab und griff in seine Tasche.

»Nein! Sei nicht …« Candice stutzte, als Ed einen abgewetzten alten Kuli hervorholte.

»Bitte sehr«, sagte er. »Wie gefalle ich dir jetzt?«

»Lach mich nicht aus!«, sagte Candice und spürte, wie sie rot wurde.

»Tu ich nicht.«

»Tust du wohl! Du meinst, ich bin blöd, oder?«, sagte sie und merkte, dass ihr vor Scham ganz heiß wurde. »Du glaubst, ich bin nur eine dumme …«

»Ich finde überhaupt nicht, dass du dumm bist.«

»Du verachtest mich.«

»Du glaubst, ich verachte dich.« Ohne den leisesten Anflug eines Lächelns sah Ed sie an. »Du glaubst ernstlich, ich würde dich verachten.«

Candice hob den Kopf und blickte in seine dunklen Augen. Und als sie seinen Gesichtsausdruck sah, kam sie irgendwie in Schieflage, als gäbe der Boden unter ihr nach, als sähe sie die Welt plötzlich aus einer anderen Perspektive. Schweigend starrte sie Ed an, brachte kein Wort heraus, konnte kaum atmen. Ein Blatt blieb in ihren Haaren hängen, doch sie nahm es kaum wahr.

Eine endlose, unerträgliche Zeit lang rührte sich keiner von beiden. Dann – ganz langsam – beugte Ed sich vor, blickte ihr tief in die Augen. Er hob einen Finger und fuhr damit über ihre Wange. Er berührte ihr Kinn und dann, ganz sanft, ihren Mundwinkel. Candice sah ihn nur an, starr vor einer verzweifelten Sehnsucht, die ihr beinah Angst machte.

Langsam kam er näher, berührte ihr Ohrläppchen, küsste sanft ihre nackte Schulter. Seine Lippen berührten ihren Hals, und Candice lief ein Schauer über den Rücken, sodass sie sich nicht bremsen und nicht verhindern konnte, mehr zu wollen. Und dann schließlich neigte er den Kopf und küsste sie, erst sanft, dann drängender. Sie hielten inne und sahen sich an, sagten nichts, lächelten nicht. Als er sie entschlossen auf die Beine zog und ins Haus führte, die Treppe hinauf, war sie so wacklig auf den Beinen wie ein neugeborenes Kalb.

Noch nie hatte sie so langsam, so intensiv Liebe gemacht. Die Welt schien nur noch aus Eds dunklen Augen zu bestehen, die tief in sie hineinblickten und ihr eigenes Verlangen, ihre wachsende Ekstase widerspiegelten. Auf dem Höhepunkt schrie sie unter Tränen, als löste sich die Spannung eines ganzen Lebens. Nun lag sie zufrieden in seinen Armen und blickte zur Decke auf, in einem Zimmer, dessen Einzelheiten sie erst nach und nach wahrnahm. Schlichte, weiße Wände, blauweiße Vorhänge, ein altes Eichenbett. Ein überraschender Hort der Ruhe nach dem farblichen Aufruhr im Erdgeschoss. Ihr Blick ging zum Fenster. In der Ferne sah sie eine Herde von Schafen einen Hügel hinablaufen, die sich gegenseitig anrempelten, als fürchteten sie, sich zu verspäten.

»Schläfst du?«, sagte Ed nach einer Weile. Seine Hand streichelte ihren Bauch, und sie spürte, wie die Freude in ihr glühte.

»Nein.«

»Ich wollte dich, seit ich dir das erste Mal begegnet bin.«

Eine Pause entstand, dann sagte Candice: »Ich weiß.« Langsam wanderte Eds Hand zu ihrer Brust, und sie spürte einen neuerlichen Schauer der Unsicherheit. Es fühlte sich fremd an, ihm so nah zu sein.

»Und du? Wolltest du mich auch?«, fragte er.

»Ich will dich jetzt«, sagte Candice und wandte sich ihm zu. »Genügt das?«

»Das muss reichen«, sagte Ed und zog sie zu sich heran, um sie zu küssen.

Viel später, als die Abendsonne über den Hügeln stand, gingen sie nach unten.

»Da müsste irgendwo noch Wein sein«, sagte Ed auf dem Weg in die Küche. »Guck doch mal, ob du auf der Anrichte Gläser findest.«

Gähnend betrat Candice die kleine angrenzende Wohnstube. Auf einer Kiefernholzanrichte in der Ecke standen buntes Geschirr, Postkarten von Gemälden und dicke, bauchige Gläser. Auf dem Weg dorthin kam sie an einem Schreibtisch vorbei und warf einen Blick darauf. Aus einer kleinen Schublade ragte ein handgeschriebener Brief hervor, der begann mit den Worten: »Lieber Edward.«

Edward, dachte sie benommen. Ed. Lieber Ed.

Die Neugier übermannte sie. Einen Moment rang sie mit sich – dann sah sie zur Tür und zog den Brief etwas weiter heraus.

Lieber Edward, las sie eilig. *Ihre Tante hat sich sehr gefreut, dass Sie in der vergangenen Woche da waren. Ihre Besuche tun ihr ausgesprochen gut – und der letzte Scheck war überaus großzügig. Ich kann kaum glauben …*

»Gefunden?« Eds Stimme unterbrach Candice, und hastig schob sie den Brief wieder zurück.

»Ja!«, sagte sie und nahm zwei Gläser von der Anrichte. »Da wären wir …« Als Ed eintrat, sah sie ihn mit neuen Augen.

»Bestimmt vermisst du deine Tante«, sagte sie. »Hast du sie … oft besucht?«

»Ziemlich.« Er zuckte mit den Schultern. »Sie war am Ende etwas gaga. Hatte auch eine Pflegerin bei sich wohnen.«

»Oh«, sagte Candice. »Das war bestimmt ziemlich teuer.«

Ed schien ein wenig rot zu werden.

»Die Familie hat es bezahlt«, sagte er und wandte sich ab. »Komm, ich hab Wein gefunden.«

Sie saßen draußen, tranken Wein und sahen sich an, wie die Sonne unterging und Wind aufkam. Als es frischer wurde, rückte Candice auf der Holzbank näher an Ed heran, und er legte einen Arm um sie. Es war so friedlich. Ganz anders als in London, dachte Candice. Ihre Gedanken drifteten eine Weile vor sich hin, landeten bei Heather und hoben gleich wieder ab, bevor der Schmerz in ihre Gedanken dringen konnte. Es hatte ja keinen Sinn, darüber nachzudenken, sagte sie sich. Es hatte keinen Sinn, alles noch einmal zu durchleben.

»Ich will gar nicht wieder zurück«, hörte sie sich sagen.

»Müssen wir ja nicht. Wir können auch über Nacht hierbleiben«, sagte Ed.

»Wirklich?«

»Das Haus gehört mir«, sagte Ed und drückte Candice an sich. »Wir können bleiben, solange wir wollen.«

Kapitel Neunzehn

Drei Tage später war Maggie endlich so weit, Charles Allsopp anzurufen, um anzukündigen, dass sie wieder arbeiten wollte. Sie wartete, bis Paddy zum morgendlichen Kaffee kam, dann reichte sie ihr Lucia und einen ganzen Stapel von Immobilienangeboten.

»Ich möchte professionell klingen«, erklärte sie. »Ohne heulendes Baby im Hintergrund.«

»Gute Idee«, sagte Paddy fröhlich. »Sind das hier noch mehr Häuser in London?«

»Kam heute früh. Die Häuser, die in Frage kommen, habe ich rot angekreuzt.«

Maggie wartete, bis Paddy Lucia vorsichtig ins Wohnzimmer getragen hatte, dann wählte sie die Nummer von Allsopp Publications.

»Hallo«, sagte sie, sobald sich jemand meldete. »Charles Allsopp, bitte. Hier ist Maggie Phillips.« Dann strahlte sie vor Freude. »Ja, danke, es geht mir gut, Doreen. Ja, der Kleinen geht es auch gut. Sie ist ein wahrer Schatz.«

Vom Wohnzimmer aus fing Paddy Maggies Blick auf und lächelte sie ermutigend an. Das, dachte sie, während sie einen rosaroten Plüsch-Kraken vor Lucias grapschenden Händen baumeln ließ, das ist die eigentliche Maggie. Selbstbewusst und fröhlich, hat alles im Griff. Sucht die Herausforderung.

»Du wirst mir fehlen, Lucia«, flüsterte Paddy, ließ das Baby nach ihren Fingern greifen und daran ziehen. »Du wirst mir fehlen. Aber ich glaube, du wirst dort glücklicher sein. Oder was meinst du?« Paddy nahm eines der Immobilienangebote und las die Beschreibung, versuchte, ihren Schreck über den winzigen Garten und die fett gedruckte, ungeheure Summe ganz oben auf der Seite zu verbergen. Für so viel Geld bekäme man hier in der Gegend ... dachte sie, dann lächelte sie über sich selbst. Für so viel Geld bekäme man hier in der Gegend *The Pines*. Und man sah ja, wohin das geführt hatte.

»Ja, ich freue mich auch darauf, Charles«, konnte sie Maggie in der Küche sagen hören. »Und ich werde mich gleich mal bei Justin melden. Oh, das würden Sie tun? Vielen Dank.« Sie blickte auf, sah Paddy an und hielt einen Daumen hoch. »Er scheint sehr nett zu sein!«, flüsterte sie. »Er hat sogar vorgeschlagen, dass ich mir zu Hause einen Computer einrichte, damit ich ... Oh, hallo, Justin«, sagte sie mit lauterer Stimme. »Ich wollte mal hören, wie es so läuft.«

»Wollen wir dir einen Computer besorgen?«, sagte Paddy lächelnd zu Lucia. »Würde dir das gefallen?« Sie kitzelte Lucias Bauch und freute sich daran, wie das Baby vor Vergnügen gluckste. »Möchtest du mal so klug werden wie deine Mama? Möchtest du ...«

»Wie bitte?«, bellte Maggies Stimme aus der Küche, und Paddy und Lucia zuckten zusammen. »Du hast *was*?«

»Du meine Güte«, sagte Paddy. »Ich möchte wissen ...«

»Und sie hat keinerlei Erklärung abgegeben?« Maggie stand auf und stampfte wütend in der Küche hin und her. »Hat sie, ja? Und dem bist du nachgegangen, oder?« Maggies Stimme wurde kälter. »Verstehe. Und niemand hat daran gedacht, mich zurate zu ziehen?« Es entstand eine Pause. »Nein, ich bin nicht böse, Justin. Ich bin stinksauer.«

Noch eine Pause. »Justin, deine Stichproben interessieren mich einen Scheißdreck.«

»Du meine Güte!«, sagte Paddy noch einmal und sah Lucia betreten an.

»Ja, ich stelle deine Führungskompetenz in Frage, Justin!«, schrie Maggie. »Ehrlich gesagt hast du überhaupt keine!« Sie knallte den Hörer auf und sagte wütend: »Wichser!« Dann nahm sie das Telefon wieder in die Hand und tippte eine Nummer.

»Herrje«, flüsterte Paddy. »Ich frage mich, was da wohl …«

»Komm schon«, sagte Maggie in der Küche und trommelte dabei mit ihren Fingernägeln auf dem Holztisch. »Komm schon, geh ran. Candice, wo zum Teufel steckst du?«

Candice lag im Garten hinterm Cottage und blickte in die Blätter über ihr. Die frühsommerliche Sonne wärmte ihr Gesicht, und es duftete nach Lavendel. Und doch fror sie innerlich, da die Gedanken, die sie hatte verdrängen wollen, in den letzten Tagen immer wieder auf sie hereinstürzten.

Sie war von der Arbeit suspendiert worden. Sie war öffentlich als unehrlich gebrandmarkt worden. Und sie hatte die beiden Freundschaften zerstört, die ihr auf der ganzen Welt am meisten bedeuteten. Eine Woge des Schmerzes überkam sie, und sie schloss die Augen. Wie lange war es her, seit sie zu dritt in der Manhattan Bar gesessen und ahnungslos Cocktails bestellt hatten, ohne zu merken, dass diese Frau mit der grünen Weste, die dort an ihrem Tisch stand, in Candice' Leben eindringen und alles kaputt machen würde? Könnte sie doch nur zurückspulen und die Szene noch einmal neu abspielen, dachte Candice trübsinnig. Hätte Heather an jenem Abend nur nicht gekellnert. Wären sie doch nur in eine andere Bar gegangen. Hätte, wäre, wenn … Candice wurde ganz übel vor lauter Selbst-verachtung, und sie setzte sich auf, um ihren Gedanken zu entfliehen, und fragte sich, was Ed wohl treiben mochte. Er war am Morgen mysteriöserweise verschwunden und hatte irgendwas von einer Überraschung gemurmelt. Solange es nicht noch mehr von diesem grässlichen Cider aus dem Dorf war, dachte sie und hob ihren Kopf, um die warme Brise auf den Wangen zu genießen.

Seit vier Tagen waren sie nun schon im Cottage, aber es kam ihr vor, als hätten es auch Wochen sein können. Sie hatten kaum mehr getan, als zu schlafen, zu essen, sich zu lieben und in der Sommersonne im Gras zu liegen. Im Dorf waren sie nur gewesen, um das Notwendigste einzukaufen: Lebensmittel, Seife und Zahnbürsten. Sie hatten beide keine frischen Kleider dabei, aber Ed fand im Gästezimmer einen Stapel extragroßer Werbe-T-Shirts einer Ausstellung und für Candice einen großen Strohhut mit einem Bündel Kirschen daran. Sie hatten mit keiner Menschenseele gesprochen, hatten nicht mal die Zeitung gelesen. Es war eine Insel des Friedens gewesen, ein Hort der Zuflucht und Erholung.

Doch wenn ihr Körper auch gut ausgeruht sein mochte, dachte Candice – ihr Geist war es nicht. Sie konnte die Gedanken zwar verdrängen, aber sie kamen immer wieder, wenn sie nicht damit rechnete. Dann wurde sie urplötzlich von Gefühlen übermannt, spürte den Schmerz im ganzen Leib, und ihr kamen die Tränen. Sie fühlte sich verletzt und gedemütigt, geächtet. Und ihr ganzes Denken kreiste um Heather.

Heather Trelawney. Blonde Haare, graue Augen, kleine Nase. Warme Hände, die Candice liebevoll bei der Hand hielten. Ansteckendes Lachen. Candice wurde ganz schlecht, wenn sie daran dachte, wie Heather ihre Freundschaft missbraucht hatte. War denn jeder einzelne Augenblick gespielt gewesen? Sie konnte es kaum glauben.

»Candice!« Ed unterbrach sie in ihren Gedanken, und sie stand auf, schüttelte die steifen Beine aus. Er kam auf sie zu, mit seltsamer Miene. »Candice«, sagte er, »sei mir nicht böse, aber ich habe dir jemanden mitgebracht, der dich sprechen möchte.«

»Was?« Candice starrte ihn an. »Wie meinst du das? Mir jemanden mitgebracht, der mich sprechen möchte?« Sie warf einen Blick über seine Schulter hinweg, konnte aber niemanden sehen.

»Er ist im Haus«, sagte Ed. »Komm mit.«

»Wer denn?«, fragte Candice unwirsch. Ed wandte sich um und sah sie ganz ruhig an. »Jemand, von dem ich finde, dass du mal mit ihm reden solltest«, sagte er.

»Wer?« Sie folgte ihm stolpernd. »Wer ist es? Oh Gott, ich weiß, wer es ist«, sagte sie an der Tür, mit klopfendem Herzen. »Es ist Justin, nicht?«

»Nein«, sagte Ed und stieß die Tür auf.

Candice spähte ins Dunkel und sah einen jungen Mann von etwa zwanzig an der Küchenkommode stehen. Besorgt blickte er auf und fuhr mit der Hand durch seine langen, blonden Haare. Ratlos starrte Candice ihn an. Sie hatte ihn noch nie gesehen.

»Candice«, sagte Ed, »das ist Hamish.«

»Hamish«, sagte Candice und runzelte die Stirn. »Du bist …« Sie stutzte, als die Erinnerung – langsam wie eine Blase – in ihr aufstieg. »Oh, mein Gott. Du bist Heathers Exfreund, richtig?«

»Nein, bin ich nicht«, sagte Hamish und sah sie mit grauen Augen an. »Ich bin ihr Bruder.«

Roxanne saß in der Kanzlei von Strawson & Co., trank Tee aus einem zarten Porzellantässchen und wünschte sich, ihre Hand würde nicht jedes Mal so sehr zittern, wenn sie es abstellte. Die Räume mit ihren dicken Teppichen strahlten eine gewichtige Stille aus, einen soliden Wohlstand und eine Ehrbarkeit, die ihr das Gefühl gab, billig und fadenscheinig zu sein, obwohl sie eines der teuersten, nüchternsten Outfits trug, die sie besaß. Das Büro, in dem sie sich befand, war klein, aber eindrucksvoll – mit schweren, eichenen Bücherschränken und einer gedämpften Atmosphäre, als wären sich selbst die Wände ihres vertraulichen Inhalts bewusst.

»Ich bin sehr froh, dass Sie sich entschieden haben zu kommen«, sagte Neil Cooper.

»Ja, nun«, sagte Roxanne knapp. »Am Ende hat die Neugier gesiegt.«

»Wie so oft«, sagte Neil Cooper und nippte an seinem eigenen Tässchen.

Er war viel jünger, als Roxanne erwartet hatte, mit ernster, zurückhaltender Miene, als wollte er sie nicht enttäuschen. Als wollte er die Hoffnungen der geldgeilen Geliebten nicht zerstören. Roxanne fühlte sich direkt gedemütigt und stellte ihre Tasse ab.

»Hören Sie«, sagte sie, aggressiver als beabsichtigt. »Bringen wir es hinter uns, ja? Ich habe nichts erwartet, also – was es auch sein mag – ich unterschreibe dafür und mache mich wieder auf den Weg.«

»Ja«, sagte Neil Cooper vorsichtig. »Nun, ganz so einfach ist es leider nicht. Wenn ich Ihnen nur den Testamentsnachtrag vorlesen dürfte, den der verstorbene Mr Allsopp kurz vor seinem Ableben abgefasst hat …«

Er nahm einen schwarzen Lederordner, schlug ihn auf

und raffte einige Papiere zusammen. Als Roxanne seinen reglosen, professionellen Gesichtsausdruck sah, wurde ihr ganz plötzlich etwas bewusst.

»Oh Gott«, sagte sie mit bebender Stimme. »Er hat mir etwas zugedacht, oder? Etwas von Bedeutung. Was ist es? Bestimmt kein Geld.«

»Nein«, sagte Neil Cooper und sah sie mit leisem Lächeln an. »Kein Geld.«

»Wir haben genug Geld«, sagte Hamish und nahm einen Schluck von dem Tee, den Ed gemacht hatte. »Im Grunde sind wir wohlhabend. Nachdem meine Eltern sich getrennt hatten, hat meine Mum Derek geheiratet. Er ist … na ja, er hat richtig Kohle. Er hat mir den Wagen da geschenkt …« Er deutete aus dem Fenster auf einen schicken, neuen Alfa Romeo, der draußen neben Eds BMW parkte. »Er ist wirklich gut zu uns. Zu uns beiden.«

»Oh«, sagte Candice. Sie rieb sich die Wangen, versuchte, ihre Gedanken zu ordnen und diese frappierende Nachricht zu verdauen. Sie saß am Tisch, Hamish gegenüber, und jedes Mal, wenn sie ihn ansah, erkannte sie Heather in seinem Gesicht. Heathers kleiner Bruder. Sie hatte nicht mal gewusst, dass Heather einen Bruder hatte. »Aber … wieso hat Heather als Kellnerin gearbeitet?«

»So was macht sie ständig«, sagte Hamish. »Sie fängt irgendwelche Mal- oder Schreibkurse an, und dann schmeißt sie alles hin und nimmt irgendeinen Scheißjob an, damit wir anderen uns schuldig fühlen.«

»Oh«, sagte Candice wieder. Sie kam sich blöd und schwerfällig vor, als hätte ihr Gehirn zu viele Informationen zu verarbeiten.

»Ich wusste, dass sie bei dir eingezogen war«, sagte Hamish. »Und ich dachte mir schon, dass sie irgendwas im Schilde führte. Ich habe ihr gesagt, dass sie einfach mit dir darüber sprechen soll. Du weißt schon – die Sache klären. Aber sie wollte nicht auf mich hören.« Er machte eine Pause und sah Candice an. »Ich hätte wirklich nicht gedacht, dass sie so weit gehen würde ...« Er schwieg und nahm noch einen Schluck Tee.

»Also ... hat sie mich tatsächlich gehasst«, sagte Candice, die Mühe hatte, leise und ruhig zu bleiben.

»Oh Gott«, sagte Hamish und atmete scharf aus. »Das ist ...« Er schwieg einen Moment. »Nicht dich«, sagte er. »Nicht dich als Person. Aber ...«

»Aber das, woran ich sie erinnere.«

»Du musst das verstehen. Was dein Dad getan hat ... es hat unsere Familie zerstört. Mein Dad war ein Wrack. Er hat fast den Verstand verloren. Und meine Mum wurde damit nicht fertig, also ...« Hamish stockte. »Und es war leicht, deinem Vater die ganze Schuld zu geben. Aber wenn ich heute so daran denke ... ich glaube, es wäre sowieso passiert. Es war nicht gerade so, als hätten meine Eltern eine besonders tolle Ehe geführt.«

»Aber Heather war anderer Meinung?«, fragte Candice zaghaft.

»Heather hat nicht so richtig mitbekommen, wie meine Eltern die ganze Zeit gestritten haben. Sie dachte, die beiden wären füreinander geschaffen. Du weißt schon, großes Haus, perfekte Ehe ... Dann haben wir alles Geld verloren, und sie haben sich getrennt. Heather kam damit nicht zurecht. Sie wurde ein wenig ... spinnig.«

»Und als sie mich in der Manhattan Bar gesehen hat ...« Candice stützte den Kopf auf beide Hände.

»Candice, nur damit ich es richtig verstehe ...«, sagte Ed

und beugte sich vor. »Ihr wusstet beide, was dein Dad getan hat ... aber keine von euch hat es jemals angesprochen?«

»Heather hat so getan, als hätte sie keine Ahnung!«, sagte Candice trotzig. »Und ich habe nichts zu ihr gesagt, weil sie nicht denken sollte, dass ich ihr nur aus Mitleid helfe. Ich wollte ...« Sie wurde ein bisschen rot. »Ich wollte einfach gern ihre Freundin sein.«

»Ich weiß«, sagte Hamish. Er sah Candice in die Augen. »Wahrscheinlich warst du die beste Freundin, die sie je hatte. Auch wenn sie es natürlich gar nicht gemerkt hat.«

Einen Moment war es still in der Küche, dann sagte Candice besorgt: »Weißt du, wo sie jetzt ist?«

»Keine Ahnung«, sagte Hamish. »Sie verschwindet oft für Wochen. Monate. Irgendwann taucht sie wieder auf.«

Candice schluckte. »Würdest du ... würdest du mir einen Gefallen tun?«

»Was denn?«

»Würdest du mitkommen und Justin, meinem Chef, sagen, wie Heather wirklich ist? Ihm sagen, dass sie den Verlag und mich belogen und betrogen hat?«

Eine lange Pause entstand.

»Nein«, sagte Hamish schließlich. »Nein, das tue ich nicht. Ich liebe meine Schwester, selbst wenn sie etwas ...« Er überlegte. »Ich werde nicht in irgendein Büro gehen und denen sagen, dass sie ein hinterhältiges, intrigantes Biest ist. Tut mir leid.« Er sah Candice an, dann schob er seinen Stuhl mit scharrendem Geräusch zurück. »Ich muss wieder los.«

»Ja«, sagte Candice. »Okay ... vielen Dank fürs Herkommen.«

»Ich hoffe, es wendet sich alles zum Guten«, sagte Hamish schulterzuckend.

Ed begleitete ihn hinaus, dann kam er ein paar Minuten

später wieder in die Küche, als der Alfa Romeo hinter der Auffahrt verschwand. Candice starrte ihn an, dann sagte sie ungläubig: »Wie hast du ihn gefunden?«

»Heather hat mir erzählt, dass ihre Familie in Wiltshire lebt. Ich habe den Namen im Telefonbuch gesucht und den Leuten einen Besuch abgestattet.« Ed grinste schief. »Um ehrlich zu sein, hatte ich halb gehofft, dass sie auch dort wäre. Und dass ich sie erwischen könnte.«

Candice schüttelte den Kopf. »Nicht Heather.«

Ed setzte sich neben Candice und nahm ihre Hand.

»Aber egal. Jetzt weißt du Bescheid.«

»Jetzt weiß ich Bescheid. Jetzt weiß, ich, dass ich eine Psychopathin bei mir aufgenommen habe.« Candice lächelte ihn an, dann schlug sie die Hände vors Gesicht, um ihre Tränen zu verbergen.

»Was ist denn?«, sagte Ed alarmiert. »Ach du je. Tut mir leid. Ich hätte dich warnen sollen. Ich hätte nicht so einfach …«

»Das ist es nicht.« Candice blickte auf und wischte ihre Augen. »Es liegt daran, dass Hamish gesagt hat, ich sei eine gute Freundin gewesen.« Sie starrte vor sich hin. »Bessere Freundinnen als Roxanne und Maggie habe ich nie gehabt. Sie wollten mich vor Heather warnen. Und was mache ich?« Tief und bebend holte sie Luft. »Ich bin nur sauer geworden. Ich habe mich mit ihnen gestritten. Ich war so … von Heather eingenommen, dass ich eher bereit war, die beiden zu verlieren, als die Wahrheit zu hören.«

»Du hast sie nicht verloren!«, sagte Ed. »Da bin ich mir ganz sicher.«

»Ich habe ein paar unverzeihliche Dinge gesagt, Ed. Ich habe mich benommen wie eine …«

»Dann ruf sie an.«

»Hab ich schon versucht«, sagte Candice betrübt. »Maggie hat aufgelegt. Und Roxanne ist stinksauer auf mich. Sie meint, ich hätte ihr Ralphs Krankheit verheimlicht oder so ähnlich …«

»Tja, Pech gehabt«, sagte Ed. »Das haben sie nun davon.«

»Nicht wirklich, oder?«, sagte Candice, und schon wieder liefen Tränen über ihre Wangen. »Das habe *ich* nun davon.«

Roxanne starrte Neil Cooper an, hatte so ein Rauschen im Kopf, ein Hämmern in den Ohren. Die Wände des Büros schienen näher zu kommen. Zum ersten Mal im Leben dachte sie, sie müsste in Ohnmacht fallen.

»Ich … das kann nicht stimmen«, brachte sie hervor. »Das kann nicht stimmen. Da muss es einen …«

»Miss Roxanne Miller«, wiederholte Neil Cooper deutlich, »hinterlasse ich mein Londoner Haus, 15 Abernathy Square, Kensington.« Er blickte von seinem Lederordner auf. »Es gehört Ihnen. Um darin zu wohnen oder es zu verkaufen – was Ihnen lieber ist. Wir können Sie in der Frage beraten, wenn Sie möchten. Aber natürlich besteht keine Eile. Sie können sich Zeit lassen mit der Entscheidung. Es wird ohnehin eine Weile dauern, bis alles geregelt ist.«

Roxanne starrte ihn nur an, konnte nicht sprechen, konnte sich nicht rühren. Ralph hatte ihr sein Haus hinterlassen. Er ließ sie – und die Welt – wissen, dass sie ihm etwas bedeutet hatte. Dass sie kein Nichts gewesen war. Fast hatte er sie … legitimiert.

Etwas Heißes und Mächtiges stieg in ihr hoch. Ihr war, als müsste sie sich übergeben.

»Möchten Sie noch Tee?«, sagte Neil Cooper.

»Ich …« Roxanne stockte und versuchte, den Kloß in ihrem Hals herunterzuschlucken. »Entschuldigen Sie«, presste sie hervor, als die Tränen plötzlich nur so über ihre Wangen liefen. »Oh Gott. Es ist nur … das hätte ich nie erwartet …«

Schluchzer schüttelten sie, was sie nicht verhindern konnte. Ärgerlich kramte sie nach einem Taschentuch, versuchte, sich zu beherrschen, spürte Neil Coopers mitfühlenden Blick.

»Es ist …«, brachte sie schließlich hervor, »… ein ziemlicher Schock.«

»Das kann ich mir vorstellen«, sagte Neil Cooper diplomatisch und zögerte. »Kennen Sie … kennen Sie das Anwesen?«

»Nur von außen«, sagte Roxanne und wischte sich die Augen. »Von außen kenne ich jeden einzelnen Mauerstein. Aber ich war noch nie drinnen.«

»Nun. Wenn Sie es gern besichtigen möchten, ließe sich das arrangieren.«

»Ich … nein. Ich glaube nicht.« Roxanne putzte ihre Nase und sah, dass Neil Cooper sich eine Notiz machte.

»Was ist mit …«, setzte sie an, dann stockte sie, als brachte sie die Worte nicht hervor. »Mit … der Familie. Weiß sie davon?«

»Ja«, sagte Neil Cooper. »Ja, sie wissen es.«

»Sind sie …« Roxanne hielt inne und holte tief Luft. »Hassen sie mich?«

»Miss Miller«, sagte Neil Cooper ernst. »Machen Sie sich keine Sorgen um die Familie Allsopp. Lassen Sie mich Ihnen versichern, dass Mr Allsopps Testament allen beteiligten Parteien gegenüber sehr großzügig ausfällt.« Er machte eine Pause und sah ihr in die Augen. »Was er Ihnen hinterlassen hat, ist eine Sache zwischen ihm und Ihnen.«

Eine Pause entstand, dann nickte Roxanne.

»Okay«, sagte sie leise. »Danke.«

»Wenn Sie noch weitere Fragen haben …«

»Nein«, sagte Roxanne. »Nein danke. Ich glaube, ich möchte am liebsten gehen und … das alles verdauen.« Sie stand auf und sah dem jungen Mann in die Augen. »Sie waren sehr freundlich.«

Als sie zur holzgetäfelten Tür gingen, sah sie sich kurz in einem Spiegel an der Wand und schreckte vor ihren verheulten Augen zurück. Es war nicht zu übersehen, dass sie geweint hatte, aber andererseits war das wohl normal in einer Anwaltskanzlei für Familienrecht, dachte sie halbwegs grinsend.

Geschickt öffnete Neil Cooper die Tür und trat beiseite, und Roxanne ging in den Flur hinaus, wo sie einen Mann im dunkelblauen Mantel am Empfang stehen sah.

»Tut mir leid«, sagte er gerade. »Ich bin etwas früh dran …«

Abrupt blieb Roxanne stehen und merkte, dass Neil Cooper neben ihr erschrak. Am Empfang blickte Charles Allsopp auf, sah Roxanne und stutzte.

Es folgte ein Moment des Schweigens, als sie einander ansahen – dann wandte sich Roxanne eilig ab, versuchte, die Ruhe zu bewahren.

»Nun, ich danke Ihnen vielmals«, sagte sie mit zitternder Stimme zu Neil Cooper. »Ich … ich melde mich. Vielen Dank.« Ohne ihm in die Augen zu sehen, hielt sie auf den Ausgang zu.

»Warten Sie!« Charles Allsopps Stimme ließ sie zögern. »Bitte.«

Roxanne blieb stehen und wandte sich ganz langsam um, spürte, dass ihre Wangen puterrot waren, dass ihre Beine zitterten. Doch das war ihr egal. Und plötzlich, als sie seinem Blick begegnete, war sie nicht mehr nervös. Sollte er sagen, was er zu sagen hatte. Er konnte sie nicht treffen.

»Sind Sie Roxanne Miller?«

»Ich glaube …«, sagte Neil Cooper, der eilig herbeikam, »… es wäre für alle beteiligten Parteien besser …«

»Warten Sie …«, sagte Charles Allsopp und hob eine Hand. »Ich wollte mich nur vorstellen. Mehr nicht.« Er zögerte, dann streckte er langsam seine Hand aus. »Guten Tag. Mein Name ist Charles Allsopp.«

»Hallo«, sagte Roxanne und räusperte sich. »Ich bin Roxanne.«

Charles nickte ernst, und Roxanne überlegte, wie viel er wohl über sie wissen mochte, ob Ralph dem ältesten Sohn vor seinem Tod etwas von ihr erzählt hatte.

»Ich hoffe, man sorgt gut für Sie«, sagte Charles mit einem Blick auf Neil.

»Oh«, sagte Roxanne erstaunt. »Ja. Ja, das tut man.«

»Gut«, sagte Charles Allsopp und blickte zu einem älteren Anwalt auf, der die Treppe zum Empfang herunterkam. »Nun, ich muss gehen«, sagte er. »Auf Wiedersehen.«

»Auf Wiedersehen«, sagte Roxanne peinlich berührt und sah ihm nach, wie er zur Treppe ging. »Und … und danke.«

Draußen auf der Straße stand sie an eine Wand gelehnt und holte ein paarmal tief Luft. Sie war verwirrt, euphorisch, erschüttert. Ralph hatte ihr sein Haus hinterlassen, das Haus, das sie Stunde um Stunde wie besessen angestarrt hatte. Es gehörte ihr. Ein Haus, das Millionen Pfund wert war, gehörte ihr. Bei dem Gedanken kamen ihr die Tränen.

Sie hatte nicht erwartet, dass Ralph ihr etwas hinterlassen würde. Sie hatte nicht erwartet, dass Charles Allsopp so freundlich zu ihr sein würde. Plötzlich war die ganze Welt so nett zu ihr, dass sie gar nicht wusste, wie sie darauf reagieren sollte.

Roxanne holte ihre Zigaretten aus der Tasche, und als sie

gerade dabei war, vibrierte ihr Handy. Sie hatte es während des Gesprächs schon mehrmals bemerkt. Irgendjemand versuchte, sie zu erreichen. Sie zögerte, dann nahm sie das Handy hervor und hielt es etwas widerwillig ans Ohr.

»Hallo?«

»Roxanne! Gott sei Dank!«, knisterte Maggies Stimme eindringlich. »Hör mal, hast du in letzter Zeit mit Candice gesprochen?«

»Nein«, sagte Roxanne. »Stimmt irgendwas nicht?«

»Justin, dieser Blödmann, hat sie von der Arbeit suspendiert. Irgendein Quatsch wegen Spesen.«

»*Was?*«, rief Roxanne und war sofort bei der Sache.

»Und sie ist wie vom Erdboden verschwunden. Keiner weiß, wo sie ist. Sie geht nicht ans Telefon … sie könnte irgendwo tot im Graben liegen.«

»Oh Gott«, sagte Roxanne, und ihr Herz fing an zu rasen. »Ich hatte ja keine Ahnung.«

»Hat sie dich etwa auch nicht angerufen? Wann hast du zuletzt mit ihr gesprochen?«

»Bei der Beerdigung«, sagte Roxanne. Sie machte eine Pause. »Ehrlich gesagt sind wir nicht gerade im Guten auseinandergegangen.«

»Ich habe das letzte Mal mit ihr gesprochen, als sie anrief, um sich zu entschuldigen«, sagte Maggie betrübt. »Ich hab sie angeschnauzt und aufgelegt.«

Drückende Stille machte sich breit.

»Wie dem auch sei«, sagte Maggie. »Ich komme morgen nach London. Frühstück?«

»Frühstück«, stimmte Roxanne zu. »Und sag Bescheid, falls du was hörst.« Sie stellte ihr Telefon ab und ging die Straße entlang, ihre Miene von plötzlicher Sorge überschattet.

Kapitel Zwanzig

Um elf Uhr am nächsten Morgen standen Maggie und Roxanne vor Candice' Haustür und klingelten – ohne Erfolg. Nach einer Weile bückte sich Maggie und spähte durch den Briefschlitz in den Hausflur.

»Da liegt ein ganzer Stapel Post auf dem Tisch«, sagte sie.

»An Candice adressiert?«

»Das kann ich nicht erkennen.« Maggie ließ den Briefschlitz zuklappen, stand auf und sah Roxanne an. »Mein Gott, komm ich mir mies vor.«

»Ich fühle mich auch schrecklich«, stimmte Roxanne mit ein. Sie sank auf die Stufe vor der Haustür, und Maggie setzte sich daneben. »Ich hab sie bei Ralphs Beerdigung ziemlich angefahren. Ich war einfach … ach, ich weiß nicht. Nicht ganz bei mir.«

»Das ist doch nur verständlich«, sagte Maggie sofort. »Es muss schrecklich für dich gewesen sein.«

Ihre Stimme klang mitfühlend, doch nahm sie nach wie vor Anstoß daran, dass Roxanne und Ralph ein Liebespaar gewesen waren. Zögernd hatte Roxanne ihr auf der Fahrt von Waterloo hierher alles erzählt, und es hatte Maggie buchstäblich die Sprache verschlagen. Wie konnten zwei Menschen so lange befreundet sein, wenn einer von beiden ein solches Geheimnis hatte? Wie hatte Roxanne so zwanglos über Ralph sprechen können, ohne sich zu verraten? Wie war es möglich, dass Roxanne ruhig zugehört hatte, wenn Maggie sich über Ralphs Macken beklagte, ohne irgendwie anzudeuten, dass sie über ihren Geliebten sprachen? Natürlich war es verständlich, natürlich hatte sie keine Wahl gehabt – aber dennoch war Maggie gekränkt, als könnte sie Roxanne nie mehr mit denselben Augen sehen.

»Es war, als hätte ich endlich jemanden gefunden, dem ich die Schuld in die Schuhe schieben konnte«, sagte Roxanne mit starrem Blick. »Also habe ich alles an ihr ausgelassen.«

»Das ist doch nur natürlich«, sagte Maggie nach einer Pause. »Wer trauert, braucht einen Sündenbock.«

»Kann schon sein«, sagte Roxanne. »Aber ausgerechnet Candice …« Kurz schloss sie die Augen. »Candice. Wie konnte ich Candice die Schuld geben?«

»Ich weiß«, sagte Maggie beschämt. »Mir geht es genauso. Ich kann nicht glauben, dass ich den Hörer aufgeknallt habe. Aber ich war einfach so dünnhäutig. Alles kam mir so hoffnungslos vor …« Sie sah Roxanne an. »Ich kann dir gar nicht sagen, wie die letzten paar Wochen waren. Ich glaube ehrlich, ich wusste eine Weile nicht, was ich tue.«

Es folgte kurzes Schweigen. Ein Auto fuhr vorbei, und die Insassen hinter den Scheiben starrten die beiden neugierig an.

»Ich hatte ja keine Ahnung«, sagte Roxanne schließlich. »Du hast immer ausgesehen, als … als hättest du alles im Griff. Alles schien so perfekt.«

»Ich weiß«, sagte Maggie mit starrem Blick auf den Gehweg. »Ich war dumm. Ich mochte niemandem anvertrauen, wie schrecklich es mir ging. Nicht Giles und auch sonst niemandem.« Sie schwieg, als ihr plötzlich etwas einfiel. »Eigentlich stimmt das so nicht. Einmal wollte ich es dir erzählen. An diesem Abend in der Manhattan Bar. Aber wir wurden unterbrochen. Und dann …« Sie lächelte zerknirscht.

»Ich glaube, das war der schlimmste Abend in meinem ganzen Leben. Ich fühlte mich fett, ich war erschöpft, ich hatte ein schlechtes Gewissen, weil ich Lucia allein gelassen hatte … und am Ende haben wir uns gestritten. Es war …« Sie lachte auf. »Es war einfach ein Abend zum Vergessen.«

»Oje, ich fühle mich schrecklich.« Betreten sah Roxanne Maggie an. »Ich hätte merken sollen, dass du deprimiert warst. Ich hätte anrufen sollen, dich besuchen.« Sie biss auf ihre Unterlippe. »Ich war dir ja eine tolle Freundin. Euch beiden.«

»Komm schon«, sagte Maggie. »Du hattest es doch schwerer als wir. Viel schwerer.«

Sie legte einen Arm um Roxannes Schulter und drückte sie an sich. Eine Weile sagte keine ein Wort. Ein Postbote kam, musterte sie argwöhnisch, dann beugte er sich dazwischen, um Post in den Briefschlitz zu stecken.

»Und was machen wir jetzt?«, sagte Roxanne schließlich.

»Wir gehen zu Justin und stutzen ihn zurecht«, sagte Maggie. »Das lassen wir ihm nicht durchgehen.« Sie stand auf und strich ihren Rock glatt. »Suchen wir uns ein Taxi.«

»Das ist übrigens ein hübsches Kostüm«, sagte Roxanne mit interessiertem Blick. Dann runzelte sie die Stirn. »Wenn ich es genau bedenke, siehst du insgesamt sehr gut aus.« Sie betrachtete Maggies auberginefarbenes Seidenkostüm, ihr schlichtes, weißes T-Shirt, ihr glänzendes, haselnussbraunes Haar. »Warst du gerade beim Friseur?«

»Ja«, sagte Maggie mit dem Anflug eines Lächelns. »Das ist mein neues Ich. Neue Frisur, neue Kleider, neuer Lippenstift. Ich war gestern Nachmittag shoppen. Hab ein Vermögen ausgegeben, wie ich hinzufügen sollte.«

»Das ist gut«, sagte Roxanne anerkennend. »Die Farbe steht dir fantastisch.«

»Ich darf nur keine schreienden Babys hören, sonst mache ich Milchflecken in die Jacke.«

»Aaaah.« Roxanne verzog das Gesicht. »So genau wollte ich das gar nicht wissen.«

»Die Freuden der Mutterschaft«, sagte Maggie fröhlich und ging schon mal zur Ecke. Wenn ihr vor Wochen jemand gesagt hätte, dass sie übers Stillen *lachen* würde, hätte sie es nicht geglaubt. Aber andererseits hätte sie auch nicht gedacht, dass sie ein Kostüm tragen würde, das zwei Nummern größer war, und sie sich trotzdem gut darin fühlte.

Als sie draußen vor dem Verlagshaus von Allsopp Publications aus dem Taxi stiegen, blickte Maggie an dem Gebäude empor. Den größten Teil ihres beruflichen Lebens hatte sie hier verbracht, und es wirkte so vertraut wie eh und je – und doch anders. Fast unmerklich schien es sich in den paar Wochen verändert zu haben.

»Merkwürdig«, murmelte sie, als Roxanne ihre Schlüsselkarte über das Lesegerät zog und sich die Glastüren zum Empfang öffneten. »Es kommt mir vor, als wäre ich jahrelang weg gewesen.«

»Dito«, murmelte Roxanne. »Ich staune richtig, dass meine Karte noch funktioniert.« Sie sah Maggie an. »Bist du bereit?«

»Absolut«, sagte Maggie. Die beiden grinsten einander an, dann gingen sie Seite an Seite ins Foyer.

»Maggie!«, rief Doreen am Empfang. »Was für eine Überraschung! Du siehst ja toll aus! Aber wo ist das Baby?«

»Zu Hause«, sagte Maggie lächelnd. »Bei meiner Schwiegermutter.«

»Och, wie schade. Du hättest sie mitbringen sollen! Die kleine Süße.« Doreen stieß das Mädchen an, das neben ihr am Tisch saß – eine schüchterne Rothaarige, die Maggie nicht kannte. »Das ist Maggie, von der ich dir erzählt habe«, sagte sie zu dem Mädchen. »Maggie, das ist Julie. Hatte gestern ihren ersten Tag am Empfang.«

»Hallo, Julie«, sagte Maggie höflich. »Doreen …«

»Und ist sie ein braves kleines Mädchen? Ich wette, sie ist ein echter Schatz.«

»Sie ist … sie ist wunderbar«, sagte Maggie. »Aber, Doreen, eigentlich bin ich hier, um mit Justin zu sprechen. Würdest du ihn kurz anrufen?«

»Ich glaube nicht, dass er da ist«, sagte Doreen überrascht. »Er ist mit Mr Allsopp irgendwo hingegangen. Ich will mal nachsehen.« Sie drückte einen Knopf und sagte: »Hallo, Alicia? Doreen hier.«

»Verdammt!«, sagte Maggie und sah Roxanne an. »Mir ist gar nicht in den Sinn gekommen, dass er nicht da sein könnte.«

»Offenbar wird er in einer Stunde wieder hier sein«, sagte Doreen, als sie aufblickte. »Die beiden sind auf einer Layout-Präsentation.« Maggie starrte sie an.

»Wozu das denn? Was für eine Layout-Präsentation?«

»Frag mich nicht.«

Maggie biss die Zähne zusammen und sah Roxanne an. »Nett, dass sie mich auf dem Laufenden halten«, sagte sie. »Wahrscheinlich gestalten sie gerade die ganze Zeitschrift um, ohne mir was davon zu erzählen.«

»Und was machen wir jetzt?«, sagte Roxanne.

»Wir warten«, sagte Maggie entschlossen.

Eine Stunde später war Justin immer noch nicht zurück. Maggie und Roxanne saßen auf Ledersesseln im Foyer, blätterten in alten Ausgaben des *Londoner* herum und sahen jedes Mal zur Tür, wenn sie aufging. Manche waren

Besucher, die ihnen höflich interessierte Blicke zuwarfen, andere waren Mitarbeiter, die herüberkamen, um Maggie freundlich zu begrüßen und sie zu fragen, wie es dem Baby ging.

»Das nächste Mal, wenn mich jemand danach fragt«, raunte Maggie Roxanne zu, während ein Pulk von Marketingleuten zu den Fahrstühlen ging, »sage ich, es steckt in meiner Handtasche.«

Roxanne antwortete nicht. Sie war ganz fasziniert von einem Foto von Candice, auf das sie in einer alten Ausgabe vom *Londoner* gestoßen war. *Unsere Autorin Candice Brewin hat sich die Not der Alten in Londoner Krankenhäusern angesehen*, stand über dem Artikel. Und daneben sah sie Candice' rundes Gesicht, die Augenbrauen leicht hochgezogen, als wäre sie überrascht. Roxanne betrachtete das vertraute Foto, als wäre es das erste Mal, und spürte einen scharfen Schmerz in ihrer Brust, als ihr dieser unschuldige Gesichtsausdruck auffiel. Candice sah nicht aus wie eine kampfbereite Reporterin. Sie sah aus wie ein kleines Mädchen.

»Roxanne?«, sagte Maggie. »Alles okay?«

»Wir hätten es kommen sehen müssen«, sagte Roxanne mit zitternder Stimme. Sie legte die Zeitschrift beiseite und sah Maggie an. »Wir wussten, dass diese Schlange nichts Gutes im Schilde führte. Wir hätten … ich weiß nicht.« Sie wischte sich übers Gesicht. »Candice warnen sollen oder irgendwas.«

»Wir haben es doch versucht, oder?«, sagte Maggie. »Candice hat sie ständig in Schutz genommen.«

»Aber wir hätten trotzdem *irgendwas* tun müssen. Wir hätten versuchen können, sie zu beschützen, statt tatenlos zuzusehen, wie sie auf direktem Weg in …«

»Was hätten wir denn tun können?«, fragte Maggie vernünftig. »Wir wussten ja nichts. Ich meine, mal ehrlich, im Grunde war es reine Instinktsache. Wir mochten diese Frau einfach nicht.«

Sie schwiegen. Ein paar Geschäftsleute kamen ins Foyer, sahen Maggie und Roxanne an und steuerten auf den Empfang zu.

»Was glaubst du, wo sie ist?«, fragte Roxanne und sah Maggie mit ernster Miene an. »Sie ist schon seit Tagen weg. Menschen verschwinden doch nicht einfach so.«

»Ich … ich weiß nicht«, sagte Maggie. »Bestimmt geht es ihr gut. Wahrscheinlich macht sie … Urlaub oder so«, fügte sie wenig überzeugend hinzu.

»Wir hätten für sie da sein sollen«, sagte Roxanne leise. »Ich werde mir nie verzeihen, dass ich so schroff zu ihr war. Oder auch zu dir.« Sie sah zu Maggie auf. »Ich hätte für dich da sein sollen, als es dir schlecht ging.«

»Das konntest du nicht wissen«, sagte Maggie verlegen. »Woher hättest du es wissen sollen?«

»Aber das meine ich ja gerade!«, sagte Roxanne aufgebracht. »Wir sollten keine Geheimnisse voreinander haben … oder … einander etwas vorspielen. Keine von uns sollte jemals das Gefühl haben, dass sie sich allein durchkämpfen muss.« Sie sah Maggie mit ihren blauen Augen an, in denen plötzlich Tränen glänzten. »Maggie, ruf mich nächstes Mal an. Egal, ob es mitten in der Nacht ist oder … egal wann, wenn es dir schlecht geht, ruf mich an. Dann komm ich rüber und gehe mit dem Baby spazieren. Oder mit Giles. Je nachdem, wen du gerade loswerden möchtest.« Sie grinste, und Maggie lachte leise. »Bitte«, sagte Roxanne ernst. »Ruf mich an, Maggie. Tu nicht so, als wäre alles in Ordnung, wenn es das nicht ist.«

»Okay«, sagte Maggie und blinzelte ihre Tränen beiseite.

»Ich … ich ruf dich an, versprochen. Vielleicht sogar, wenn es mir *nicht* schlecht geht.« Sie lächelte kurz, dann zögerte sie. »Und wenn du das nächste Mal eine sechsjährige Affäre mit dem Chef hast … erzählst du mir das auch, okay?«

»Abgemacht.« Ungestüm beugte sich Roxanne vor und drückte Maggie fest an sich. »Du fehlst mir«, murmelte sie. »Komm bald wieder nach London.«

»Du fehlst mir auch«, sagte Maggie, und es war, als wollte sich ihr die Kehle zuschnüren. »Mein Gott, ihr fehlt mir alle. Ich komme mir vor, als …«

»Ach, du Scheiße«, sagte Roxanne bei einem Blick über ihre Schulter. »Da kommen sie.«

»Was?« Maggie fuhr herum und sah Justin draußen auf die Glastüren des Gebäudes zusteuern. Er trug einen dunkelgrünen Anzug und redete wild gestikulierend auf Charles Allsopp ein. »Oh Gott!«, sagte sie bestürzt und drehte sich wieder zu Roxanne um. Sie zog die Nase hoch und deutete auf ihre Augen. »Schnell. Sehe ich okay aus? Ist mein Make-up verlaufen?«

»Ein bisschen«, sagte Roxanne, beugte sich vor und wischte verschmierten Eyeliner ab. »Und ich?«

»Sieht gut aus«, sagte Maggie mit aufmerksamem Blick. »Alles intakt.«

»Wasserfeste Wimperntusche«, sagte Roxanne leichthin. »Ist dem Meer, dem Strand und großen Gefühlen gewachsen …« Sie schwieg, als sich die Glastüren öffneten. »Mist«, murmelte sie. »Da kommen sie. Was wollen wir sagen?«

»Keine Sorge«, sagte Maggie. »Das Reden übernehme ich.« Sie stand auf, strich ihren Rock glatt und holte tief Luft. »Okay …« Sie warf Roxanne einen nervösen Blick zu. »Jetzt geht's los. Justin!«, rief sie und trat einen Schritt vor. »Wie geht es dir?«

Wie von der Tarantel gestochen fuhr Justin herum, als er Maggies Stimme hörte. Erst fiel ihm alles aus dem Gesicht, dann setzte er eilig eine freudige Miene auf.

»Maggie«, sagte er und breitete die Arme aus, als wollte er sie an sich drücken. »Was für eine nette Überraschung!«

»Ich dachte, ich schau mal kurz rein, um zu sehen, wie es so läuft«, sagte Maggie lächelnd, ohne auf seine Geste einzugehen.

»Wunderbar!«, sagte Justin mit gezwungener Begeisterung. »Was für eine … großartige Idee!«

»Das ist also die berühmte Maggie Phillips«, sagte Charles Allsopp freundlich lächelnd und reichte ihr die Hand. »Maggie, ich bin Charles Allsopp. Meinen Glückwunsch zur Geburt Ihres Kindes. Es müssen aufregende Zeiten für Sie sein.«

»Danke«, sagte Maggie höflich. »Und – ja – das stimmt.«

»Allerdings muss ich sagen, dass kaum ein Tag vergeht, an dem ich nicht gefragt werde, wann Sie wieder zum *Londoner* kommen.«

»Wirklich?«, sagte Maggie und gestattete sich einen zufriedenen Blick auf Justins entgeisterte Miene. »Das ist schön. Und ich darf Ihnen versichern, dass ich die Absicht habe, in den nächsten Wochen wieder an die Arbeit zu gehen.«

»Großartig!«, sagte Charles Allsopp. »Freut mich zu hören.«

»Charles, das ist Roxanne Miller«, sagte Justin mit lauter Stimme, die um Aufmerksamkeit buhlte. »Eine unserer festen freien Mitarbeiterinnen.«

»Miss Miller und ich sind uns bereits begegnet«, sagte Charles nach einer kurzen Pause und schenkte Roxanne ein freundliches Lächeln. »Dürfte ich den beiden Damen eine Tasse Tee anbieten? Einen Drink?«

»Sehr freundlich«, sagte Maggie trocken. »Aber leider muss ich sagen, dass ich in einer eher unangenehmen Sache hier bin. Die Suspendierung von Candice Brewin. Ich war einigermaßen beunruhigt, davon zu hören.«

»Ach«, sagte Charles Allsopp und sah Justin an. »Justin?«

»Die Suspendierung war absolut gerechtfertigt«, sagte Justin trotzig. »Candice wurde dabei ertappt, wie sie den Verlag hintergehen wollte. Für dich mag das keine ernste Sache sein, Maggie …«

»Oh, doch«, sagte Maggie ruhig. »Aber ich kann nicht glauben, dass Candice zu so etwas fähig sein sollte.«

»Die Beweise habe ich in meinem Büro«, sagte Justin. »Du kannst sie dir gern ansehen, wenn du willst!«

»Unbedingt«, sagte Maggie und deutete auf die Fahrstühle. »Zeig her.«

Als Maggie das Redaktionsbüro betrat, empfand sie plötzlich so etwas wie Besitzerstolz. Das war ihre Zeitschrift, das war ihr Team. Es war, als käme sie nach Hause.

»Hi, Maggie«, sagte Alicia beiläufig im Vorübergehen, dann drehte sie sich noch mal um. »Maggie! Wie geht es dir? Wo ist dein dicker Bauch geblieben?«

»Verdammt«, sagte Maggie mit gespieltem Entsetzen. »Ich wusste, dass mir irgendwas fehlt.« Überall im Büro wurde leise gelacht. Gesichter mit leuchtenden Augen blickten von ihren Schreibtischen auf, sahen Justin an, dann Maggie.

»Ich bin nur auf einen Sprung hier«, sagte Maggie in die Runde. »Um Hallo zu sagen.«

»Schön, dich zu sehen«, sagte Alicia. »Bring nächstes Mal das Baby mit!«

»Mach ich«, sagte Maggie fröhlich, dann drehte sie sich um und ging in Justins Büro, wo er bereits mit Charles und

Roxanne auf sie wartete. Sie zog die Tür hinter sich zu, und einen Moment lang herrschte Schweigen.

»Ich muss gestehen«, sagte Charles Allsopp schließlich zu Maggie, »ich verstehe nicht ganz, warum Sie hier sind. Ich fürchte, die Beweise gegen Candice sind doch erdrückend. Und selbstverständlich wird sie Gelegenheit bekommen, sich auf einer Anhörung …«

»Anhörung!«, rief Maggie empört. »Man braucht doch keine Anhörung, um das zu klären!«

»Hier, bitte schön«, sagte Justin und holte aus einer Schublade einen Stapel fotokopierter Formulare hervor, auf denen Candice' Name stand. Seine Stimme wurde schärfer, triumphierend geradezu. »Wie erklärst du dir das hier?«

Maggie ignorierte ihn. »Haben Sie gehört, was sie zu ihrer Verteidigung zu sagen hatte?«, fragte sie Charles.

»Diese Geschichte, dass sie von einer ihrer Kolleginnen irgendwie in eine Falle gelockt wurde?« Er runzelte die Stirn. »Das scheint mir doch etwas weit hergeholt.«

»Noch weiter hergeholt finde ich, ehrlich gesagt, die Vorstellung, dass Candice Brewin zu einem Betrug fähig sein sollte!«, rief Roxanne.

»Du bist mit ihr befreundet«, sagte Justin schneidend. »Du würdest sie immer verteidigen.«

»Korrigiere mich, wenn ich mich irren sollte«, gab Roxanne zurück, »aber du bist ihr Exfreund. Du willst sie doch nur loswerden.«

»Tatsächlich?«, fragte Charles überrascht. Er legte seine Stirn in Falten und sah Justin an. »Davon haben Sie mir gar nichts erzählt.«

»Das ist doch unerheblich!«, sagte Justin errötend. »Ich war in meinem Verhalten absolut fair und unparteiisch.«

»Im Gegenteil«, sagte Maggie mit ihrer ruhigen, kompetenten Stimme. »Wenn du mich fragst, warst du in deinem Verhalten selbstherrlich und verantwortungslos. Du hast eher Heather Trelawney geglaubt, einer Frau, die erst seit wenigen Wochen bei uns ist, als Candice, die schon seit – wie lange? – seit fünf Jahren hier arbeitet. Du bist auf diese lächerliche Mobbing-Geschichte hereingefallen. Hast du denn irgendwann mal was davon mitbekommen? Du hast diese Spesenforderungen blind für bare Münze genommen ...« Maggie nahm eine der Kopien und warf sie abschätzig auf den Schreibtisch. »Eine genauere Analyse würde hundertprozentig ergeben, dass diese Unterschrift gefälscht ist.« Sie machte eine Pause und ließ ihre Worte wirken. »Meiner Meinung nach warst du nicht nur voreingenommen und hast übertriebene Eile walten lassen, um eine talentierte Mitarbeiterin loszuwerden, sondern du hast mit deinem mangelnden Urteilsvermögen unserer Zeitschrift geschadet – du hast Zeit verschwendet, deine Arbeit vernachlässigt und der Arbeitsmoral großen Schaden zugefügt.«

Es herrschte Schweigen. Roxanne warf einen Blick auf Charles Allsopp und musste innerlich grinsen. Er starrte Maggie mit offenem Mund an.

»Es gab Zeugen für das Mobbing«, sagte Justin und blätterte in seinen Unterlagen herum. »Da war definitiv eine ... ja.« Er zog ein Blatt Papier hervor. »Kelly Jones.« Er stand auf, stakste zur Tür und rief: »Kelly? Könntest du mal eben kommen, bitte? Unsere Sekretärin«, fügte er etwas leiser an Charles gewandt hinzu. »Heather meinte, sie hätte mehrmals miterlebt, wie Candice unangemessenes Verhalten an den Tag gelegt hat.«

»Unangemessenes Verhalten?«, sagte Roxanne. »Meine Güte, Justin. Könntest du vielleicht mal aufwachen und dir den Sand aus den Augen wischen?«

»Vielleicht sollten wir uns erst mal anhören, was Kelly zu sagen hat«, konterte Justin kühl.

Als das sechzehnjährige Mädchen ins Büro kam, war ihr Gesicht ganz rot und heiß. Mit verknoteten Beinen stand sie an der Tür und starrte zu Boden.

»Kelly«, sagte Justin mit sanfter, herablassender Stimme. »Ich möchte dich etwas fragen, und zwar zu Candice Brewin, die – wie du weißt – von der Arbeit suspendiert wurde. Und zu Heather Trelawney.«

»Ja«, flüsterte Kelly.

»Hast du je eine Unfreundlichkeit zwischen den beiden bemerkt?«

»Ja«, sagte Kelly nach einer Weile. »Das habe ich.«

Zufrieden sah Justin in die Runde.

»Könntest du uns darüber etwas mehr erzählen?«, fragte er.

»Ich habe ein ganz schlechtes Gewissen deswegen«, fügte Kelly betrübt hinzu und knetete ihre Finger. »Ich wollte schon zu Ihnen kommen und was sagen. Aber ich wollte keine … Sie wissen schon. Schwierigkeiten machen.«

»Das vergessen wir jetzt mal«, sagte Justin freundlich. »Was wolltest du mir sagen?«

»Na ja, nur dass …« Kelly zögerte. »Dass Heather einen solchen Hass auf Candice hatte. Wirklich … einen ganz schrecklichen Hass. Und sie wusste schon, dass Candice Probleme kriegen würde, bevor es dazu kam. Es ging um Spesen, nicht?« Unruhig blickte Kelly auf. »Ich glaube, es könnte sein, dass Heather was damit zu tun hat.«

Roxanne sah Justins Gesicht, schnaubte vor Lachen und hielt sich den Mund zu.

»Verstehe«, sagte Charles Allsopp gewichtig und sah Justin an. »Ich würde sagen, es wäre doch das Mindeste gewesen, diese Sache etwas eingehender zu untersuchen und nicht gleich zur Tat zu schreiten. Was meinen Sie, Justin?«

Einen Moment war alles still.

»Da ... da ... da gebe ich Ihnen absolut recht«, haspelte Justin schließlich. »Offensichtlich ist es da zu einer ... schrecklichen Fehlinterpretation der Fakten gekommen ...« Er warf Kelly einen wütenden Blick zu. »Wenn Kelly vielleicht etwas früher zu mir gekommen wäre ...«

»Gib nicht *ihr* die Schuld!«, sagte Roxanne. »Du hast Candice rausgeworfen!«

»Ich glaube, in diesem Fall wäre eine ... eine umfassende Untersuchung nötig«, sagte Justin, ohne sie zu beachten. »Da sind ganz offensichtlich ein paar Fehler passiert ...«, er schluckte, »und eine gewissenhafte Klärung der Angelegenheit wäre dringend angezeigt. Ich würde also vorschlagen, Charles, sobald Heather wieder da ist ...«

»Sie kommt nicht wieder«, sagte Kelly.

»Was?«, sagte Justin gereizt, weil er unterbrochen wurde.

»Heather kommt nicht zurück.« Kelly knetete ihre Finger immer fester. »Sie ist in Australien.«

Alle starrten sie an.

»Für immer?«, rief Justin ungläubig.

»Das weiß ich nicht«, sagte Kelly puterrot. »Aber hierher kommt sie jedenfalls nicht wieder. Sie ... sie hat mir was zum Abschied geschenkt.«

»Die Gute«, sagte Roxanne.

Fassungslos schüttelte Charles Allsopp den Kopf.

»Es ist haarsträubend«, sagte er. »Abgrundtief ...« Er bremste sich und nickte dem verschüchterten Mädchen zu. »Danke, Kelly. Sie können jetzt gehen.«

Als die Tür hinter ihr ins Schloss fiel, sah er Maggie an.

»Zuallererst müssen wir Kontakt zu Candice aufnehmen

und einen Termin vereinbaren. Könnten Sie das übernehmen, Maggie? Bitten Sie sie, so bald wie möglich herzukommen. Morgen vielleicht.«

»Das würde ich gern tun«, sagte Maggie. »Aber wir wissen nicht, wo sie ist.«

»Wie bitte?« Charles starrte sie an.

»Sie ist verschwunden«, sagte Maggie sachlich. »Sie geht nicht ans Telefon, ihre Briefe stapeln sich im Hausflur … Ehrlich gesagt machen wir uns große Sorgen.«

»Auch das noch!«, sagte Charles bestürzt. »Das hat uns gerade noch gefehlt. Hat jemand die Polizei informiert?«

»Noch nicht«, sagte Maggie. »Aber wir sollten das tun.«

»Gott im Himmel«, sagte Charles und griff sich an die Stirn. »Was für ein Fiasko.« Einen Moment blieb er still, dann wandte er sich Justin zu, mit ernster Miene. »Justin, ich glaube, wir beide sollten uns mal ein bisschen unterhalten.«

»Ab-absolut«, sagte Justin. »Gute Idee.« Mit zitternder Hand griff er nach seinem Terminplaner. »Äh … wann würde es Ihnen denn passen?«

»Jetzt«, sagte Charles knapp. »Jetzt sofort, oben in meinem Büro.« Er drehte sich zu den anderen um. »Wenn Sie mich entschuldigen wollen …«

»Absolut«, sagte Maggie.

»Machen Sie nur«, sagte Roxanne und grinste Justin böse an.

Als die beiden gegangen waren, sanken Roxanne und Maggie schwer auf die Stühle und sahen sich an.

»Ich fühl mich total … erledigt«, sagte Maggie und fing an, ihre Schläfen zu massieren.

»Das überrascht mich überhaupt nicht!«, sagte Roxanne. »Du warst fantastisch! So habe ich dich noch nie erlebt.«

»Na, jedenfalls habe ich meinen Standpunkt deutlich gemacht«, sagte Maggie und lächelte zufrieden.

»Deinen Standpunkt deutlich gemacht? Ich sage dir, nach deinem Auftritt wird Charles unserer Candice den roten Teppich ausrollen.« Roxanne streckte ihre Beine aus und trat die Schuhe von den Füßen. »Wahrscheinlich gibt er ihr auf der Stelle eine Gehaltserhöhung. Täglich frische Blumen auf dem Schreibtisch. E-Mails an die Belegschaft, in denen er ihre Tugenden preist.« Maggie musste kichern, dann stutzte sie.

»Vorausgesetzt, wir finden sie«, sagte sie.

»Vorausgesetzt, wir finden sie«, wiederholte Roxanne und sah Maggie ernst an. »War das dein Ernst, dass du dich an die Polizei wenden willst?«

»Ich weiß nicht.« Maggie seufzte. »Ehrlich gesagt bin ich nicht sicher, ob die Polizei überhaupt was machen kann. Wahrscheinlich sagen die uns, wir sollen uns um unsere eigenen Angelegenheiten kümmern.«

»Was können wir denn sonst tun?«, fragte Roxanne.

»Weiß der Himmel«, sagte Maggie und rieb ihre Wangen. »Ihre Mutter anrufen?«

»Da ist sie bestimmt nicht«, sagte Roxanne kopfschüttelnd. »Sie kann ihre Mutter nicht leiden.«

»Sie hat doch sonst niemanden, oder?«, sagte Maggie und spürte, dass ihr die Tränen kamen. »Scheiße, ich kann den Gedanken kaum ertragen. Sie muss sich schrecklich allein fühlen.« Bedrückt sah sie Roxanne an. »Überleg mal, Roxanne. Erst haben wir sie im Regen stehen lassen, dann Heather …«

Da klopfte es. Draußen vor der Glastür stand jemand und spähte unsicher herein. Es war Julie, die Neue am Empfang. Als Maggie ihr winkte, öffnete sie zögerlich die Tür.

»Tut mir leid, wenn ich störe«, sagte sie und blickte von einer zur anderen.

»Schon okay«, sagte Maggie und tupfte ihre Augen. »Was gibt es denn?«

»Da ist unten jemand für Justin«, sagte Julie. »Doreen war nicht sicher, ob er in einem Meeting ist oder nicht.«

»Ist er«, sagte Maggie.

»Und es könnte noch eine Weile dauern«, fügte Roxanne hinzu. »Jedenfalls wollen wir es hoffen.«

»Gut.« Julie wusste nicht weiter. »Was soll ich dem Besuch denn sagen?«

»Was meinst du?«, sagte Maggie mit Blick auf Roxanne. »Soll ich ihn selbst empfangen?«

»Ich wüsste nicht, wieso«, sagte Roxanne und reckte ihre Arme über dem Kopf. »Du bist doch nicht zum Arbeiten hier. Immerhin bist du im Mutterschaftsurlaub!«

»Ich weiß«, sagte Maggie. »Aber trotzdem … es könnte doch wichtig sein.«

»Du bist einfach zu pflichtbewusst«, sagte Roxanne. »So wichtig kann es gar nicht sein.«

»Vielleicht hast du recht«, sagte Maggie nach kurzer Überlegung, dann zog sie eine Grimasse. »Ach, ich weiß nicht.« Sie sah Julie an. »Weißt du zufällig den Namen?«

Julie konsultierte ihren kleinen Zettel.

»Die Frau heißt … Candice Brewin.« Julie blickte auf. »Anscheinend hat sie hier mal gearbeitet oder so.«

Candice stand am Empfangstresen und kämpfte gegen den unbändigen Drang, wegzulaufen und nie wieder herzukommen. Ihre Beine zitterten in ihrer nagelneuen Strumpfhose, ihre Lippen waren trocken, und jedes Mal, wenn sie daran dachte, dass sie gleich Justin gegenüberstehen würde, hatte sie das Gefühl, als müsste sie sich übergeben. Aber gleichzeitig war sie von einer eisernen Entschlossenheit, die ihre zitternden Beine daran hinderte, Reißaus zu nehmen. Ich muss es tun, sagte sie sich unentwegt. Wenn ich meinen Job und meine Glaubwürdigkeit wiederhaben will – dann muss ich es tun.

Am Morgen war sie im Cottage aufgewacht und hatte eine seltsame Leichtigkeit empfunden. Fast ein Gefühl der Erlösung. Eine Weile hatte sie schweigend an die Decke gestarrt und versucht, die neue Situation einzuschätzen, herauszufinden, was passiert war.

Und da hatte sie es gemerkt. Sie fühlte sich nicht mehr schuldig.

Sie fühlte sich nicht mehr schuldig. Es war, als wäre ihr vergeben worden. Als wäre eine Last, die sie seit Jahren unbewusst mit sich herumtrug, von ihr genommen – und plötzlich konnte sie erhobenen Hauptes das Gefühl von Freiheit genießen und tun und lassen, was sie wollte. Die Schuld, die sie sich für die Schandtaten ihres Vaters aufgeladen hatte, war … wie weggeblasen.

Sie hatte sich sogar selbst auf die Probe gestellt, indem sie gezielt an Heather dachte und – inmitten all der Wut und Scham – auf die Nadelstiche der Schuld wartete. Es war eine automatische Reaktion, an die sie sich im Laufe der Jahre gewöhnt hatte. Doch heute Morgen war da nichts gewesen. Sie spürte nichts dergleichen.

Still und leise hatte sie dagelegen und über ihre Verwandlung gestaunt. Jetzt war sie in der Lage, Heather mit klarem Blick zu sehen, und konnte die ganze Beziehung zu ihr auf ganz neue Weise betrachten. Sie war Heather nichts schuldig gewesen. Rein gar nichts. Als sich Ed neben ihr im Bett rührte, hatte Candice bereits einen Plan gefasst.

»Morgen«, murmelte er verschlafen und beugte sich herüber, um sie zu küssen.

»Ich will meinen Job zurück«, antwortete sie mit starrem Blick zur Decke. »Ich warte diese Anhörung nicht ab. Ich will meinen Job zurück, Ed.«

»Sehr gut«, sagte er und küsste ihr Ohr. »Los, geh und hol ihn dir.«

Fast wortlos hatten sie gefrühstückt und ihre Sachen gepackt, als wollten sie die Aufbruchsstimmung – die Konzentration – nicht schwächen. Auf dem Weg nach London hatte Candice angespannt dagesessen, sich an der Tür festgehalten und geradeaus gestarrt. Ed hatte sie nach Hause gebracht und gewartet, während sie sich in Schale warf, und sie dann hierhergefahren. Irgendwie hatte sie es fertiggebracht, selbstbewusst ins Foyer zu marschieren und nach Justin zu fragen. Irgendwie war sie so weit gekommen.

Doch als sie hier nun auf dem marmornen Fußboden stand und Doreens neugierigen Blicken auswich, löste sich ihr Selbstvertrauen in Wohlgefallen auf. Was genau wollte sie zu Justin sagen? Wie wollte sie ihn umstimmen? Plötzlich fühlte sie sich verletzlich hinter ihrer Fassade, als könnte die leiseste Konfrontation sie zusammenbrechen lassen. Die Klarheit, die sie am Morgen empfunden hatte, war vernebelt. Sie fühlte sich nur noch erniedrigt.

Was war, wenn Justin sie nicht anhören wollte? Was war, wenn er sie einfach vor die Tür setzen ließ? Was war, wenn er sie wieder als Diebin beschimpfte? Sie hatte sich gut überlegt, was sie sagen wollte, hatte sich alles zurechtgelegt, doch jetzt klang ihre Geschichte selbst für ihre Ohren nicht mehr überzeugend. Justin würde ihre Erklärung einfach abtun und ihr sagen, sie solle verschwinden. Candice spürte, dass ihre Wangen brannten, und sie schluckte trocken.

»Ja«, sagte Doreen, als sie aufblickte. »Es ist so, wie ich es mir gedacht habe. Justin ist momentan in einer Besprechung.«

»Oh«, sagte Candice mit bebender Stimme. »Verstehe.«

»Aber man bittet dich, hier zu warten«, sagte Doreen kühl. »Es kommt gleich jemand herunter.«

»Wieso … wozu?«, sagte Candice, doch Doreen zog nur die Augenbrauen hoch.

Candice merkte, dass ihr Herz vor Angst raste. Vielleicht wollte man sie anzeigen. Vielleicht wollten sie die Polizei holen. Was hatte Justin denen denn erzählt? Ihre Wangen glühten, ihr Atem ging flach und schnell. Sie hätte nicht herkommen sollen, dachte sie panisch. Sie hätte gar nicht erst herkommen sollen.

Hinten im Foyer erklang ein kleines Glöckchen, als der Fahrstuhl im Erdgeschoss ankam. Candice spürte, wie sich ihr der Magen umdrehen wollte. Sie holte tief Luft, machte sich auf das Schlimmste gefasst. Dann gingen die Fahrstuhltüren auf, und ihr Gesicht wurde ganz starr vor Schreck. Das konnte doch nicht sein. Sie blinzelte mehrmals, ihr wurde schwindlig, und sie fragte sich, ob sie Halluzinationen hatte. Da – direkt vor ihr – kam Maggie aus dem Lift, mit kummervollem Blick. Und gleich dahinter Roxanne, mit versteinerter Miene, fast streng vor Sorge.

Sie blieben stehen, als sie Candice entdeckten, und einen Moment lang herrschte angespanntes Schweigen, als die drei einander ansahen.

»Ihr seid es«, flüsterte Candice schließlich.

»Wir sind es«, sagte Roxanne nickend. »Richtig, Maggie?«

Verschüchtert starrte Candice in die Gesichter ihrer Freundinnen, die einfach nicht lächeln wollten. Sie hatten ihr nicht verziehen. Sie würden ihr nie verzeihen.

»Ich … Oh Gott. Es tut mir so leid.« Tränen liefen über ihr Gesicht. »Es tut mir so leid. Ich hätte auf euch hören sollen. Ich lag falsch, und ihr hattet recht. Heather war …« Sie schluckte. »Heather war eine …«

»Schon gut«, sagte Maggie. »Es ist alles okay, Candice. Heather ist weg.«

»Und wir sind wieder da«, sagte Roxanne und kam mit glänzenden Augen auf Candice zu. »Wir sind wieder da.«

Kapitel Einundzwanzig

Das Grab war schlicht und weiß, fast anonym zwischen den Reihen auf dem tristen Vorstadtfriedhof. Vielleicht war es etwas ungepflegter als die meisten – von Gras überwachsen, überall lagen Kieselsteine. Aber es war der in Stein gemeißelte Name, der es von den anderen unterschied und der eine nichtssagende Steinplatte zu einem Denkmal für ein Leben machte. Sie starrte die großen Buchstaben an. Den Namen, für den sie sich ihr ganzes Erwachsenenleben lang geschämt hatte. Den Namen, den sie jahrelang nicht einmal mehr hören mochte.

Candice hielt den Blumenstrauß fester und trat an das Grab ihres Vaters. Seit Jahren war sie nicht mehr hier gewesen. Und dem Zustand des Grabes nach zu urteilen, auch ihre Mutter nicht. Beide waren zu sehr von ihrem Zorn getrieben, von Scham, von Leugnung. Beide wollten in die Zukunft blicken und die Vergangenheit vergessen.

Doch als Candice nun den überwucherten Stein betrachtete, empfand sie vor allem Erleichterung. Sie fühlte sich, als hätte sie ihrem Vater in den vergangenen Wochen alle Vorwürfe, alle Schuld zurückgegeben. Jetzt war alles wieder bei ihm, bis auf den letzten Rest. Und nun spürte sie, dass sie anfangen konnte, ihm zu verzeihen. Nachdem sie jahrelang nur Scham und Hass für ihn empfunden hatte, sah sie ihren Vater langsam wieder in einem anderen Licht, erinnerte sich an seine guten Seiten, die sie fast vergessen hatte. Seinen Humor, seine Wärme. Seine Fähigkeit, Menschen ein gutes Gefühl zu geben, ganz allein einen ganzen Tisch voller Langweiler zu unterhalten. Seine Großzügigkeit, seine Impulsivität. Seine reine Freude an den schönen Dingen des Lebens.

Gordon Brewin hatte in seinem Leben viel Unheil angerichtet. Viel Schmerz und Leid gebracht. Aber vielen Leuten hatte er auch große Freude bereitet. Er hatte ihnen Licht und Lachen beschert, Spannung und Vergnügen. Und er hatte ihr eine zauberhafte Kindheit geschenkt. Neunzehn ungetrübte Jahre, bis zu seinem Tod, hatte sie sich geliebt, beschützt und glücklich gefühlt. Neunzehn Jahre des Glücks. Das war doch auch was wert, oder?

Auf wackligen Beinen trat Candice einen Schritt näher an das Grab. Er war kein böser Mensch gewesen, dachte sie. Nur ein Mensch mit Fehlern. Ein unbeschwerter, unehrlicher, großzügiger Mann mit mehr Fehlern, als man zählen konnte. Während sie seinen Namen auf dem Grabstein betrachtete, kamen ihr die Tränen, und sie empfand kindliche, bedingungslose Liebe für ihn. Sie bückte sich, legte die Blumen auf sein Grab und sammelte ein paar von den Steinchen ein, damit es etwas ordentlicher aussah. Sie stand auf und starrte es einen Moment lang an. Dann wandte sie sich abrupt um und ging zurück zum Tor, wo Ed auf sie wartete.

»Wo ist denn die andere Patentante?«, fragte Paddy, als sie in ihrem blauen Blümchenkleid an Maggie heranraschelte. »Sie wird sich doch wohl nicht verspäten, oder?«

»Sie ist bestimmt unterwegs«, sagte Maggie ruhig. Sie knöpfte den letzten Knopf an Lucias Taufkleid zu und hielt sie hoch, um sie bewundern zu lassen. »Was meinst du?«

»Oh, Maggie!«, sagte Paddy. »Sie sieht aus wie ein Engel.«

»Sie sieht wirklich ziemlich gut aus, oder?«, sagte Maggie und prüfte den spitzenbesetzten Seidenstoff. »Roxanne, komm rein! Sieh dir dein Patenkind an!«

»Lass mal sehen«, sagte Roxanne, als sie hereingeschlendert kam. Sie trug ein enges, schwarzweißes Kostüm und einen großen, steifen Hut mit einer geschwungenen Straußenfeder daran. »Sehr hübsch«, sagte sie. »Wirklich sehr hübsch. Obwohl dieses Häubchen nicht so ganz mein Fall ist. Zu viele Schleifen.« Maggie hüstelte.

»Nun«, sagte sie, »Paddy war so nett, dieses Häubchen passend zum Taufkleid zu häkeln. Und ich … ich mag die Schleifen.«

»Alle meine Jungs haben zu ihrer Taufe dieses Kleid getragen«, fügte Paddy stolz hinzu.

»Hmm«, machte Roxanne und sah sich das Taufkleid von oben bis unten an. »Na, das erklärt so einiges.« Sie warf Maggie einen Blick zu, die – ohne es zu wollen – losprustete.

»Paddy«, sagte sie, »meinst du, die Leute vom Catering haben Servietten mitgebracht, oder sollten wir selbst welche besorgen?«

»Oje«, sagte Paddy. »Da bin ich mir nicht sicher. Ich geh schnell rüber und sehe nach, ja?«

Als sie das Schlafzimmer verlassen hatte, war es einen Moment lang ganz still. Maggie legte Lucia unter ihren Spieltrainer auf dem Boden und setzte sich an ihren Schminktisch, um Make-up aufzulegen.

»Rutsch mal«, sagte Roxanne und setzte sich neben sie auf den breiten Hocker. Sie sah sich an, wie Maggie eilig Lidschatten und Wimperntusche auftrug und ihr Werk nach jedem Arbeitsschritt überprüfte.

»Wie schön, dass du dir immer noch Zeit dafür nimmst«, sagte sie.

»Oh, absolut«, sagte Maggie und nahm ihr Rouge. »Wir

Mütter tun nichts lieber, als stundenlang vor dem Spiegel zu sitzen.«

»Ganz ruhig«, sagte Roxanne und nahm einen Lip-Liner. »Ich kümmere mich um deine Lippen.« Sie drehte Maggies Gesicht zu sich herum und zeichnete die Umrisse ihres Mundes mit warmem Pflaumenblau nach. Dann betrachtete sie ihr Werk und nahm Lippenstift und Lippenpinsel zur Hand.

»Hör gut zu, Lucia«, sagte sie, während sie die Farbe auftrug. »Deine Mutter braucht Zeit, um ihren Lippenstift aufzutragen, okay? Also lass ihr einfach die Zeit. Wenn du etwas älter bist, wirst du schon noch merken, wie wichtig das ist.« Als sie fertig war, gab sie Maggie ein Papiertuch. »Tupfen.«

Maggie presste ihre Lippen langsam auf das Tuch, dann nahm sie es vom Mund und betrachtete es.

»Oh Gott, ich werde dich vermissen«, sagte sie. »Ich werde dich wirklich …« Sie atmete scharf aus und schüttelte den Kopf. »Ich meine: *Zypern*. Hätte es nicht … die Isle of Wight sein können?«

Roxanne lachte. »Könntest du dir mich auf der Isle of Wight vorstellen?«

»Also auf Zypern kann ich mir dich auch nicht vorstellen!«, erwiderte Maggie. Eine lange Pause entstand, dann sagte sie widerstrebend: »Na ja, vielleicht kann ich es doch. Wenn ich mir ganz viel Mühe gebe.«

»Ich komme mindestens einmal im Monat nach London«, sagte Roxanne. »Du wirst gar nicht merken, dass ich weg bin.« Ihre blauen Augen fixierten Maggie im Spiegel. »Und ich meine, was ich gesagt habe, Maggie. Ich stehe dazu. Wenn du irgendwann mal schlecht drauf bist, wenn du traurig bist. Jederzeit.«

»Dann kommst du angeflogen«, lachte Maggie.

»Dann komme ich angeflogen«, sagte Roxanne. »Das macht man für seine Familie so.«

Als Ed in die Auffahrt zu *The Pines* einbog, stieß er einen bewundernden Pfiff aus.

»Das ist das Haus, das sie *verkaufen* will? Was stimmt denn damit nicht?«

»Sie möchte wieder in London wohnen«, sagte Candice. »Sie ziehen in Ralphs Haus. Roxannes Haus. Oder wie auch immer.« Sie warf einen sorgenvollen Blick in den Spiegel. »Sehe ich okay aus?«

»Du siehst absolut fantastisch aus«, sagte Ed, ohne sich umzudrehen.

»Hätte ich einen Hut aufsetzen sollen?« Sie sah kritisch an sich herunter. »Ich hasse Hüte. Damit sieht mein Kopf immer irgendwie komisch aus.«

»Kein Mensch trägt zur Taufe einen Hut«, sagte Ed.

»Tun sie wohl!« Als sie sich dem Haus näherten, heulte Candice kurz auf. »Guck mal, da ist Roxanne. Und sie trägt einen Hut. Ich hätte auch einen aufsetzen sollen.«

»Du siehst aus wie ein Engelchen.« Ed beugte sich zu ihr und gab ihr einen Kuss. »Babyface.«

»Ich bin hier nicht das Baby! Ich bin die Patentante.«

»Du siehst auch aus wie eine Patentante.« Ed machte seine Tür auf. »Komm schon. Ich möchte deine Freundinnen kennenlernen.«

Als sie über den Kies knirschten, wandte sich Roxanne um und strahlte Candice an. Dann fiel ihr Blick auf Ed, und sie musterte ihn scharf.

»Du meine Güte«, raunte Ed Candice zu. »Sie durchleuchtet mich mit ihrem Röntgenblick.«

»Sei nicht albern! Sie mag dich jetzt schon.« Atemlos lief Candice auf Roxanne zu und nahm sie in die Arme. »Du siehst ja toll aus!«

»Genau wie du«, sagte Roxanne, trat zurück und nahm Candice bei den Schultern. »So glücklich hast du lange nicht ausgesehen.«

»Na ja … ich bin auch glücklich«, sagte Candice und sah scheu zu Ed hinüber. »Roxanne, das ist …«

»Das ist der berühmte Ed, wie ich vermute.« Roxannes Blick schwenkte herum, und ihre Augen funkelten gefährlich. »Hallo, Ed.«

»Roxanne«, antwortete Ed. »Ich freue mich, deinen Hut kennenzulernen. Und dich natürlich auch.« Roxanne neigte liebenswürdig den Kopf und studierte Eds Gesicht.

»Ich muss sagen, ich hätte gedacht, du würdest optisch etwas mehr hergeben«, sagte sie schließlich.

»Jep. Den Fehler macht man leicht«, sagte Ed unbeeindruckt. »Das geht vielen Leuten so.« Er nickte Roxanne vertraulich zu. »Lass dir darüber keine grauen Haare wachsen.«

Kurz schwiegen sie, dann grinste Roxanne.

»Na schön«, sagte sie. »Du bist genehmigt.«

»Hey, Patentanten!«, hörten sie Maggies Stimme von der Haustür her. »Kommt sofort hier rein! Ich muss euch doch noch die Liste mit euren Pflichten geben.«

»Wir haben Pflichten?«, sagte Roxanne zu Candice, als sie gemeinsam über den Kies liefen. »Ich dachte, wir sind nur für das silberne Taufbesteck zuständig.«

»Und für die Geburtstage«, sagte Candice.

»Und für das Schwenken des Zauberstabes«, sagte Roxanne. »Lucia Drakeford, du *wirst* zu diesem Ball gehen. Und hier hast du ein Paar Prada-Schuhe, in denen du dorthin gehen kannst.«

Hinter den dicken Mauern der Kirche war es eiskalt, trotz der Hitze draußen, und Lucia schrie aus voller Kehle, als das kühle Nass ihre Haut berührte. Nach der Zeremonie posierten Candice, Roxanne und Lucias Patenonkel, ein alter Studienfreund von Giles, auf dem Kirchhof gemeinsam für Fotos und hielten die Kleine abwechselnd auf dem Arm.

»Meine Nerven liegen blank«, raunte Roxanne Candice zu, während sie dabei lächelte. »Was ist, wenn einer von uns sie fallen lässt?«

»Du wirst sie schon nicht fallen lassen!«, sagte Candice. »Außerdem, du weißt doch: Babys springen wie Flummis.«

»So sagt man«, sagte Roxanne besorgt. »Aber was ist, wenn sie vergessen haben, dieses hier mit Gummi auszustopfen?« Sie sah Lucia ins Gesicht und streichelte sanft ihre Wange. »Vergiss mich nicht«, flüsterte sie so leise, dass nicht mal Candice sie hören könnte. »Vergiss mich nicht, Kleine.«

»Okay, das sind jetzt genug Fotos«, rief Maggie schließlich den Gästen zu. »Zu Hause gibt es Champagner und ein paar Häppchen.«

»Na, dann mal los!«, sagte Roxanne. »Worauf warten wir noch?«

In *The Pines* war draußen auf dem Rasen ein langer Tisch voller Leckereien aufgestellt worden. Ein paar alte Damen aus dem Dorf schenkten Champagner aus und boten Schnittchen an, und eine Mozart-Ouvertüre tönte aus zwei Lautsprechern in den Bäumen. Roxanne und Candice nahmen ihre Drinks, dann setzten sie sich ein wenig vom größten Trubel ab.

»Köstlich!«, sagte Candice und nahm einen Schluck Champagner. Sie schloss die Augen und ließ sich die warme Sommersonne ins Gesicht scheinen, und ihr war, als müsste sie vor Glück platzen. »Ist es nicht hübsch? Ist es nicht einfach … perfekt?«

»Fast perfekt«, sagte Roxanne und grinste geheimnisvoll. »Es gibt da nur noch eine kleine Sache, die wir machen müssen.« Sie rief laut: »Maggie! Bring deine Tochter mal hier rüber!«

Verwundert sah Candice, wie sie in ihre schicke kleine Tasche griff, ein Fläschchen Brandy hervorzauberte und in ihr Champagnerglas goss. Dann zauberte sie noch ein Stück Zucker hervor und warf auch das hinein.

»Champagner-Cocktail«, sagte sie und nahm einen Schluck. »Perfekt.«

»Was ist denn?« Maggie gesellte sich zu ihnen, mit Lucia im Arm, die Wangen ganz rot vor Freude. »Ist es nicht super gelaufen? War Lucia nicht toll?«

»Es war wunderschön«, sagte Candice und drückte ihre Schulter. »Und Lucia war ein Engel.«

»Aber noch ist es nicht ganz vorbei«, sagte Roxanne. »Eine letzte, entscheidende Zeremonie steht noch aus.« Ihre Stimme wurde etwas sanfter. »Komm her, Lucia.«

Unter den erstaunten Blicken der anderen tauchte Roxanne ihren Finger in den Champagner-Cocktail und benetzte Lucias Stirn.

»Willkommen im Cocktail-Club«, sagte sie.

Eine Weile herrschte andächtige Stille. Maggie blickte in das kleine Gesicht ihrer Tochter, dann sah sie die anderen an. Sie kniff ein paarmal die Augen zusammen, dann nickte sie. Schweigend wandten sich die drei um und schlenderten über den Rasen zurück zur Party.

Sophie Kinsella

ist Schriftstellerin und ehemalige Wirtschaftsjournalistin. Ihre Schnäppchenjägerin-Romane um die liebenswerte Chaotin Rebecca Bloomwood, von denen mittlerweile sechs vorliegen, werden von einem Millionenpublikum verschlungen. Die Bestsellerlisten eroberte Sophie Kinsella aber auch mit Romanen wie »Sag's nicht weiter, Liebling«, »Göttin in Gummistiefeln«, »Kennen wir uns nicht?« oder »Die Heiratsschwindlerin« im Sturm.
Die Autorin lebt mit ihrer Familie in London.
Mehr Informationen zu Sophie Kinsella und zu ihren Romanen unter www.sophie-kinsella.de

Die Romane mit Schnäppchenjägerin Rebecca Bloomwood in chronologischer Reihenfolge:

Die Schnäppchenjägerin · Fast geschenkt ·
Hochzeit zu verschenken · Vom Umtausch ausgeschlossen ·
Prada, Pumps und Babypuder · Mini Shopaholic

Außerdem von Sophie Kinsella lieferbar:

Sag's nicht weiter, Liebling · Göttin in Gummistiefeln ·
Kennen wir uns nicht? · Charleston Girl ·
Kein Kuss unter dieser Nummer

Sophie Kinsella schreibt als Madeleine Wickham:

Die Heiratsschwindlerin · Reizende Gäste ·
Cocktails für drei

Alle Romane sind auch als E-Book erhältlich.

Humorvoll, warmherzig und voller romantischer Verwicklungen.

320 Seiten
ISBN 978-3-442-47684-8
auch als E-Book erhältlich

Eine bezaubernde Betrügerin auf Männerfang kann alle täuschen - nur nicht ihr Herz.

352 Seiten
ISBN 978-3-442-47548-3
auch als E-Book erhältlich

Eine verheiratete Braut sorgt für jede Menge Überraschungen...

352 Seiten
ISBN 978-3-442-47685-5
auch als E-Book und Hörbuch erhältlich

Drei Freundinnen und eine gute Tat mit unerwarteten Folgen – ein prickelnder Cocktail voller Überraschungen.

Um die ganze Welt des
GOLDMANN Verlages
kennenzulernen, besuchen Sie uns doch
im **Internet** unter:

www.goldmann-verlag.de

Dort können Sie
nach weiteren interessanten Büchern *stöbern*,
Näheres über unsere *Autoren* erfahren,
in *Leseproben* blättern, alle *Termine* zu Lesungen und
Events finden und den *Newsletter* mit interessanten
Neuigkeiten, Gewinnspielen etc. abonnieren.

Ein *Gesamtverzeichnis* aller Goldmann Bücher finden
Sie dort ebenfalls.

Sehen Sie sich auch unsere *Videos* auf YouTube an und
werden Sie ein *Facebook*-Fan des Goldmann Verlags!

www.goldmann-verlag.de
www.facebook.com/goldmannverlag

GOLDMANN
Lesen erleben